Milagres

Estevam Hernandes

Milagres

Deus faz coisas extraordinárias
na vida de quem tem fé

THOMAS NELSON
BRASIL®

Rio de Janeiro – 2013

© 2013 by Estevam Hernandes
Copyright da edição: © 2013, Vida Melhor Editora S.A.
Todos os direitos reservados.

Publisher	Omar de Souza
Editor responsável	Samuel Coto
Produção	Adriana Torres
	Thalita Aragão Ramalho
Preparação de texto	Marcelo Santos
Preparador de original:	GAD Comunicação e Publicidade Ltda.
Revisão	Clarisse Cintra
Capa	Douglas Lucas
Diagramação e projeto gráfico	Especial Book's Editoração Ltda

As citações bíblicas são baseadas no texto da Almeida Revista e Atualizada.

CIP-BRASIL. CATALOGAÇÃO NA FONTE
SINDICATO NACIONAL DOS EDITORES DE LIVROS, RJ

H477m

Hernandes, Estevam

Milagres / Estevam Hernandes. - 1. ed. - Rio de Janeiro : Thomas Nelson Brasil, 2013.

ISBN 978-85-786-0418-9

1. Milagres. 2. Testemunhos (Cristianismo). I. Título.

13-01998   CDD: 299.93
                    CDU: 299.93

Thomas Nelson Brasil é uma marca licenciada à Vida Melhor Editora S.A.
Todos os direitos reservados à Vida Melhor Editora S.A.
Rua Nova Jerusalém, 345 – Bonsucesso
Rio de Janeiro – RJ – CEP 21402-325
Tel.: (21) 3882-8200 – Fax: (21) 3882-8212 / 3882-8313
www.thomasnelson.com.br

SUMÁRIO

Prefácio...7

Capítulo 1
    Morte na terceira volta... 9
    Vasculite de Churg-Strauss 19

Capítulo 2
    Ressurreição em um sábado 27
    Minha história é um milagre.. 39

Capítulo 3
    A dimensão onde os milagres acontecem............................. 45
    Das trevas para a luz 58

Capítulo 4
    Um milagre para alguém que não queria um milagre............... 63
    Gerado no altar 81

Capítulo 5
    A revolução está no nome de Deus.. 87
    Dependente de Deus... 106

Capítulo 6
    Milagre não se explica... 113
    O tempo de Deus 127

Capítulo 7

Meu melhor amigo 131
O improvável aconteceu 147

Capítulo 8

Um milagre todo dia 151
Eu escolho a vida 172

Capítulo 9

Quando a alma adoece 179
Minha doença era na alma 194

Capítulo 10

Como receber um diagnóstico 205
Curada de oito cânceres 225

Capítulo 11

O que mata o milagre 233
A hora de ter fé 252

Capítulo 12

O caminho de todas as curas 259
Estava morto e reviveu 271

PREFÁCIO

O cineasta francês Jean Cocteau cunhou uma frase famosa: "Não sabendo que era impossível, ele foi lá e fez." Esse pensamento é parecido com o do filósofo chinês Lao Tsé, há mais de dois mil anos, e cabe perfeitamente nos dias de hoje para descrever a trajetória de vida do apóstolo Estevam Hernandes. O menino que se apaixonou pela mensagem de Cristo, que viveu a adolescência com o coração transbordando da vontade de anunciar as boas-novas do Evangelho, de ajudar o próximo, e que passou a juventude com o objetivo de levar a mensagem salvadora de Jesus, cresceu não sabendo o que era impossível.

Não saber o que é impossível é acreditar no milagre. É ter fé suficiente para crer que o Todo Poderoso pode mudar qualquer situação. Se há alguém credenciado a falar em milagres com muita propriedade é o apóstolo Estevam e sua esposa, a bispa Sonia Hernandes. Milagres experimentados em suas próprias vidas; milagres que foram operados por meio de suas vidas; e milagres que aconteceram durante essa trajetória.

A biografia de Jesus foi marcada por milagres. Cristo libertou pessoas, multiplicou peixes, curou doentes e transformou a água em vinho. Esses sinais foram registrados e nos seguem até hoje. Eles nos mostram que Jesus é o Salvador. E se buscamos ser a imagem e semelhança dele, podemos, sim, crer e viver os milagres.

Certo dia li uma frase curta e que diz muito: "Quem lê sabe mais." Ler um livro sobre milagres pode representar uma mudança de postura na vida e nas nossas convicções. Além de saber mais, crer mais pode ser fundamental para viver aquilo que tanto esperamos. Conheço o apóstolo Estevam e seu ministério há quase 25 anos. Posso dizer que esta obra lançada agora não é para formar opinião ou simplesmente ser mais um livro colocado nas prateleiras das grandes livrarias. Ela vai além. É um nobre ideal de levar aquilo em que ele acredita e vive para todos.

Este livro apresenta ao leitor uma mensagem profunda de fé, de esperança e da certeza de que o milagre pode acontecer. Ensina que tudo depende da nossa busca, dos nossos posicionamentos, da maneira como nos relacionamos com Deus e da vontade dele, que está acima de tudo. Esta publicação desafia o leitor à prática da fé e traz para os dias de hoje algo profundo que Jesus disse há mais de dois mil anos, no Evangelho de João 14. Que poderíamos viver obras maiores que aquelas praticadas na época de Cristo.

O meu desejo é que as pessoas sejam impactadas com essas palavras, com os testemunhos e com essa experiência de vida.

É ler para crer.

Reinaldo Gottino,
jornalista

Capítulo 1

Morte na terceira volta

Enquanto era levado às pressas para o hospital, deitado no banco de trás de um carro de passeio, minha esposa telefonou-me.

— Tê, você precisa ouvir a música que Deus me deu no avião... Foi incrível! Escuta, escuta! — falou pelo celular.

Naquela hora, tudo o que ela não precisava era saber que eu, um homem que nunca tivera um problema de saúde sequer, estava sofrendo um colapso cardíaco e que o músculo do meu coração estava enfraquecido, sem forças. A Sonia tinha acabado de chegar em Brasília (DF) quando me ligou. Era um sábado. Ela e nossa filha, Fernanda, estavam lá para fazer o lançamento do CD *Renascer Praise 5* e voltariam só no dia seguinte, domingo.

Fiz o possível para ela não perceber, e foi até fácil esconder o que estava acontecendo porque naquela época os celulares eram muito ruins, as ligações sofriam muita interferência e chiado. Além do mais, ela estava eufórica, pois enquanto dormia no avião, Deus havia lhe dado um louvor maravilhoso, letra e música, e ainda havia colocado em seu coração que ela deveria cantá-lo para mim. Um cuidado extremo de Deus.

— Começa assim: *"Parece mesmo que esse dia nunca vai chegar, parece mesmo que sua promessa eu não vou viver; possuir a terra onde há honra, leite e mel, com meus filhos ao redor, ver suas bênçãos sobre os meus"* — cantou ela ao telefone. — Aí vem o refrão. Olha que lindo: *"Aquele que começou a boa obra em minha vida é fiel, ele é fiel! Não descansará, não desistirá, enquanto não houver terminado. Não vivo do que vejo, mas vivo do creio, sim, ele é fiel, ele é fiel. Eu não morrerei, antes viverei todo bem do Senhor aqui na terra e no céu".*

Ela estava cantando e eu, contorcendo-me de dor, sem conseguir respirar. Um turbilhão de pensamentos assaltava-me... O que estava acontecendo? E essa música? Logo agora? Não podia ser coincidência. O que Deus estava querendo dizer-me?

Eu ainda não sabia do terrível diagnóstico, mas logo entenderia.

A minha vida sempre foi pautada por uma série de experiências com Deus que foram verdadeiros milagres. Naquele momento, no entanto, eu enfrentava um grave problema de saúde. Sempre orei pelas pessoas enfermas, testemunhei curas, milagres, ressurreição. Agora estava experimentando o que muitos viveram, até mesmo meu filho primogênito, mas eu mesmo não conhecia.

Naqueles primeiros momentos só pensava na minha esposa, nos meus filhos, na Igreja.

— Não há de ser nada — imaginei, mas as fortes dores, a falta de ar e o sangue que não parava de vir à boca eram evidências fortes de um mal que me atingira.

Essa experiência foi uma verdadeira loucura. Sempre fiz todos os exames regulares e *check ups* até em função da minha profissão, uma exigência das empresas nas quais trabalhei. Nunca tive nada. Quer dizer, tive difteria quando criança. Fiquei até internado em isolamento no Hospital Emílio Ribas, mas não me lembro de nada mais sério.

Minha esposa, Sonia, que também é bispa, tinha viajado para Brasília e eu fui andar de kart com os amigos da igreja. Sempre gostei de automobilismo, de carros e de alta velocidade. Quando ia ao kartódromo corria mesmo. Nesse dia, dei umas três voltas e, então, senti uma tontura; dei mais uma volta e senti vontade de cuspir. Quando parei no box, cuspi e vi sangue. Como tinha um médico de plantão no kartódromo, achei melhor consultá-lo. Ele não deu muita importância:

— Ah! Isso não é nada. Qualquer resfriado pode dar isso. Pode continuar.

Voltei para a pista e até tentei continuar, mas fiquei sem forças, desmaiei. Foi aquela correria para me levar para o hospital. Fui colocado no banco de trás do carro de um amigo e só me lembro de sentir fortes dores no peito e não conseguir respirar. No meio do caminho, a Sonia me ligou. Eu não queria dizer que estava mal. Entretanto, quase no mesmo instante, Deus havia lhe dado a música "Promessa" e ela começou a cantar. O que a letra falava era exatamente o que eu estava vivendo naquele momento.

Quando cheguei ao hospital, começaram a fazer os exames e, imediatamente, levaram-me para a Unidade de Terapia Intensiva (UTI), porque já estava com embolia pulmonar. Um trombo havia se soltado e estava no meu pulmão; aliás, estava com os dois pulmões completamente cheios de água. Foi uma loucura. Os médicos iniciaram os procedimentos e os exames. Um deles me perguntou:

— Você foi picado pelo bicho barbeiro?

— Não — respondi — Por quê?

— Porque seu coração está extremamente dilatado.

Eles me explicaram que o músculo do coração havia lacerado e não tinha mais forças para bombear o sangue para todo o meu corpo e oxigenar os pulmões. A embolia pulmonar foi uma consequência do problema cardíaco, porque, sem o coração bombear sangue, acabou formando água no pulmão.

Depois de alguns dias, saí da UTI. Então, o médico me chamou e disse:

— O seu diagnóstico é de miocardiopatia dilatada idiopática. Existe um único tratamento para você: o transplante de coração.

Quando você escuta algo assim, um diagnóstico tão terrível, fica sem chão momentaneamente. O meu raciocínio foi rápido:

— Por favor, não diga nada para a minha esposa. Eu quero falar com ela.

Sabia que seria um choque muito grande para a Sonia, que já enfrentava os desafios de saúde de nosso filho, Felippe, hoje, bispo Tid. Queria conversar com ela da maneira certa, acalmá-la. Ela já tinha voltado de Brasília e soube que eu estava com problema no coração — mas não sabia sobre o transplante. Ela estava apavorada. Pediu para todo mundo orar... Foi aquela loucura, aquele desespero. Mas eu falei para ela:

— Pode ficar tranquila porque não vou morrer do coração. Sabe por quê? Porque fiz um acordo com Deus e tenho certeza de que não morro do coração.

Lembrei do momento que tinha feito um pacto com Deus. Eu estava orando e pedi o seguinte:

— O Senhor pode levar-me do jeito que o Senhor quiser, menos do coração. Quero morrer pregando.

É que eu sempre ouvi histórias sobre pastores com problema no coração por causa da atividade e achava isso meio absurdo. Eu não queria ser mais um. Quando tudo isso aconteceu, lembrei-me desse acordo. Foi isso que não me deixou ter dúvidas, apesar de todas as circunstâncias mostrarem o contrário.

Passados mais uns dias no hospital, o médico disse:

— Vamos te dar alta porque você precisa passar por um período de uns seis meses para se preparar para o transplante.

Mas aquilo, na minha cabeça, não era uma possibilidade. Ele falava de transplante, que é um negócio assustador — mas não era uma opção para mim porque estava crendo firmemente no meu pacto com Deus.

Enfim, fui para casa. Foi uma alegria para toda a nossa família. O médico alertou-me que eu não deveria fazer esforço algum, inclusive subir degraus.

Todos os conselhos dele começavam com "não faça isso, não faça aquilo".

Tinha dores, dores, dores violentas no coração e ficamos mesmo naquela neurose de não faz isso, não faz aquilo. Eu estava mal. Às vezes, não conseguia respirar direito — a respiração era quase que nula, porque o músculo do coração, frouxo, não bombeava direito e, consequentemente, não oxigenava. Então, eu não conseguia respirar, não conseguia dormir — e a Sonia ficava completamente apavorada.

Chave para o milagre

As noites eram sempre uma tortura. Tinha medo de dormir e não acordar. Ficava revirando-me na cama, procurando a melhor posição para respirar. Certa noite, estávamos dormindo e acordei novamente passando mal, cansado, e sufocando. Então, fui até o escritório no andar térreo da nossa casa, ajoelhei e comecei a orar:

— Senhor, não me conformo com essa situação. Nós temos um acordo. Mostre a saída de toda essa loucura.

Todos aqueles sintomas, aquele mal-estar constante começaram a afetar-me, a convencer-me de que eu estava realmente com os dias contados e, nesses momentos, o perigo é você perder a perspectiva da Palavra de Deus e de suas promessas, porque as evidências do contrário são muito fortes.

Enquanto orava e chorava um choro fraquinho porque nem tinha forças, pensei numa frase do Espírito Santo, da Bíblia, que está em Provérbios 23:7: "Porque, como imagina em sua alma, assim ele é (...)". Abri a Bíblia. Li, reli, duas, três vezes esse texto e só não comecei a gritar e pular porque ainda não tinha condições para isso. Quando li essa Palavra bateu-me um negócio inexplicável. Parecia que alguém tinha colocado um chip no meu cérebro com uma nova programação. Ouvi a voz de Deus alta e clara:

— Essa é a chave!

Levantei, voltei para o quarto, acordei a Sonia e disse:

— Sonia, nunca mais me veja como doente, nunca mais trate-me como doente e nunca mais me chame de doente, porque eu estou curado.

E, a partir de então, comecei a mudar todos os procedimentos, comecei a agir normalmente. As dores permaneciam, às vezes até piores, mas a minha cabeça havia mudado. Isso foi no fim de 1999.

Naqueles dias tínhamos planejado um evento para a igreja que aconteceria no Ginásio do Ibirapuera, em São Paulo, na noite de Natal, e eu tinha de estar lá. Mas o médico havia me proibido de pregar, porque quando você prega, faz força. Eu lembro que fiquei internado até dia 22 de dezembro, saí no dia seguinte, e o evento seria no dia 25. Ele sentenciou:

— Se você pregar, vai morrer.

Quero deixar claro que respeitamos a ciência. Cremos que Deus pode usar os homens para curar-nos e que os médicos são grandes bênçãos, que devem ser ouvidos e obedecidos. Mas, no meu caso, tive uma experiência muito forte com Deus. Em primeiro lugar, eu tinha um trato com o Senhor que eu não morreria do coração. Depois, ele falou comigo sobre Provérbios 23:7; e ainda teve a história da música, "Promessa", que dizia: *"Não morrerei, antes viverei..."* Não podia ser coincidência. Para mim, era o suficiente, mas para desespero da Sonia e dos médicos, decidi que ia pregar no dia de Natal.

Preguei por quarenta minutos e ninguém nem percebeu que eu tinha algum problema grave, mas sai do ginásio quase carregado. Da mesma forma, continuei pregando todos os domingos na igreja. Eu entrava com uma dor insuportável, mas durante a pregação não sentia nada... E assim foi por quase dois meses até que as dores começaram a diminuir e comecei a movimentar-me mais e a ter uma vida quase normal. Era uma época em que eu trabalhava, literalmente, 24 horas por dia e não sentia nada. Na minha cabeça, tinha uma certeza: estou curado.

Algum tempo depois, fomos para Orlando, nos Estados Unidos, com as crianças para visitar os parques de diversão. Chegando lá, o que não faltavam eram brinquedos proibidos para grávidas e para quem tem problemas cardíacos, com avisos alarmistas e tudo o mais. Eu olhava aqueles avisos, aquelas advertências, escolhia o mais radical e pensava: "Eu estou curado. É nesse que eu vou", e ia mesmo.

Viajamos e divertimo-nos por alguns dias. Alguns brinquedos mais pareciam as tribulações do Apocalipse. Fui em todos eles e sabe o que aconteceu? Nada. Não tive nada.

Volto a repetir que essa é uma experiência pessoal, profunda, que o Senhor reservou para que eu vivesse. Não estou querendo incentivar ninguém a ser inconsequente com a sua saúde, com o seu corpo, muito menos colocar Deus à prova. Comigo, o milagre foi acontecendo exatamente como estou contando.

Hoje, como é que eu creio? Eu posso ter a manifestação da enfermidade na minha carne, mas no meu espírito tenho a cura.

Bom, voltamos da viagem. Eu voltei ao médico e deveria fazer todos os exames. Para o cardiologista, estávamos nos preparando para o transplante. Então aconteceu a maior loucura de todas. Quando os resultados dos exames chegaram, todos se surpreenderam. O médico não sabia o que dizer. Ele pegou os dois exames, o anterior e o atual. No primeiro, logo depois do incidente no kartódromo, o meu coração estava bem dilatado; no segundo, estava praticamente normal.

O improvável aconteceu. O músculo do coração, segundo a medicina, não se regenera uma vez que perde o tônus, mas o meu tinha voltado ao normal. Para deixar todo mundo ainda mais surpreso, aparecia uma espécie de cicatriz no meu coração.

O médico, totalmente incrédulo, indignou-se:

— Lá vêm vocês com esse negócio de oração e vão falar para mim que não fiz nada? Foi tudo Deus? Quanto eu fiz e quanto Deus fez?

— Olha, doutor, Deus fez 90% e você, 10%, e nesses seus 10% ainda foi o Senhor quem te orientou. — E insisti: — Você não acredita que tenha sido um milagre?

— Não acredito. Não foi milagre.

— Então, quer dizer que você me curaria?

— Não. Ninguém conhece o corpo humano; nunca aconteceu antes, mas pode acontecer eventualmente. Como no seu caso.

Bem, quando a pessoa não acredita, não adianta... É como diz a Bíblia: para quem não crê é loucura, mas para quem crê, é poder de Deus.

> "Certamente, a palavra da cruz é loucura para os que se perdem, mas para nós, que somos salvos, poder de Deus."
> — 1Coríntios 1:18

Autoridade sobre a enfermidade

Depois dessa experiência incrível que Deus me deu, uma verdadeira habilitação, já enfrentei outros desafios de saúde. Às vezes, uma ou outra doença, ou sinto dores, só que elas nunca mais me dominaram. Aprendi que a chave para o milagre é a Palavra de Deus e aprendi a ter autoridade sobre a enfermidade. Eu creio que Jesus me curou mediante a minha fé no poder de Deus e de uma forma que só foi possível pelo meu relacionamento profundo com Jesus Cristo.

Mas o que acontece hoje em dia? Por que existem tantas pessoas doentes? Deus mudou? Jesus não faz mais os milagres que fazia nos tempos bíblicos? Não. O que acontece é que as pessoas estão distanciadas de Deus e muitas trabalham em favor da enfermidade.

Fazer isso é se entregar de corpo e alma aos diagnósticos, palavras, sentenças lançadas, é acreditar mais nos sintomas e esquecer-se de depositar a sua confiança em Deus. Isso tudo são verdadeiros remédios abortivos do milagre.

Na Bíblia, existe a história de um rei que ficou doente e só confiava nos médicos. Ele não recorreu a Deus. Está em 2Crônicas 16:12: "No trigésimo nono ano do seu reinado, caiu Asa doente dos pés; a sua doença era em extremo grave; contudo, na sua enfermidade não recorreu ao S<small>ENHOR</small>, mas confiou nos médicos."

É obvio que entendemos racionalmente o que os médicos falam e não nos colocamos em posição de negação; esse tipo de atitude nem tem a ver com a ação do poder de Deus. Aliás, essa é a área de conflito que temos com os médicos muitas vezes, principalmente no caso do nosso filho, o bispo Tid. A nossa interpretação pela ótica da fé faz com que os médicos pensem, muitas vezes, que estamos loucos, que não entendemos o que eles falaram. Então, temos de chegar e explicar:

— Nós somos pessoas inteligentes, racionais. Entendemos o que você falou, porém, acreditamos que existe outro caminho.

Muitos médicos acham que estamos fugindo da realidade que nos foi mostrada, só que, efetivamente, não é isso. Constatamos a realidade, temos plena consciência do que está acontecendo, mas cremos que exista — cheguei a conversar sobre isso com muitos médicos e eles acabaram entendendo — um caminho ao qual nós temos acesso e que eles desconhecem: a fé. Porque o ingrediente, a matéria-prima do milagre é a fé. Esta, creio, é uma grande, uma enorme diferença.

Acreditamos que Deus deu inteligência aos médicos e aos profissionais da saúde e que eles são usados para nos abençoar, mas existem doenças que os médicos não curam; existem situações que são insolúveis para qualquer ser humano, seja no âmbito físico, emocional ou espiritual. Isso é inegável.

Jesus não continua fazendo os mesmos milagres. Ele simplesmente continua fazendo milagres. Comparando a época em que Jesus estava na terra com o presente, a única coisa que mudou foram as enfermidades. Hoje, você não encontra um leproso na rua, o contexto de mundo em que vivemos é diferente daquele em que ele viveu, só que "Jesus Cristo, ontem e hoje, é o mesmo e o será para sempre" (Hebreus 13:8). A Bíblia não relata nenhuma cura de câncer, mas testemunhamos várias curas de câncer que Jesus realizou nesses dias.

As pessoas têm a percepção de que milagres não acontecem como antigamente porque não têm um contato diário com Jesus Cristo. Elas estão distanciadas da realidade da fé e do milagre.

Você tem uma área enferma em sua vida? Precisa de um milagre? Jesus pode curá-lo. Para isso você precisa desejar, e muito, ser curado, e perseverar, porque esses são princípios e fundamentos bíblicos.

> "Por isso, vos digo: Pedi, e dar-se-vos-á; buscai, e achareis; batei, e abrir-se-vos-á. Pois todo o que pede recebe; o que busca encontra; e a quem bate, abrir-se-lhe-á." — Lucas 11:9-10

> "Com efeito, tendes necessidade de perseverança, para que, havendo feito a vontade de Deus, alcanceis a promessa." — Hebreus 10:36

Isso faz a diferença porque, consequentemente, você acaba, pelo desejo e pela possibilidade palpável de ter o que deseja, estimulando a sua fé. Entretanto, quando não tem perspectiva de receber, você mata a fé interior, desanima e acomoda-se no possível, enquanto o Senhor tem o impossível para você viver.

Justamente para estimular sua fé, reunimos nesse livro 12 histórias reais para você, que se perdeu, volte a crer; se nunca pensou no assunto, deixe sua posição de incrédulo e crítico da fé e pare, ao menos, para pensar.

Depoimento

VASCULITE DE CHURG-STRAUSS

Nasci em casa pelas mãos da dona de um centro de candomblé em Salvador, Bahia. Assim, passei minha infância agradecendo à parteira todo o tempo, porque minha mãe, que fazia parte do centro, exigia e cobrava esse contato constante. Quando estava com 11 anos, meus pais ganharam uma casa que ficava dentro do terreiro que pertencia ao meu tio paterno, e assim, até os meus 14 anos, conheci quase tudo sobre candomblé. Apesar disso, da consagração feita pelos meus pais, nunca houve manifestação na minha vida e eu pedia a Deus para me tirar daquele lugar de qualquer forma.

Aos 15 anos, em 1983, ganhei de presente de aniversário uma viagem para o Rio de Janeiro. Durante os dias que passei na Cidade Maravilhosa, fui convidada para participar de um acampamento de Carnaval de uma igreja evangélica. Ali entendi o amor de Deus e seu plano para minha vida e entreguei-me, de coração e muito emocionada, a Jesus Cristo. Era o que eu sempre busquei.

Fui por um tempo à igreja contra a vontade dos meus pais, pois ainda morávamos no terreiro de candomblé. Uma crente morando em um terreiro... Era difícil, mas eu orava, jejuava, tinha sede de Deus. Por conta disso, sofri muito na minha casa até que Deus colocou as coisas nos seus devidos lugares.

Sempre fui determinada e nunca comi o pão da preguiça, mas de uma hora pra outra a minha vida começou a tomar outro rumo. Fiquei doente. Uma doença estranha, e todos na minha casa e as pessoas de fora da família começaram a questionar-me: "Você não sai da igreja e está doente? Onde está o seu Deus?"

O ano de 1988 foi muito difícil pra mim. Fui diagnosticada com um tumor em uma das minhas mamas e precisei ser submetida a uma cirurgia para a remoção do tumor. Graças a Deus, feita a biópsia, era benigno.

Em 1992 comecei a sentir fortes dores no joelho, na bacia e no fêmur. Como a dor era insistente, procurei um ortopedista que diagnosticou luxação no joelho esquerdo. Cerca de dez meses depois, ao descer de um ônibus, caí e fraturei o joelho. Era uma quarta-feira à tarde, mas só fui submetida à cirurgia na sexta-feira pela manhã, por causa da burocracia do convênio médico.

Durante o pós-cirúrgico, o médico deixou claro que a recuperação demoraria uns três meses. Tudo ia bem, mas antes de completar trinta dias, fui passar o Natal na igreja, usando muletas e, ao levantar, escorreguei, cai e vários pontos se romperam. Precisei submeter-me a vários cuidados médicos até a cicatrização e, assim, a fisioterapia.

Para minha surpresa e do médico, eu não conseguia andar sem as muletas de jeito nenhum. A perna estava extremamente inchada e o processo que deveria durar três meses transformou-se em dois anos. O Senhor colocou a mão e, após esse período, passei a usar só uma muleta, até começar a dar os primeiros passos sozinha.

Tudo parecia bem, quando em novembro de 1995 comecei a apresentar episódios de dores em todo corpo, palpitações, falta de ar e febre todos os dias no fim da tarde. Fui a vários médicos e todos concordavam que algo estranho estava acontecendo, mas não conseguiam chegar a nenhum diagnóstico que justificasse o quadro.

A situação piorou tanto e tão rapidamente que eu precisava fazer várias inalações por dia, pois não conseguia respirar e já fazia uso contínuo de pico de fluxo expiratório (PFE) para controlar a capacidade do pulmão. Vários quadros de infecção foram se sucedendo e os médicos não sabiam o que estava de fato acontecendo com o meu organismo.

Na verdade, eu já vinha sentindo as dores há muito tempo, bem antes da queda, há anos. Após vários exames, fui inicialmente diagnosticada com artrite reumatoide e passei a fazer uso de remédios fortíssimos, corticoide, anti-inflamatório e vários outros medicamentos.

Apesar da minha fé, do apoio da Igreja, das orações constantes, dos choros e do clamor, os sintomas não diminuíam. Ao contrário, as dores só aumentavam e o quadro se agravava. Fui encaminhada ao neurologista e ao pneumologista, porque as complicações pulmonares começaram a aparecer. Era uma infecção urinária após a outra. Eu já estava com retenção de líquido, complicações e mais complicações. Na ocasião, fiz um exame de Doppler dos rins, mas a doença não aparecia e o quadro não melhorava.

Fui submetida a vários exames: tomografia da coluna, porque sentia dores fortíssimas; eletroneuromiografia, ressonância magnética, Doppler dos rins, e, por fim, o liquor (retirada de líquido da medula). Este, que é doloridíssimo, foi feito quatro vezes, sem falar dos exames de laboratório.

Quando o médico recebeu o resultado da ressonância ficou assustado. A minha coluna era de uma pessoa de 65 anos — eu tinha trinta na época. A bacia e o fêmur apareciam nos exames com cicatrizes de fratura espontânea; e todos os exames de sangue estavam alterados. O quadro piorou e a febre só era controlada com medicação diária. Perdi peso rapidamente, enquanto o abdômen e os pés apresentavam edema acentuado.

Os exames apontavam hérnia de disco bilateral com degeneração por artrose, desenervação crônica, desvio do cóccix com fratura antiga. O exame de espirometria acusava insuficiência ventilatória restritiva e obstrutiva, velocidade de hemossedimentação (VHS) elevada e outras alterações.

Logo fui internada, por orientação do imunologista, com diagnóstico de doença autoimune Vasculite de Churg-Strauss. É uma doença raríssima, de causa desconhecida e até então sem medicação adequada para controlar. O médico demorou alguns dias para informar que não tinha cura. A doença já estava avançada e eu poderia morrer a qualquer momento.

Imagine receber essa notícia! Eu só clamava pela misericórdia de Deus. Os meus pais estavam desesperados e, mesmo não sendo cristãos, choravam pedindo a cura para Deus.

Foram várias internações. Períodos curtos alternando com períodos longos, sem qualquer melhora. O tempo foi passando e o Senhor sustentava-me a cada dia. Comia e bebia a Palavra de Deus. Eu não queria morrer daquela forma. Acreditava que Deus tinha um chamado para minha vida, que ele queria me ensinar algo. Eu falava com Deus que ele sabia como eu estava sofrendo, que a minha vida pertencia a ele, e somente ele poderia mudar aquele diagnóstico.

Coloquei versículos da Bíblia sobre cura, milagres e promessas de Deus em vários ambientes da minha casa. Estavam por todos os lados: no banheiro, nas portas dos armários, colados na mesa e no espelho. Para onde olhasse, eu enxergava a Palavra de Deus. Eu ia viver o milagre, só não sabia como e nem quando. O diagnóstico era de morte, mas eu tinha certeza da minha condição de filha do Deus que dá vida e ressuscita os mortos.

Surpreendentemente, o quadro começou a mudar, a esperança, a surgir, e disse para a minha família:

— Não disse que Deus iria intervir na situação?

Parece que foi só falar para tudo piorar muito. Saía sangue pela minha boca e pelo nariz. Em seguida, apareceu a síndrome de ressecamento do fundo do olho e tive que fazer uma cirurgia para tentar corrigir isso. E outras doenças foram aparecendo: leucopenia (redução dos glóbulos brancos), bronquite, além das dores fortes pelo corpo todo.

Passei vinte dias internada, tive alta. Sobrevivi à crise, mas estava fraca. Cinco dias após a alta, senti uma forte dor na cabeça, perdi os sentidos e só acordei dias depois no hospital. Tive um acidente cardiovascular. Entrei em coma e, quando acordei, não conseguia falar. Tive problemas de memória, não andava, perdi o movimento do lado esquerdo e não tinha nenhuma chance de retomar a minha vida, o meu trabalho. Os médicos diziam que ficaria com sequelas para sempre.

Fiquei no hospital por mais alguns dias e, então, tive alta novamente. Os médicos não acreditavam como eu havia saído daquele quadro.

Fui para casa. Não podia andar e estava superdebilitada, precisando de cuidados, como banho e comida na boca — tudo batido no liquidificador. Não conseguia nem mesmo ficar sentada. Para os médicos, não fazia sentido continuar internada, até porque eles achavam melhor morrer perto da família.

Passei uns três dias orando e pedindo um sinal do Céu. Orava em espírito o tempo todo, pedindo ao Pai que me ajudasse, pois eu ainda desejava ser usada por ele. Queria ver minha família salva e liberta. Enfim, não podia morrer porque o Deus da ressurreição estava comigo.

Chorava em silêncio, à noite, para não magoar as pessoas que cuidavam de mim, afinal, eles estavam se doando e fazendo o melhor que podiam. Nesse tempo, vivi com um casal de pastores da igreja da qual fazia parte em Salvador. Eles me acolheram e cuidaram de mim porque a minha família não tinha a mínima condição espiritual, emocional e financeira. Eu precisava de cuidados 24 horas por dia para esperar o milagre.

Era novembro de 1998. No domingo daquela mesma semana que sai do hospital, enquanto o pastor e a sua família se arrumavam para ir à igreja, ele chamou a pessoa que cuidava de mim e disse:

— Deixe o rádio ligado na Rádio Gospel porque ela gosta de ouvir a bispa Sonia. Mesmo que ela durma, deixe o rádio ligado.

Eu não falava, mas ouvia. A bispa Sonia começou a ministrar por volta das cinco horas da tarde e Deus trouxe, através dela, a seguinte revelação:

— O Senhor está me mostrando uma pessoa em Salvador que foi diagnosticada com uma doença que não tem cura. É uma moça. Ela ficou em coma, mas Deus, hoje, está trazendo cura, ressurreição. Amanhã (segunda-feira), você vai amanhecer curada e Deus dará sinal. Será visível o milagre.

Quando a bispa Sonia começou a orar, entrou em guerra espiritual, todo o meu corpo esquentou. Algo se movia, andava nas minhas entranhas. Senti fome, sede, calor... Foi algo louco. Meu coração estava fervendo da presença do Senhor e eu chorava feito uma criança.

Quando o pastor chegou da igreja a minha vontade era contar a revelação, mas o meu corpo ainda não tinha forças, eu não conseguia falar. Com muita dificuldade, pedi que me carregassem até o banheiro e me deixassem lá. Eles assim fizeram. Sabiam que meu corpo doía muito na cama. Na verdade, eu queria orar sozinha. Graças a Deus, me deixaram deitada na mesa em que me davam banho e foram se deitar. Como não podia falar, fiquei lá, mas Deus encheu aquele lugar, e quando me dei conta estava orando em línguas.

Dormi ali mesmo e sonhei com uma grande mão passando por todo o meu corpo, e o Senhor começou a falar comigo, mostrando vários momentos da minha vida. Ele dizia no sonho:

— Eu te levanto com mão forte e farei contigo o que você me pede.

Ao amanhecer, deram falta de mim e foram tirar-me do banheiro, mas eu já estava sentada na sala. Fui sozinha, sem nenhuma ajuda. Eram quatro horas da manhã. Aquele dia foi um verdadeiro alvoroço. Era difícil de acreditar no que havia acontecido. De uma hora para outra, lá estava eu, falando, andando sozinha, chorando, cheia da presença de Deus. E o diabo envergonhado. Glória a Deus!

Na manhã seguinte, eu seria internada para realizar novos exames e fazer a avaliação das sequelas causadas pelo AVC. Logo que cheguei ao hospital, a médica da UTI assustou-se quando me viu, mas encaminhou-me para a internação para realizar os exames, começando com o pior, a retirada de líquido da medula, para verificar a infecção. Da última vez, eu estava com menos de três mil leucócitos e pesava trinta quilos. Ainda fiz, naquele mesmo dia, a ressonância magnética e todos os exames de laboratório.

Para a glória de Deus, eu estava com os leucócitos normais, sem nenhum sinal de leucopenia. A taxa de glóbulos vermelhos também estava normal e sem sequelas do AVC. Assim como a bispa Sonia falou na rádio, aconteceu. O milagre foi visível e os resultados dos exames eram os sinais que o Senhor falou que daria como evidência do que se operara no meu corpo.

Para os médicos é difícil de acreditar. Mas, quando a médica perguntou o que eu havia feito, disse que Deus havia me curado. Ela começou a chorar, porque acompanhou-me o tempo todo em que fiquei hospitalizada e viu pelo que passei.

Tive alta e, dessa vez, definitiva. Alguns dias depois, recebi um telefonema daquela médica perguntando se ela poderia ir à igreja comigo. Combinamos de ir no dia seguinte. Sentamos na primeira fila, dei testemunho e, na hora do chamamento, ela foi a primeira que levantou a mão chorando e foi lá no altar se entregar a Jesus Cristo, o médico dos médicos. Deus transformou a maldição em bênção. Ela se converteu, deixou o hospital onde trabalhava e foi morar na Alemanha.

Por determinação médica, a cada três meses eu teria de repetir os exames, até porque eles não acreditavam na cura e falavam que em alguns casos a doença entra em remissão, uma espécie de trégua — que poderia não durar mais de um ano.

Estamos em 2013 e nunca mais tive nada que me fizesse lembrar a Vasculite de Churg-Strauss.

Não perdi tempo. Comecei a contar pra todo mundo o que Deus havia feito. Se eu estava curada, não tinha porque ser tratada como incapaz. Recebia benefício do INSS, mas no dia 3 de dezembro, no dia do meu aniversário, fui até aquela repartição pública e pedi que suspendessem o benefício porque Deus havia me curado. O médico perito achou que eu estivesse com problemas mentais por causa da doença, mas levei uma testemunha comigo, assinei os documentos e dei baixa. Tomei a mesma atitude em relação ao meu bilhete de ônibus para deficientes.

Após resolver tudo isso, liguei para a Rádio Gospel FM e dei o meu testemunho para o apóstolo Estevam Hernandes. Ele me disse ao telefone que o Deus que me curou me traria para São Paulo e faria grandes coisas na minha vida, que me usaria e que a coisa ia ser surpreendente.

E foi assim que aconteceu. Aqui estou eu, vivendo em São Paulo, testemunhando que Deus é Fiel.

Satanás foi derrotado porque eu nunca deixei o Senhor, nem na enfermidade.

A Jesus Cristo toda a honra e glória para sempre e sempre.

Gilcélia Lima da Silva Reis
São Paulo – SP

Capítulo 2

Ressurreição em um sábado

Ao endereço da avenida Lins de Vasconcelos, 1108, no bairro do Cambuci em São Paulo, estão ligadas muitas memórias importantíssimas de nossa vida e ministério. Muitos, mas muitos dias passados ali são inesquecíveis, como esse que contarei. Já faz mais de quinze anos desde que tudo aconteceu, mas me lembro como se fosse hoje.

Era um sábado do ano de 1996 ou 1997. Uma grande expectativa tomava conta tanto dos organizadores quanto do público que já começava a se aglomerar no saguão da nossa igreja. Naquele dia, o humorista Dedé Santana estaria ali para contar sobre sua jornada espiritual e como Jesus Cristo havia mudado sua vida. Para quem cresceu assistindo "Os Trapalhões", aquela noite prometia ser mesmo inesquecível. Todo mundo queria saber mais sobre a vida do Dedé, mas ninguém esperava que algo tão dramático acontecesse pouco tempo depois que ele começou a falar.

Ele já havia contado sobre como Deus dera vários sinais para ele e como sua conversão ao cristianismo estava determinada no mundo espiritual. Contou que um dos momentos mais tristes de sua vida foi quando teve que velar o pai nos fundos do circo, enquanto se apresentava como palhaço no picadeiro principal. Todos estavam emocionados e impactados, mas, antes que ele chegasse ao ápice de sua história, foi interrompido por gritos desesperados.

De repente, do meio da plateia se levantou um senhor com uma menina desmaiada nos braços. Ele gritava por socorro:

— Minha filha está morrendo! Minha filha está morrendo!

Seu desespero era tal que toda a Igreja se calou por instantes — e estamos falando de um auditório para mais de quatro mil pessoas. Todos correram para ajudá-lo. Logo, oramos, alguns chorando e uns tantos curiosos tentando assistir à cena toda. O Dedé ficou muito tocado e eu, apesar da surpresa pelo inesperado acontecimento, falei rapidamente:

— Vamos levá-la para minha sala.

Dois médicos que estavam presentes também foram. Ela foi colocada em um pequeno sofá. Eles começaram a examiná-la e perceberam a gravidade da situação. O primeiro sugeriu:

— Ela tem que ser levada imediatamente para o hospital!

O outro discordou:

— Não adianta. Ela já está sem pulsação.

O pai da menina estava atordoado, quase sem ação em um misto de tristeza, desespero e pânico. Em pensamento, eu continuei orando, preocupado, inconformado, mas crendo e buscando uma resposta, uma direção de Deus para aquela situação que nunca imaginei que teria que enfrentar um dia. Na minha cabeça havia uma certeza: se aconteceu na igreja, devia ter um propósito.

Após o veredito dos médicos, chegou a minha vez. Como já falamos no capítulo anterior, respeitamos a ciência e o conhecimento dos médicos, mas estava ali na minha frente uma criança doente e eu jamais deixaria que a levassem sem antes apresentar aquela causa ao médico dos médicos. Em fração de segundos, senti minha fé se fortalecendo, um sentimento que eu conhecia bem e que me levava a crer que Deus queria que orássemos por um milagre na vida dela. Eu já havia lido dezenas de vezes a passagem bíblica sobre a ressurreição da filha de Jairo que encontramos nos Evangelhos (Mateus 9:23-25; Marcos 5:35-43; Lucas 8:49-56):

"Falava ele ainda, quando chegaram alguns da casa do chefe da sinagoga, a quem disseram: 'Tua filha já morreu; por que ainda incomodas o Mestre?' Mas Jesus, sem acudir a tais palavras, disse ao chefe da sinagoga: 'Não temas, crê somente.' Contudo, não permitiu que alguém o acompanhasse, senão Pedro e os irmãos Tiago e João. Chegando à casa do chefe da sinagoga, viu Jesus o alvoroço, os que choravam e os que pranteavam muito. Ao entrar, lhes disse: 'Por que estais em alvoroço e chorais? A criança não está morta, mas dorme.' E riam-se dele. Tendo ele, porém, mandado sair a todos, tomou o pai e a mãe da criança e os que vieram com ele e entrou onde ela estava. Tomando-a pela mão, disse: 'Talitá cumi!', que quer dizer: Menina, eu te mando, levanta-te! Imediatamente, a menina se levantou e pôs-se a andar; pois tinha doze anos. Então, ficaram todos sobremaneira admirados. Mas Jesus ordenou-lhes expressamente que ninguém o soubesse; e mandou que dessem de comer à menina." (Marcos 5:35-43)

Talitá cumi! Talitá cumi! — eu repetia mentalmente. A fé do homem é pequena e às vezes somos assolados pelas dúvidas, mas naquela noite, naquela situação, honestamente, eu estava convicto e cria que Deus poderia repetir aquele milagre. Não estava nem um pouco preocupado com o evento, com o que as pessoas estavam pensando, nem com o nosso convidado. O foco era a vida de uma criança, de um pai, uma família. Já vivi isso, em mais de quarenta anos de ministério, milhares de vezes: você está ali diante de um quadro de grande sofrimento e o Espírito Santo de Deus vai te enchendo com amor e compaixão de uma maneira tão forte que, então, somos tomados por um inconformismo, uma indignação pelo roubo do diabo nas vidas das pessoas e isso começa a mover uma "turbina" dentro de nós. É aquele mesmo sentimento que a Bíblia descreve como "íntima compaixão" que Jesus demonstrava pelos homens quando via seu estado de calamidade, tristeza, fracasso, abatimento — um quadro que Deus nunca criou, mas que o homem pintou através de suas próprias escolhas.

"Desembarcando, viu Jesus uma grande multidão, compadeceu-se dela e curou os seus enfermos." — Mateus 14:14

Ainda ali, de pé, olhando para aquele pequeno corpo pálido e frágil, várias passagens da Bíblia continuaram surgindo na minha cabeça, mas quando lembrei-me do episódio em que o profeta Eliseu orou por um menino morto, pensei: "É isso!" Fui lembrando de todo o texto bíblico e da ousadia do profeta e de sua atitude nada ortodoxa:

"Tendo o profeta chegado à casa, eis que o menino estava morto sobre a cama. Então, entrou, fechou a porta sobre eles ambos e orou ao Senhor. Subiu à cama, deitou-se sobre o menino e, pondo a sua boca sobre a boca dele, os seus olhos sobre os olhos dele e as suas mãos sobre as mãos dele, se estendeu sobre ele; e a carne do menino aqueceu. Então, se levantou, e andou no quarto uma vez de lá para cá, e tornou a subir, e se estendeu sobre o menino; este espirrou sete vezes e abriu os olhos. Então, chamou a Geazi e disse: Chama a sunamita. Ele a chamou, e, apresentando-se ela ao profeta, este lhe disse: Toma o teu filho." (2Reis 4:31-36)

Por mais louco que pudesse parecer para os médicos e para o pai da menina ali presentes, fiz o que o profeta Eliseu fizera. Deitei sobre ela e orei:
— Senhor, assim como Eliseu, eu profetizo: Vem, Espírito de vida! Espírito que ressuscitou a Jesus Cristo, invada este ambiente! Vida que está em mim esteja sobre ela!

De repente, a menina engasgou, tossiu, respirou e voltou. Ela ressuscitou ali. Os médicos ficaram loucos. O pai chorava. Eu estava mais uma vez impressionado pelo poder de Deus que, em amor e misericórdia, trouxe vida para aquela situação de morte. A criança, que quase não entendeu nada do que acabara de acontecer com ela, ficou tão bem a ponto de retornar para o culto na maior naturalidade, coisa de criança mesmo. É claro que foi uma explosão de alegria; e a fé de cada um se fortaleceu tremendamente.

Passados uns 14 anos, eu estava em Guarulhos para participar da Marcha para Jesus quando uma moça morena, alta, muito bonita me chamou e disse:

— O senhor está me reconhecendo?

— Desculpe-me! São tantas as pessoas que Deus nos dá a chance de conhecer que é difícil lembrar de todo mundo.

— Eu sou aquela menina que ressuscitou na Igreja da Lins de Vasconcelos.

Nossa, foi uma grande emoção! Cumprimentamo-nos muito felizes e ficamos conversando. Ela contou-me que sua família e centenas de pessoas voltaram ou passaram a crer em Deus por causa do seu testemunho. E ela nunca abandonou a fé no Deus que lhe deu vida. Rever aquela menina foi um presente de Deus para mim, foi ver ressurreição.

A VIDA SEM O SOBRENATURAL DE DEUS É UM VALE DE OSSOS SECOS

Após esse episódio impressionante, já vivemos milhares de experiências de curas sobrenaturais, milagres diante de nossos olhos e continuamos acreditando e levando as pessoas a experimentar esse tipo de vivência espiritual. Por quê? Porque os milagres geram fé e fazem com que as pessoas cresçam e atinjam novos patamares em sua caminhada com Deus. Muitas pessoas, inclusive, permanecem ligadas a Deus pelo milagre que aconteceu com o outro.

Quase que diariamente, entramos em contato com dramas reais de pessoas que, sem saída, buscam uma solução em Deus. E encontram. A vida é assim: ela nos apresenta infinitas possibilidades que nos levarão a clamar por uma interferência divina. Mesmo que você não precise agora de um milagre no aspecto de cura física como aconteceu com aquela menina, pode chegar o dia — e invariavelmente chega — em que seus recursos financeiros, emocionais, intelectuais, físicos e espirituais se esgotam e você vai desejar que Deus exista mesmo. E se não for para você, pode precisar para um filho, uma esposa, um amigo, algum familiar. É mais ou menos como diz a famosa frase: "Um ateu à cabeceira da mãe moribunda: — Meu Deus!"

Mas o fato é que tem gente que não acredita de jeito nenhum. E existem aqueles que acreditam e mesmo assim continuam tendo uma experiência rasa com Deus e intensa apenas com a religião porque acreditam apenas no que é provável. Falta uma experiência com o Espírito de Deus, com o inexplicável. Religião mata, a letra mata, mas o Espírito vivifica.

Um pouco antes de Jesus ser elevado aos céus, mais ou menos quarenta dias após sua ressurreição, ele disse o seguinte: "E eu rogarei ao Pai, e ele vos dará outro Consolador, a fim de que esteja para sempre convosco" (João 14:16). Esse "outro", no original grego significa "alguém da mesma natureza". Jesus estava dizendo que não poderia deixar os homens sozinhos, pois sabia que seria impossível para o ser humano ter uma vida espiritual plena e resgatar sua imagem e semelhança de Deus se não fosse pelo próprio Espírito de Deus.

Esse envio do Espírito Santo foi fundamental para trazer de volta a identidade e a soberania do homem perdidas lá no Éden. Estamos falando da identidade de filhos, da condição soberana de ter a essência de Deus e não viver mais achatado pelos desejos e sentimentos doentes, pela corrupção da carne e pela manipulação do diabo. De onde você acha que vêm as tristezas, desejos de morte, vinganças, homicídios, traições, abusos de toda espécie, irmão contra irmão?

"De onde procedem guerras e contendas que há entre vós? De onde, senão dos prazeres que militam na vossa carne? Cobiçais e nada tendes; matais, e invejais, e nada podeis obter; viveis a lutar e a fazer guerras. Nada tendes, porque não pedis; pedis e não recebeis, porque pedis mal, para esbanjardes em vossos prazeres. Infiéis, não compreendeis que a amizade do mundo é inimiga de Deus? Aquele, pois, que quiser ser amigo do mundo constitui-se inimigo de Deus." — Tiago 4:1-4

Quando o homem deu ouvidos à serpente e fez a sua vontade em vez de fazer a vontade de Deus (a isso chamamos Queda), a humanidade se transformou em um grande vale de ossos secos. A partir do momento em que o homem aceitou o pecado e permitiu que o diabo contaminasse sua carne, perdeu a relação limpa e reta com Deus, perdeu a condição de dominar e passou a ser dominado — ainda que muitas vezes acredite estar "reinando". Não domina nem mesmo seus impulsos mais primitivos.

E sem a presença do Espírito de Deus o homem passou a viver a realidade do natural decaído, a aridez, a esterilidade. Uma das descrições mais precisas sobre o que aconteceu com a humanidade após a separação do homem de Deus foi escrita por C.S. Lewis em seu livro, *O problema do sofrimento* (Editora Vida): "O que o homem perdeu na Queda foi sua natureza original específica. (...) Assim, o espírito humano, de senhor da natureza humana, passou a ser um simples hóspede em sua própria casa, ou até mesmo um prisioneiro. (...) Esse dera as costas a Deus e se tornara ídolo de si mesmo, de sorte que, embora ainda pudesse voltar-se para Deus, só o poderia fazer por meio de esforços penosos e sua inclinação era para si próprio. Daí o orgulho e a ambição, o desejo de ser amável aos próprios olhos e rebaixar e humilhar todos os rivais, a inveja e a busca incansável de mais e mais segurança eram agora as atitudes que lhe ocorriam de maneira mais fácil. Não se tratava apenas de um rei fraco cedendo à própria natureza, mas de um rei mau (...)."

Quer dizer que a Queda produziu um homem que Deus não criou. Um homem que perdeu o conhecimento de Deus, que despreza as verdades espirituais, descrente, desafeiçoado, egoísta, assolado pela síndrome de Lúcifer, que é a doença dos arrogantes que não querem depender de Deus; ao contrário, julgam-se eles mesmos deuses. Esse homem não sabe nada sobre o poder de seu Criador e sobre sua condição de filho do Pai celestial. É por isso que não pode e nem consegue viver milagres, pois está totalmente desassociado dessas verdades.

O homem do pós Éden passou a viver carnalmente. Vive mal e parcamente de seus próprios recursos finitos em todas as áreas e pode ser comparado a um vale de ossos secos, como aquele descrito pelo profeta Ezequiel — porque é assim que terminará seus dias, se insistir em permanecer apartado de Deus.

"Veio sobre mim a mão do Senhor; ele me levou pelo Espírito do Senhor e me deixou no meio de um vale que estava cheio de ossos, e me fez andar ao redor deles; eram mui numerosos na superfície do vale e estavam sequíssimos. Então, me perguntou: Filho do homem, acaso, poderão reviver estes ossos? Respondi: Senhor Deus, tu o sabes. Disse-me ele: Profetiza a estes ossos e dize-lhes: Ossos secos, ouvi a palavra do Senhor. Assim diz o Senhor Deus a estes ossos: Eis que farei entrar o espírito em vós, e vivereis. Porei tendões sobre vós, farei crescer carne sobre vós, sobre vós estenderei pele e porei em vós o espírito, e vivereis. E sabereis que eu sou o Senhor. Então, profetizei segundo me fora ordenado; enquanto eu profetizava, houve um ruído, um barulho de ossos que batiam contra ossos e se ajuntavam, cada osso ao seu osso. Olhei, e eis que havia tendões sobre eles, e cresceram as carnes, e se estendeu a pele sobre eles; mas não havia neles o espírito. Então, ele me disse: Profetiza ao espírito, profetiza, ó filho do homem, e dize-lhe: Assim diz o Senhor

Deus: Vem dos quatro ventos, ó espírito, e assopra sobre estes mortos, para que vivam. Profetizei como ele me ordenara, e o espírito entrou neles, e viveram e se puseram em pé, um exército sobremodo numeroso." — Ezequiel 37:1-10

As características do homem que está no vale de ossos secos são a inconstância, porque não tem convicção; infidelidade, porque a carne é infiel; medroso, porque a carne só produz medo; superficial, pois a carne não se aprofunda em nada; sem direção, porque a carne não pode guiar o homem a um lugar seguro; rebelde, porque a carne não pode estar debaixo de autoridade; e doente no espírito, porque o homem adquiriu um vírus — o vírus do pecado. Hoje, mesmo dentro das igrejas existem multidões de ossos secos, porque não são guiados pelo Espírito, mas pela carne.

"Ora, as obras da carne são conhecidas e são: prostituição, impureza, lascívia, idolatria, feitiçarias, inimizades, porfias, ciúmes, iras, discórdias, dissensões, facções, invejas, bebedices, glutonarias e coisas semelhantes a estas, a respeito das quais eu vos declaro, como já, outrora, vos preveni, que não herdarão o reino de Deus os que tais coisas praticam." — Gálatas 5:19-21

Em Gênesis 1:26 está escrito que Deus criou o homem à sua imagem e semelhança, mas será que qualquer homem que vemos hoje é semelhança de Deus? Deus não é carnal. Ele é espírito e o homem só é semelhante a Deus quando tem o Espírito de Deus dentro de si. Sem o Espírito de Deus, o homem se parece com a miséria dessa terra. Sem o Espírito de Deus, o homem, como o restante da criação, é apenas criatura. Sem esse poder, o homem é apenas uma carne que vai voltar ao pó e se transformará em um vale de ossos secos.

O homem cheio do Espírito Santo se parece com Jesus Cristo. Eu quero a cada dia mais parecer-me com ele; eu quero ter sua identidade. Eu quero que me chamem de filho de Deus, e você tem que ter esse desejo também. Os filhos de Deus vivem o sobrenatural, vivem coisas loucas e não são guiados apenas pelas condições naturais, por aquilo que vê, que sente ou pelo que é racional, mas abrem-se para viver a novidade do Espírito. Afinal, o Espírito de Deus é a única chance que o homem tem de resgatar sua identidade original no corpo, na alma e no espírito. Graças a ele passamos até a falar como Deus fala. Passamos a ser parecidos com Deus, como era no princípio da criação.

Jesus, enquanto esteve na terra, encarnava o poder apostólico realizador de milagres. Ele curou soprando seu Espírito nas pessoas, curou colocando lama feita com saliva e terra nos olhos do cego, curou de longe, curou de perto. Nesse período, a atuação dos discípulos ainda era tímida porque era necessário que o Filho de Deus fizesse o que está escrito em João 20:22: "E, havendo dito isso, soprou sobre eles e disse-lhes: Recebei o Espírito Santo." Aqueles homens outrora comuns se transformaram semelhantes a Deus, filhos do Pai celestial.

Deus precisa de pessoas convictas de que são seus filhos para operar milagres, e essa certidão de nascimento foi conquistada lá na cruz onde Cristo morreu. Você recebeu uma certidão que foi escrita com sangue e recebeu o vento do Espírito que muda a essência do homem carnal para o espiritual. E o filho tem direito a uma herança. E qual é a herança dos filhos de Deus na terra? É o seu poder. Poder para vencer as enfermidades, as oposições, as limitações emocionais ou físicas. Poder para vencer a miséria e o fracasso, para multiplicar o bem e não o mal, para perdoar, para vencer a morte dos sonhos. Poder contra a morte eterna, para destronar o "eu".

Graças a esse poder, os filhos de Deus não ficam em vales de ossos secos, seja no casamento, na saúde, finanças, ministério, ou vida sentimental, porque Jesus está soprando seu Espírito agora. Deus determinou que sua igreja — que é a reunião daqueles que creem — não seja um vale seco, mas um poderoso exército na terra. A enfermidade é um vale seco terrível, mas, para seus filhos, Deus abre "um caminho no deserto e rios, no ermo" (Isaías 43:19).

Deus não precisa de grandes pregadores ou de excepcionais estudiosos para manifestar seu poder, para realizar seus milagres. Deus precisa de filhos que se movam debaixo do poder apostólico de Jesus Cristo. Ele procura homens e mulheres que se cansaram de atitudes religiosas, que se cansaram daquela vida de bater no peito e dizer que é melhor que o outro porque vai à igreja, que se cansaram de ser sepulcros caiados, hipócritas que confiam mais em suas obras que no poder de Deus.

Chega de ser cheio de teologia, de buscas desnecessárias, de ficar se alimentando de misticismo barato. Encha-se do Espírito Santo!

Deus busca homens e mulheres que se pareçam com Jesus, que falem a mesma língua que ele fala. Que não usem sua boca para destruir o irmão, para conquistar púlpitos ou fazer politicagem, mas que usem sua boca para construir. A língua de Deus fala ao Espírito. Você já falou demais com suas deformações. Já reclamou demais e disse muitas coisas que não deveria e que trouxeram morte e não vida. Agora é hora de falar ao Espírito para que venha dos quatro cantos da Terra sobre as áreas mortas da sua vida. É hora de profetizar que você é sarado, que seu corpo tem saúde, que você é perfeito.

Chegou o tempo de não aceitar mais as sentenças contrárias à vida e de orar a Palavra de Deus, de profetizar a Palavra em cada cômodo da sua casa, no quarto do hospital, no consultório médico: "Certamente, ele tomou sobre si as nossas enfermidades e as nossas dores levou sobre si; e nós o reputávamos por aflito, ferido de Deus e oprimido. Mas ele foi traspassado pelas nossas transgressões e moído pelas nossas iniquidades; o castigo que nos traz a paz estava sobre ele, e pelas suas pisaduras fomos sarados" (Isaías 53:4-5). O poder da vida e da morte está na língua. Você decide o que vai ser.

> "A morte e a vida estão no poder da língua; o que bem a utiliza come do seu fruto." — Provérbios 18:21

Jesus, ao se reencontrar com seus apóstolos no cenáculo, soprou o vento que faz a morte ser vencida. Sua vontade, desde então, era que a Igreja vivesse essa realidade ininterruptamente, mas nesses dois mil anos de caminhada muita coisa se perdeu. Agora, então, é tempo de a Igreja ressuscitar de sua morte e é tempo de a Igreja de Jesus Cristo levantar-se poderosa e esse sopro não ter mais fim. Esse sopro apostólico se apresentou também para Moisés, quando ele estava diante do mar Vermelho, e tem muita gente tentando explicar até hoje porque o mar se abriu; estão buscando uma explicação natural e coerente. Mas eu quero dizer para os teólogos de plantão que o mar abriu-se porque um vento apostólico soprou naquela hora. O vento do Espírito não depende de explicações humanas.

Eu já posso ver o que vai acontecer em sua casa, em seu trabalho. Posso ver Deus tirando da sua vida as características de vale de ossos secos. Você não vai mais ser superficial, não vai mais ser um poço de morte e de enfermidades. Todos os seus sonhos que o diabo matou, Deus ressuscitará; todos os projetos que o inferno tirou com mão grande da sua vida, Deus lhe restituirá. Seu ânimo e a sua força serão restaurados e você voltará a ser aquela pessoa viva, sem peso. Porque o Espírito Santo vai soprar dentro das sepulturas.

> "Sabereis que eu sou o SENHOR, quando eu abrir a vossa sepultura e vos fizer sair dela, ó povo meu." — Ezequiel 37:13

Depoimento

MINHA HISTÓRIA É UM MILAGRE

Considero toda a minha vida um grande milagre, por isso acho importante voltar um pouco no tempo e contar como Deus sempre cuidou de mim. Meu pai era alcoólatra, muito violento. O vício piorou seu estado mental a tal ponto que ele já não queria mais conviver com a gente. Ele queria nos matar. Estávamos todos ameaçados de morte e não tenho dúvidas de que ele cumpriria o que prometeu se tivesse tido chance. Com essa situação, tivemos que fugir do Alto da Riviera, um bairro da zona sul de São Paulo, e fomos nos esconder na região do Itaim Paulista, zona leste da cidade.

Mudamos para a casa de uma tia paraplégica que vivia com a pensão que recebia do governo. Minha mãe teve que sair do trabalho para que meu pai não nos encontrasse. Dependíamos do favor e do salário-mínimo que essa minha tia recebia para sustentar minha mãe, cinco crianças, além dela mesma e do seu marido. Era muito complicado. Impossível dar de comer, comprar roupa e dar estudos para todos. Então minha tia sugeriu que fôssemos internados na Febem, hoje, Fundação CASA.

Quando dei por mim, estava sendo levada para a unidade Raposo Tavares da Febem. Tinha seis anos. Como falaram-me que lá eu iria ter tudo o que não tinha em casa, não fiquei tão triste, pois nossa vida era bem ruim mesmo. O que poderia ser pior? Além disso, meus dois irmãos mais velhos estavam indo para lá também, então não ficaria sozinha. Foi o que pensei, mas estava errada em relação a tudo.

Completei sete anos já internada na Febem. Minha mãe não podia me ver porque, se fosse, eles não permitiriam que eu continuasse lá. Então, foi minha tia quem me levou e que podia ir me visitar, mas, com sua deficiência, também não ia. E, para completar, separaram-me dos meus irmãos, pois a unidade para meninas era separada da dos meninos.

Comecei a perceber que eu vivia e era tratada como presa, mesmo sendo uma criança. Eles passaram tinta preta para tirar as digitais, tiraram foto de frente e de lado. Mesmo criança, ficava pensando: o que eu havia feito para ser presa? Essas cenas me acompanharam durante muito tempo e a cura de Deus foi fundamental para superar mais esse trauma.

Fiquei um ano na unidade Raposo Tavares sem estudar, sem fazer nada, sem ver meus irmãos; só presa. Não tinha escova ou pasta de dente e a comida era terrível. Ficava sozinha no pátio; mas era acompanhada por uma psicóloga. Achava tudo ali muito triste.

Com o tempo, mandaram-me para um colégio de freiras chamado Madre Clélia, em Adamantina, perto de Minas Gerais. Fiquei dois anos e meio sem receber visita. Não sabia escrever e nem ler. Até tinha esquecido como era a fisionomia da minha mãe. Passado esse tempo, fui transferida de volta para São Paulo, dessa vez para a Febem do Jabaquara, onde reencontrei meu irmão. Estava um pouco mais feliz porque me sentia mais próxima da minha família.

Quando completei 11 anos, ainda internada — ou presa —, comecei a enfrentar outro tipo de problema: os abusos. Eu não aceitava aquilo e avisei todo mundo que, se não me tirassem de lá, eu fugiria. Minha mãe conseguiu uma casinha no fundo de um quintal e me tirou da Febem. Quando saí, nem sabia que estava saindo, não tinha perspectiva alguma.

Os meus dois irmãos mais velhos que também entraram na Febem na mesma época que eu foram enviados para um colégio em Mogi Mirim, em São Paulo e tiveram uma experiência melhor que a minha. Mais tarde, quando já tinham idade, alugaram uma casa e tocaram a vida.

Mesmo em casa, com minha mãe e minhas irmãs, a dor da separação e o sentimento de rejeição permaneciam. Eu saí da Febem, mas aqueles dias tristes não saíram de dentro de mim.

Alguns anos depois, quando já estava morando com minha mãe, meu pai nos encontrou, mas ele estava melhor e já não bebia. Ele voltou para casa e começou uma nova etapa de sofrimento. Ele não queria que eu tivesse amizades ou namorasse. Tivemos muitas desavenças. Nessa época, morávamos na Cohab Tiradentes, onde passei minha conturbada adolescência. Era depressiva por causa das brigas constantes com meu pai e me sentia oprimida. Assim, aos 15 anos, tentei me matar.

Com 17 anos, comecei a procurar emprego porque a situação financeira da família continuava difícil. Minha mãe me mandava tomar banho de pipoca para conseguir trabalho, mas era pior e aí que não conseguia nada mesmo. Na minha cabeça, eu me enxergava como alguém incompetente, sem valor.

Saía para procurar trabalho e nada dava certo; imaginava que não prestava para nada e achava que o jeito era tirar minha vida. Em meio a essa situação de destruição e morte, encontrei um rapaz, filho de uma vizinha, e fui à casa dele para falar sobre trabalho. Quando cheguei lá, a mãe dele, que era cristã, passou a falar sobre o amor de Jesus por mim, um amor que eu precisava urgentemente, mas que nunca tinha ouvido falar. Comecei a chorar e a sentir algo diferente. Ela falava de um Deus tão bom, de quem eu tinha ouvido tudo ao contrário.

Essa senhora me levou a uma igreja, na avenida Lins de Vasconcelos, e lá ouvi a Palavra: "Vinde a mim, todos os que estais cansados e sobrecarregados, e eu vos aliviarei" (Mateus 11:28). Foi muito marcante. Naquele mesmo dia, o apóstolo Estevam Hernandes disse para que fizéssemos um pedido para Deus. Eu, mais que depressa, pedi um emprego. No outro dia, já acordei com um trabalho que meu pai conseguiu para mim. Isso aconteceu há 23 anos.

Aos poucos fui firmando-me na igreja, conhecendo a Deus e tendo minha autoestima restaurada. Deus começou a colocar tudo no lugar e a restituir-me, especialmente em relação à distorcida ideia que eu tinha de família. Mas o milagre aconteceu e, contra todas as possibilidades para quem praticamente foi criada na Febem, me casei aos 23 anos com um homem de Deus e comecei a entender o plano de Deus para a família.

Após três meses de casada, engravidei, mas no sétimo mês — meu pai faleceu nesse período — minha pressão começou a subir e o médico não deu importância. Tive eclampsia e perdi o meu bebê. O médico reconheceu seu erro e até disse que podíamos pedir uma indenização, mas nada traria de volta a minha filha. Após cinco anos, tentamos novamente e ganhamos a Débora, em uma gravidez e uma cesariana abençoadas.

Quando a Débora completou 11 anos, vi-me grávida novamente, então com 39 anos. Depois do quinto mês de gravidez, a minha pressão arterial começou a aumentar e não dava mais para controlar. A história se repetia, mas dessa vez o médico percebeu que o quadro evoluía para mais uma eclampsia e começou a tomar todos os cuidados necessários.

Apesar disso, quando completei 26 semanas de gravidez comecei a passar mal e a doutora do SUS disse que eu não poderia mais manter o bebê, pois seria muito arriscado para os dois. A pressão já estava 16 por 10. Tomava duas medicações, mas não adiantava.

Quando completei 27 semanas de gravidez, decidiram me operar com urgência, porque os rins, o fígado e o baço já estavam sobrecarregados e correndo o risco de entrar em falência.

— Não sei se você vai sair da mesa. A sua situação é muito séria. — sentenciou o médico.

— Doutor, a minha vida está nas mãos de Jesus Cristo.

Em mais de vinte anos na Igreja Renascer, sendo ministrada pelo apóstolo Estevam e pela bispa Sonia, vendo o testemunho de vida e posicionamento deles, aprendi muito sobre guerra espiritual e me tornei uma mulher de oração, que crê profundamente, que vive pela Palavra de Deus. Entretanto, naquele momento, temia muito pelo meu bebê. Não queria perder aquele presente de Deus. No meu íntimo tinha medo. Realmente, achei que não voltaria dessa cirurgia. Então, orei como o rei Ezequias da Bíblia:

— Senhor, se eu tenho crédito, preserva a minha vida e a da minha filha. Olha para o memorial, os altares que eu tenho diante de ti!

E, chorando, entreguei minha vida, minha família, meu futuro nas mãos de Jesus Cristo mais uma vez. Quando terminei de orar, Deus disse em meu coração para que eu tomasse a Santa Ceia — o pão e o vinho que representam o corpo e o sangue de Jesus Cristo derramado na cruz.

No domingo, um dia antes da cirurgia, eu estava péssima. Meu estado era crítico. Todo meu corpo doía muito, até o couro cabeludo. Não podia ficar sozinha. Tinha sempre que ter alguém cuidando de mim por causa do risco. Mas, naquele dia, o bispo de nossa igreja levou a ceia até o hospital. Senti um revestimento espiritual que me deu convicção de que poderia passar por aquela cirurgia e sair com vida.

No dia 4 de junho de 2012, entrei na sala de cirurgia. Apesar de ter sentido Deus falando que eu e meu bebê sairíamos com vida daquela operação, estava com medo. Minha fé era pequena e orei: Jesus, me faz acreditar!

Assim, olhando para Jesus, foi que a nossa segunda filha, Daniela, nasceu pesando 785 gramas e 32 centímetros. Cabia na palma da mão, magrinha. Apareciam até os ossinhos. Ela foi direto para a incubadora da UTI neonatal.

Quando fizeram a cesariana, viram que o meu fígado estava desmanchando e decidiram que eu deveria permanecer em observação. Fiquei mais 15 dias internada porque precisavam me estabilizar para poder voltar para casa. Deu certo. Recebi alta, mas a Daniela permaneceu na incubadora. Foi muito difícil ir para casa e deixá-la. Todos os dias, eu ia ao hospital para tentar amamentá-la. Os pediatras me alertavam:

— Não tenha pressa. Sua filha vai demorar muito para sair daqui.

Ela ficou dois meses e 22 dias na UTI e, praticamente, todo esse tempo estive naquele hospital ao lado dela, sempre orando, clamando, profetizando. Durante esse período, justamente em um dia que eu estava muito triste pela falta de perspectiva de ver a minha filha fora daquela UTI, recebi uma mensagem do apóstolo Estevam em meu celular que dizia para ter força e coragem e que o tempo de dor e sofrimento estava terminando. Isso me reanimou e, de fato, como ele disse, aconteceu: dias depois, a Dani recebeu alta.

Graças a Deus, ela foi liberada e passamos, então, três meses em casa, quase sem dormir, dando remédio controlado, pois ela nascera com sopro. Além disso, tinha problema pulmonar, broncoespasmo, sem falar de refluxo. Por tudo isso, ela nem podia chorar, pois ficava roxa, sem ar; e o nosso cuidado era redobrado.

Eu vigiava o berço quase 24 horas por dia. Tomamos todos os cuidados, obedecemos as ordens médicas e, em dezembro de 2012, ela fez o último exame. Então, foi comprovado: estava curada para honra e glória do meu Senhor Jesus Cristo. Sem sopro no coração, sem problemas pulmonares. Agora já podia chorar. Não precisava mais tomar nenhuma medicação, apenas vitaminas.

Agradeço a Deus pela vida do meu marido e de minha mãe, que sempre estiveram ao meu lado nos momentos mais difíceis. Agradeço pelas orações do apóstolo Estevam e da bispa Sonia através da rádio e na TV, a intercessão de meus irmãos e pela visão de amor e de batalha espiritual da Igreja Renascer em Cristo, que não nos desamparou. Também não me esqueço daquela mulher que um dia falou do amor de Jesus e levou-me à igreja. Se não fosse a casa de Deus, a fé e os milagres de um Deus de amor sobre a minha vida, não teria a chance de vencer a morte, que tantas vezes me rondou e tentou roubar a minha história.

Rosana Tenório Cavalcanti de Araújo
São Paulo – SP

Capítulo **3**

A dimensão onde os milagres acontecem

É impressionante o interesse que o sobrenatural pode despertar. Livros, filmes sobre anjos, demônios e misticismo em geral fazem grande sucesso. Sabe por quê? Porque o homem é um ser espiritual e tem sede desses elementos. Então, quero compartilhar com vocês as verdades bíblicas sobre os reinos espirituais, porque é impossível falar em milagres sem falar dessa realidade que corre paralela, mas que muitos não acreditam ou ignoram.

Eu já presenciei centenas de manifestações de demônios que se apoderaram do corpo de pessoas que lhes deram aval, legalidade para ali habitar. Isso não acontecia apenas no tempo de Jesus. Está presente ao nosso redor muitas vezes e nem nos damos conta.

Uma das minhas primeiras experiências com o mundo espiritual, e muito marcante, foi com um jovem que era viciado em cocaína. Ele foi levado a um de nossos acampamentos de jovens e ali ouviu a Palavra de Deus, foi ministrado e creu que Jesus Cristo poderia mudar sua história. Foi uma grande bênção. Mas quando chegamos do acampamento, todo mundo cansado, arrebentado, quando tudo o que eu queria era cair na cama, recebi um telefonema já um pouco tarde da noite. Era o pai daquele rapaz. O homem desesperado queria que eu fosse até sua casa porque o filho estava totalmente descontrolado, possesso de um demônio violento.

Ele morava em um amplo e confortável apartamento em Moema, zona sul de São Paulo, mas quando entramos o local estava completamente destruído. Ele estava possuído por uma legião de demônios. Destruiu tudo. Bateu no pai e na mãe e eles não sabiam se ele tinha voltado a usar drogas. Bem, era uma mistura de fatores, pois as drogas são portas de entrada de demônios por baixarem o nível de domínio e consciência. Nesses momentos, os demônios se aproveitam.

Os pais do jovem tinham conseguido trancá-lo em um quarto, porque, depois de toda a destruição, ele pegou uma faca enorme na cozinha e estava ameaçando a família. Gritava que iria matar quem se aproximasse dele. O pai tentou desarmá-lo e ele o atacou com a lâmina afiada; uma situação que tinha tudo para acabar em tragédia. Ele já era naturalmente forte; tomado de demônios, então, tinha uma força de dez homens.

Sabia que era hora de uma forte atitude de fé, oração, consagração. Cheguei na porta do quarto e orei cobrindo toda aquela casa e nossas vidas com o sangue de Jesus Cristo; a Sonia ficou orando do lado de fora e eu entrei. Ele estava de cócoras em um dos cantos do cômodo com a faca na mão. Quando me viu, disse em tom de ameaça:

— Era você mesmo que eu queria.

Aquela frase dita em som gutural, bem esquisito, foi de arrepiar. Sabia que não era ele quem estava falando, estava interagindo com uma força maligna que era puro ódio. Naquela hora veio uma unção do Espírito Santo e uma força de Deus sobre mim.

— Bom, você me queria? Eu estou aqui para lhe repreender. — eu disse. — Olha pra mim! Em nome de Jesus, você vai me entregar essa faca, porque você não tem autoridade. A autoridade está na minha vida e não em você.

Ele se encolheu. Eu aproveitei e peguei rapidamente a faca da mão dele e joguei para fora do quarto. Nisso, ele veio para cima de mim, mas, como já não estava com a faca, coloquei a mão na cabeça dele e comecei a repreender o demônio. Durante uns três minutos, ele gritou, esperneou, xingou — manifestações demoníacas típicas. Repreendi em nome de Jesus e ele foi liberto. Fiquei mais um tempo com ele. Nós oramos, lemos a Bíblia e a libertação foi selada, tanto que foi para a igreja e permaneceu no grupo de mocidade.

Essa experiência de libertação foi muito forte para mim, até porque era bem jovem, ainda nem estava casado; não tinha a experiência e a autoridade que tenho hoje em relação ao mundo espiritual. Sempre que me lembro desse dia, tenho certeza absoluta de que a intenção de Satanás era que ele matasse seus pais — tanto que eles já haviam sido agredidos. Depois, todo mundo ficaria buscando explicações, ou dizendo que eram apenas as drogas, ou que ele era um filho terrível, mas eram demônios mesmo. É claro que não ficamos demonizando tudo. Muitas situações são puramente humanas e sabemos bem disso, mas não podemos negar o que temos visto e vivido.

Em outra ocasião, também em um acampamento de jovens, levaram uma mulher que era uma feiticeira que diziam ter muito poder. Tinha "feito a cabeça", uma expressão usada para identificar um ritual no qual a pessoa tem a sua cabeça raspada e cortada. No local do corte, colocam pó de ossos humanos. Isso simboliza que um pacto muito forte foi feito com determinados espíritos. A situação era tão feia na casa dela que detergente mofava e sofá andava.

Eu estava ministrando os jovens nesse acampamento em Itapecerica da Serra, em São Paulo, e a mulher passou a dar manifestações claras de possessão demoníaca. Tentaram expulsar, mas a criatura não saía de jeito nenhum. Então me chamaram. Cheguei perto da mulher e aquele demônio aparentemente sumiu, mas ela ficava me olhando com uma expressão perturbada, andando de um lado para outro. Comecei a perceber o que estava acontecendo: ela ainda estava ouvindo vozes desse espírito. Naquele dia, pela primeira vez, consegui identificar que aquele espírito não estava em seu corpo, mas ao seu lado. Quando comecei a orar e a repreendê-lo, aquele demônio a incorporou, mas o expulsei e ele se foi. Assim, aprendi o que é interagir com o mundo espiritual.

Essas experiências metafísicas não são incomuns e sempre existiram. Observe esse trecho dos Evangelhos:

> "Tendo ele chegado à outra margem, à terra dos gadarenos, vieram-lhe ao encontro dois endemoninhados, saindo dentre os sepulcros, e a tal ponto furiosos, que ninguém podia passar por aquele caminho. E eis que gritaram: 'Que temos nós contigo, ó Filho de Deus! Vieste aqui atormentar-nos antes do tempo?' Ora, andava pastando, não longe deles, uma grande manada de porcos. Então, os demônios lhe rogavam: 'Se nos expeles, manda-nos para a manada de porcos.' 'Pois ide', ordenou-lhes Jesus. E eles, saindo, passaram para os porcos; e eis que toda a manada se precipitou, despenhadeiro abaixo, para dentro do mar, e nas águas pereceram." (Mateus 8:28-32)

Esse tipo de cena, que poderia muito bem fazer parte de um filme de terror, aparece nos Evangelhos mais de uma vez. Jesus expulsou demônios durante todo seu ministério na terra, porque obviamente tinha consciência da guerra de reinos que estava sendo travada. Aliás, esse foi um dos motivos pelos quais foi enviado. Da mesma forma, uma das tarefas daqueles que estão debaixo da mesma unção e envio de Jesus Cristo é confrontar as obras das trevas e expô-las à luz. Jesus disse:

> "Estes sinais hão de acompanhar aqueles que creem: em meu nome, expelirão demônios; falarão novas línguas; pegarão em serpentes; e, se alguma coisa mortífera beberem, não lhes fará mal; se impuserem as mãos sobre enfermos, eles ficarão curados." (Marcos 16:17-18)

Eu creio, logo esses sinais têm de fazer parte do meu dia a dia e da minha vivência espiritual.

Mundo espiritual

Para que fique claro qual a crença bíblica sobre o mundo espiritual, gostaria de lhe explicar alguns fatos. Em primeiro lugar, a Bíblia só fala em Deus Pai, Deus Filho e Deus Espírito Santo, anjos e anjos caídos. Não fala em espíritos de antepassados, não fala em espíritos-guias ou qualquer outro ser espiritual. Veja que interessante: anjo não baixa em ninguém, nem tenta possuir os corpos de seres humanos. O Espírito Santo habita naqueles que creem em Jesus Cristo como Filho de Deus sem nunca descaracterizá-los ou fazer com que percam a consciência de quem são ou de onde estão. Mas demônios baixam, tomam, possuem, canalizam pessoas com um só intuito: destruí-las.

"O ladrão vem somente para roubar, matar e destruir; eu vim para que tenham vida e a tenham em abundância." — João 10:10

Demônios são anjos caídos. Esses anjos tinham poder e, mesmo depois que perderam sua condição original, continuaram a ter a capacidade de influenciar pessoas e causar toda espécie de males. Isso só acontece se lhes forem dadas permissões, legalidades. Tais permissões são conferidas a demônios pelas pessoas através de pactos e consagrações ritualísticos, comidas consagradas, participações secundárias ou passivas em festas ou sessões espiritualistas, pactos de sangue, ou, até, por meio de concessões dadas por autoridades, como pai e mãe que entregam espiritualmente seus filhos a entidades.

Ainda existem outras portas de entrada para demônios, como a violência, a promiscuidade e o uso de drogas. Outro ponto igualmente desafiador para nossa modesta compreensão, mas no qual não quero me deter agora, é que também pode haver uma permissão dada por Deus ao diabo em alguns casos, como aconteceu com Jó.

Os possessos de demônios vivem, literalmente, em um verdadeiro inferno, uma vida sem paz, manifestando muitas enfermidades, perturbações mentais, forte descaracterização etc. Engana-se redondamente quem acha que pode manipular forças espirituais das trevas para conseguir riqueza, fama e saúde sem que tenha que pagar com a própria vida, de um jeito ou de outro. Muitas pessoas demoram anos e anos até se darem conta de que são vítimas de Satanás; outras sabem muito bem com o que estão lidando, mas o amor ao dinheiro e ao poder, às vezes, pode falar mais alto. Em qualquer situação, a saída para esse tipo de infestação espiritual é Jesus Cristo.

Muitas pessoas nos perguntam sobre doenças colocadas por espíritos, como resultado de mau-olhado, inveja, vodu. Tudo isso é possível e algumas coisas são até difíceis de acreditar, mas isso acontece porque o homem, em sua ganância e sede de poder, passou a se associar com as trevas e tenta manipular forças ocultas para conseguir o que quer, ainda que isso inclua torturar ou matar seus semelhantes.

Mas vamos para a Palavra de Deus:

"'Ora', ensinava Jesus no sábado numa das sinagogas. E veio ali uma mulher possessa de um espírito de enfermidade, havia já dezoito anos; andava ela encurvada, sem de modo algum poder endireitar-se. Vendo-a Jesus, chamou-a e disse-lhe: 'Mulher, estás livre da tua enfermidade'; e, impondo-lhe as mãos, ela imediatamente se endireitou e dava glória a Deus. O chefe da sinagoga, indignado de ver que Jesus curava no sábado, disse à multidão: 'Seis dias há em que se deve trabalhar; vinde, pois, nesses dias para serdes curados e não no sábado.' Disse-lhe, porém, o Senhor: 'Hipócritas, cada um de vós não desprende da manjedoura, no sábado, o seu boi ou o seu jumento, para levá-lo a beber? **Por que motivo não se devia livrar deste cativeiro, em dia de sábado, esta filha de Abraão, a quem Satanás trazia presa há dezoito anos?'"** (Lucas 13:10-16) (Nós destacamos a parte grifada.)

O diagnóstico dado por Jesus sobre a enfermidade daquela mulher foi que ela estava presa há dezoito anos por Satanás. Não é impressionante pensar que isso ainda acontece? O apóstolo Lucas, autor desse Evangelho, que era médico, escreve que ela estava possuída por um espírito de enfermidade. Se era assim, a pobre mulher jamais seria curada com remédios, cirurgias ou terapias alternativas. Demônios só são expulsos quando a autoridade que está no nome de Jesus é reconhecida.

Por outro lado, Jesus também curou centenas de pessoas sem vincular suas enfermidades a prisões demoníacas, como é o caso da mulher do fluxo de sangue, os dez leprosos, os cegos e os surdos. As doenças eram, em sua maioria, decorrência da própria condição carnal pós-queda do homem: a carne adoece, definha mesmo. Por isso, o apóstolo Paulo diz: "(...) mesmo que o nosso homem exterior se corrompa, contudo, o nosso homem interior se renova de dia em dia" (2Coríntios 4:16).

Jesus também descartou que as doenças fossem castigos de Deus, acabando com teorias religiosas. Voltaremos a esse assunto em outro capítulo. Agora, vamos ver o que a Bíblia diz sobre como tomar atitudes espirituais que podem trazer cura para o corpo. O apóstolo Paulo escreveu:

> "Revesti-vos de toda a armadura de Deus, para poderdes ficar firmes contra as ciladas do diabo; porque a nossa luta não é contra o sangue e a carne, e sim contra os principados e potestades, contra os dominadores deste mundo tenebroso, contra as forças espirituais do mal, nas regiões celestes." (Efésio 6:11-12)

Em primeiro lugar, é importante notar que ele fala em armadura. Armaduras são usadas somente em guerras. Então, vamos lutar contra o verdadeiro inimigo. Muitas vezes despendemos esforços e energia brigando contra a carne e o sangue, isto é, com pessoas, mas a Bíblia diz que a nossa luta é contra demônios, pois tudo começa no mundo espiritual. As guerras que enfrentamos, as situações difíceis de oposições, os sentimentos de derrota, de fracasso e de depressão, as brigas, os vícios, muitas enfermidades, a destruição de lares, a miséria, a bancarrota, os roubos, os abusos... Enfim, toda a maldade presente no mundo tem duas fontes: a primária, Satanás e, uma secundária, o orgulho humano — advindo de Lúcifer.

Por incrível que pareça, é mais fácil se livrar do diabo. Se você tem uma aliança real com Jesus Cristo, é só ordenar e os demônios têm que sair. Já o orgulho humano, que é um problema de alma, requer anos de tratamento. "O sofrimento finca a bandeira da verdade na fortaleza do rebelde", disse C.S. Lewis, no já citado *O problema do sofrimento* (Editora Vida), sobre uma boa pedagogia para ensinar humildade ao orgulhoso.

O mesmo Lewis diz que o orgulho é o pecado essencial por trás de todos os pecados. Agostinho reforça dizendo que o orgulho é o movimento por meio do qual uma criatura, isto é, um ser essencialmente dependente do seu criador, tenta erguer-se e existir por si mesmo. Não foi o que Lúcifer fez bem antes do homem? Ele foi o primeiro orgulhoso rebelde e ajudou Adão, de posse do seu livre-arbítrio, a escolher a independência de Deus.

Jesus, todavia, foi a antítese de Adão; fez justamente o contrário. Como Deus que era, em vez de esfregar na cara da humanidade a sua divindade, humilhou-se. Paulo resume assim:

"[pois] ele, subsistindo em forma de Deus, não julgou como usurpação o ser igual a Deus; antes, a si mesmo se esvaziou, assumindo a forma de servo, tornando-se em semelhança de homens; e, reconhecido em figura humana, a si mesmo se humilhou, tornando-se obediente até à morte e morte de cruz." (Filipenses 2:6-8)

Jesus Cristo fez o que o homem não poderia — ele próprio se reconciliar com Deus —, venceu a morte e o inferno, e ensinou o homem como se luta contra satanás e se vence, além de suas hostes. Para vencer um inimigo é importante, em primeiro lugar, conhecê-lo. Observe como o apóstolo Paulo divide a hierarquia infernal: principados, potestades, dominadores e forças espirituais do mal. Os príncipes infernais reinam sobre grandes regiões geográficas, seguido pelas potestades; depois os dominadores, aqueles que exercem domínio em determinada áreas. Por exemplo, os espíritos de enfermidade (como o da história da mulher encurvada de Lucas 13), de inveja, de ciúme, de morte, de prostituição, de adultério, de vício, de divisão, de confusão, além de milhares de outros enviados para influenciar os homens à maldade e dominá-los. Por fim, Paulo fala sobre os soldados rasos do inferno ou as forças espirituais que espalham o terror e a destruição em larga escala.

A partir desse conhecimento, compreendemos que o homem pode ser influenciado e manipulado por forças invisíveis e espirituais. Pode ser alvejado por setas do maligno, como descreve o Salmo 91:5-6: "Não te assustarás do terror noturno, nem da seta que voa de dia, nem da peste que se propaga nas trevas, nem da mortandade que assola ao meio-dia."

Para a seta que voa de dia, para a peste que se propaga nas trevas, para doenças colocadas por demônios, físicas ou emocionais, o remédio é o revestimento espiritual já providenciado por Deus por meio da salvação. Salvação que vem do sacrifício de Jesus Cristo.

Quando Satanás olha para um homem que crê no Filho de Deus, ele não enxerga um ser humano, mas vê o sangue do Cordeiro Jesus. E por que damos tanto importância para o sangue? Porque o sangue de Cristo representa a chance de não mais voltarmos nossas costas a Deus, ficando a mercê de um inimigo invisível, mas bem real. Essa marca espiritual indelével do sangue diz para Satanás: Eu sou um novo Adão e eu escolho Deus; escolho obedecer. O diabo não suporta isso.

Uma nova dimensão espiritual

Deus quer colocar seus filhos em Jesus, esses novos "Adãos", em uma dimensão na qual possam interagir com o mundo espiritual, seja para repreender demônios, seja para trazer as maravilhas espirituais, como a cura física, seja para manifestar a glória de Deus na terra.

Moisés, por exemplo, interagia com o mundo espiritual. Deus deu a ele esse segredo e disse: "Vá, pois, agora; eu o envio ao faraó para tirar do Egito o meu povo, os israelitas" (Êxodo 3:10). Quando os sacerdotes egípcios faziam uma mágica, Moisés fazia uma maravilha maior. Deus pôde usar Moisés para fazer aquelas maravilhas porque ele interagia com o mundo espiritual.

Da mesma maneira, nós vemos que Elias pediu para chover depois de três anos e meio sem chuvas. "Chove!", disse ele. E começou a chover. "Responde, Senhor, com fogo do céu"(1Reis 18:37-38), disse, e o fogo desceu sobre o holocausto fogo do céu. O apóstolo Paulo também realizou milagres poderosos. Ele foi mordido por uma víbora e nada lhe aconteceu. Em Atos 16, ele encontra uma jovem pitonisa, repreende o espírito da adivinhação que a escravizava e a liberta. Ele identificou o demônio na moça quando todos achavam que era um bonito dom. Teve esse discernimento porque tinha acesso ao mundo espiritual.

E o que Deus tem para nós é essa unção superior para que possamos compreender e interferir no mundo espiritual.

Veja o apóstolo Paulo em ação:

"Aconteceu que, indo nós para o lugar de oração, nos saiu ao encontro uma jovem possessa de espírito adivinhador, a qual, adivinhando, dava grande lucro aos seus senhores. Seguindo a Paulo e a nós, clamava, dizendo: Estes homens são servos do Deus Altíssimo e vos anunciam o caminho da salvação. Isto se repetia por muitos dias. Então, Paulo, já indignado, voltando-se, disse ao espírito: Em nome de Jesus Cristo, eu te mando: retira-te dela. E ele, na mesma hora, saiu." (Atos dos Apóstolos 16:16-18)

As atitudes, as orações, as reações de uma pessoa que anda na dimensão do Espírito Santo de Deus são totalmente diferentes daquelas que andam na dimensão da carne. Há muitas situações dominadas por demônios que as pessoas classificam como problema pessoal. Na verdade, a vida estava presa e amarrada por Satanás, mas não conseguiam discernir ou resistir porque estavam na dimensão da carne. Mas aquele que é participante da natureza divina de Jesus Cristo vai abrir sua boca e as coisas vão acontecer. Os milagres serão liberados e você começará a entender o que é estar nessa dimensão do Espírito de Deus e verá a glória do Todo-Poderoso.

Todo aquele que crê foi chamado para entrar nessa dimensão. E o que vai acontecer? Ele terá a capacidade de sentir a presença física de Jesus. Será envolvido em sua natureza divina.

Agora, preste atenção para entender mais sobre essa dimensão.

Vamos analisar o que Jesus disse em João 17:24: "Pai, a minha vontade é que onde eu estou, estejam também comigo os que me deste, para que vejam a minha glória que me conferiste, porque me amaste antes da fundação do mundo."

Que lugar é esse a que Jesus estava se referindo? Ele estava falando da dimensão apostólica. Muitas pessoas podem imaginar que Jesus estava falando do céu, um lugar para qual iremos apenas depois da nossa morte, mas não era isso.

Jesus estava dizendo que quer que nós estejamos onde ele está, espiritualmente. Nessa ocasião, Jesus ainda não tinha morrido. Ele ainda não tinha sido elevado aos céus. Ele estava vivo aqui entre nós e disse: onde eu estou, quero que eles estejam também. Esta é a dimensão apostólica, o local onde o Senhor Jesus está, onde eu recebo a Palavra no meu espírito, onde tenho autoridade, deixo as minhas deformações e vejo o poder de Deus ser derramado. Tudo aquilo que para você é impossível, pergunte ao Senhor como será resolvido. Ele dirá que as respostas estão nesse lugar onde Jesus está.

Se essa verdade entrar no seu espírito, você será uma pessoa completamente diferente, pois o Senhor o colocará em um nível espiritual em que terá autoridade sobre as enfermidades, sobre demônios, sobre as lutas e as oposições, assim como Paulo.

Quando você ainda era um embrião no ventre da sua mãe, o Senhor o chamou para viver o impossível e reinar em vida. Quem crê em Jesus não é uma pessoa normal, mas um ser espiritual marcado pelo poder de Cristo, que carrega a glória de Deus.

Deseje estar no lugar em que o Senhor está, ter a identidade dele, ser participante de sua natureza por meio da fé sincera em Cristo Jesus.

Quando comecei a ler a Bíblia, a ouvir pregações sobre o amor de Deus e sobre o sacrifício de Jesus, cri e desejei participar daquelas verdades. E, por isso, quando as situações — como pessoas aprisionadas por demônios ou enfermas — apareciam, eu simplesmente colocava em prática o que lia na Bíblia. Eu acreditava mesmo. Se Jesus falou, então, vai acontecer. Orava, expulsava demônios e profetizava a cura como ele me ensinou em seus Evangelhos. Ele disse que faríamos obras até maiores do que ele fez e nunca duvidei disso.

Para entrar nessa dimensão, você não tem que fazer nenhum ritual, não tem que fazer nenhum sacrifício, não tem que ter um cargo ou posição humana, mas tem que crer em Jesus Cristo e ter um coração de criança. A criança não desconfia do pai, não fica querendo explicação para tudo, mas tem um coração aberto para o novo enviado por Deus e não vê impossibilidades.

"Em verdade vos digo que, se não vos converterdes e não vos tornardes como crianças, de modo algum entrareis no reino dos céus."— Mateus 18:3

O Senhor quer falar ao seu coração, tirá-lo das prisões mentais, das doenças. Quer libertá-lo dos medos e colocar em você o desejo de viver nesse lugar. Quando isso acontecer, Deus vai usá-lo com poder e com uma autoridade que você nunca imaginou.

Depoimento

DAS TREVAS PARA A LUZ

Meu testemunho é o da transformação das trevas em luz. Da morte para a vida. Da dor para a alegria. Do monturo a assentar-se ao lado dos príncipes (Salmo 113:7-8). Meu nome é Apóstolo (nome de batismo mesmo), pois minha família é de origem grega.

Conheci as drogas pouco antes de entrar na universidade e me afundei nesse abismo. Concluí o curso de direito, entrei no mestrado e passei a dar aulas em uma universidade. Nessa época comecei a frequentar terreiros de candomblé e a fazer alianças com "entidades". Quando vi, já estava sendo consagrado, usando guias e cumprindo vários rituais. Sempre envolvido com magia, misticismo, feitiçaria. Vivia um mundo de ilusão, drogas, sexo e muito álcool. Tudo o que ganhava perdia logo, de maneira fácil. Fiz "feitura de santo" e, em 1998, fui consagrado a uma entidade chamada Xangô. Fiz várias obrigações todos os anos.

Quando me iniciei no misticismo e nas drogas, tinha uma saúde de ferro. Era sócio do escritório com o meu pai, estava me preparando para fazer doutorado e era constantemente convidado a participar da vida política. Fui indicado em uma convenção para concorrer a deputado federal. No início, tudo era alegria, muito festivo e legal, mas depois de alguns anos, em 2001, a coisa piorou muito. A relação com meu pai e minha família foi destruída, perdi a sociedade no escritório, perdi a saúde e fui parar no hospital com sintomas de tuberculose e HIV.

Em seis meses perdi tudo: carro para o traficante; o dinheiro e o apartamento em que eu morava para as dívidas; e os "amigos", família. Definhei e cheguei ao hospital com 48kg, anêmico, com a língua e traqueia já necrosadas. Fui direto para uma ala do hospital apelidada de "último estágio" — dali só para o cemitério. O médico disse que daquele dia eu não passava. Recebi extrema-unção, e meu irmão mandou abrir minha sepultura. Minha família foi toda chamada para se despedir naquela noite.

Meu tio, presbítero, perguntou se eu cria em Jesus e se eu o aceitava como salvador da minha vida e, naquela situação, é claro que aceitei, apesar de sempre ter rejeitado e até caçoado dos evangélicos. E, por mais improvável que pudesse parecer, naquela noite eu não morri. Ao contrário: passei a reagir aos medicamentos e o tratamento foi obtido êxito e, em sessenta dias, tive alta e fui para casa milagrosamente. Mas, apesar desse milagre incrível, que creio operado por Jesus, ainda assim voltei para o candomblé.

Minha vida não era mais a mesma. Não consegui me reerguer e, em 2007, eu já estava totalmente desenganado porque a medicação que eu tomava não surtia efeito. Eu tinha muitas náuseas e não ficava bom nunca. Não conseguia trabalhar, não tinha forças para atender clientes ou fazer audiências. Minha irmã, meu tio e a Igreja nunca desistiram de orar por mim.

Um dia, quando já não tinha mais nenhuma força ou saída, perguntei à minha irmã se ela iria à igreja naquele dia. Ela disse que sim. Respondi: "Eu vou com você." Quando entrei pela primeira vez em uma Igreja Renascer em Cristo, os exames médicos atestavam que eu estava 50% abaixo do mínimo necessário para sobreviver. Mais precisamente, tinha 150 plaquetas em todo o corpo e minha carga viral estava abaixo de cem células por milímetro. Era um quadro alarmante e bem grave, pois eu estava muito fraco e debilitado. Tinha todos os sintomas do HIV, sarcoma, aftas, queda dos cabelos etc., mas com as poucas forças que me restavam fui à igreja com o seguinte pensamento: "Já que o corpo está assim, vou ver se dá para salvar a alma."

Muitos contam que eu não conseguia assistir o culto inteiro. Alguém tinha que ficar ao meu lado, porque eu caía da cadeira, ia escorregando, não só pela falta de forças, mas também pela batalha espiritual. Como falei, era do candomblé, com feitura de Xangô por quase dez anos, então a luta era enorme. Percebendo a batalha, um dia decidi marcar um aconselhamento na igreja, pois tinha dúvidas e precisava entender as questões espirituais e até mesmo para poder resistir às provações e situações que estavam se levantando.

Queria entender o que era ser cristão e se Cristo era realmente a saída para minha vida, se era uma verdade ou apenas papo furado, retórica. Lembro que o bispo se dispôs e conversou comigo algumas horas, respondeu às minhas perguntas e, o mais importante, deu-me para ler e estudar alguns trechos da Bíblia: Mateus 3, Salmo 113, Romanos 5 e João 3:16.

Eu sempre gostei de ler e estudar e daquele dia em diante passei todos os dias estudando a Palavra. Aquelas passagens fizeram muito sentido para mim. No dia seguinte ninguém precisou dizer mais nada. Eu já estava decidido. Joguei fora altares, roupas, guias e até mesmo uma estátua enorme de Xangô. Decidi que, daquele dia em diante, eu serviria ao Deus vivo, a Cristo Jesus.

De fato, daquele dia em diante minha história de trevas e terror, de uma tragédia (grega) passou a ser a história de uma nova vida, na luz. Minha saúde foi melhorando (mesmo com aqueles antigos remédios que não faziam mais efeito), comecei a retomar minha vida profissional e, quanto mais eu aprendia, quanto mais me envolvia com a igreja e com o ministério, quanto mais estudava a Palavra, quanto mais fazia os cursos, mais minha vida melhorava, sempre em escala progressiva, sempre crescendo, sempre conquistando, sempre melhorando.

Primeiro, vivi a restauração da família; depois, veio a restauração profissional; terceiro, a restauração da saúde e, por fim, a restituição de toda uma trajetória política que havia iniciado na juventude. Aconteceu da seguinte forma: após alguns exames de genotipagem, o médico disse que estavam testando um novo medicamento. Apesar de dificílimo de conseguir e caríssimo — aproximadamente R$ 3.600,00 cada dez comprimidos, e eu tinha que tomar sessenta —, o Ministério da Saúde aprovou e logo passei a receber a medicação gratuita no posto de saúde. Assim que comecei a medicação, fiquei forte, saudável e tudo se fez novo. Nova vida, novo tempo, novos sonhos, novos planos de vida, aprendi a me alegrar por cada dia, por cada semana vivida em nome de Jesus!

Hoje, eu estou totalmente zerado e assintomático desde 2010. Estou totalmente curado, saudável e uso medicação apenas como forma de controle. Toda vez que eu vou à consulta o médico fica espantado. O próprio médico confirma e atesta esse milagre diante de todos e diz para eu me cuidar com outras coisas porque a AIDS não preocupa mais. Nesse mesmo ano fui candidato a deputado federal e ainda me casei, ganhando tudo. Eu passei a viver uma restituição muito além do que eu podia pensar ou imaginar.

Ainda vivi mais um milagre nesse incrível ano de 2010. Dias antes da Marcha para Jesus daquele ano, recebi um diagnóstico de uma isquemia no coração, isto é, uma parte da porção inferior do coração estava inativa. Um diagnóstico grave. O médico disse que teria que fazer uma cirurgia. Como já estava planejado, viajamos para São Paulo para participar da Marcha, mas quando acordei no dia, comecei a passar mal, não conseguia nem levantar e quase não podia andar. Minha esposa queria me levar para o hospital, mas eu disse que preferia ir para a Marcha. Se tivesse que morrer, que fosse marchando para Jesus. Minha esposa orou por mim e, bem devagar, quase sem fôlego, nos dirigimos para a avenida Tiradentes, na capital paulista, bem no início do percurso da marcha.

Quando o apóstolo Estevam orou na abertura do evento, ajoelhei-me, fui tocado pelo Senhor e curado imediatamente. Quando me levantei, respirei fundo, bem fundo, tossi e saí marchando. Andei todo o percurso, brinquei, dancei e não senti mais nada. Dias depois, já em Florianópolis, ao repetir o exame de Ecodoppler e esteira, constataram que meu coração estava inteiramente curado!

Sou totalmente liberto. Vivo na presença do Senhor e posso dizer que minha vida, literalmente, transformou-se de trevas em luz; daquele que tinha uma boca para falar o que não era bom para apregoar o Evangelho. As curas físicas são importantes, aliás, são essenciais, ainda mais no meu caso, mas o principal foi a limpeza espiritual, foi a separação do pecado, da transgressão e da iniquidade para uma vida no altar. Foi ter escolhido deixar para trás uma vida cheia de drogas, luxúria, amor ao dinheiro e mergulho no ocultismo para viver a vida plena em Jesus.

Agora, sou um servo de Deus, sou abençoado, sou apostólico, tive minha família, minha vida profissional e minha saúde inteiramente restituídas, mas, principalmente, fui totalmente transformado. Sou livre de deformações que me acompanharam desde a infância. Aprendi a amar e a perdoar, vivi a reconciliação com meus pais, vivo as verdades da Palavra de Deus e o que para muita gente pode parecer loucura, para mim é a minha vida. O que para os outros pode parecer incrível ou impossível, para mim é verdade, é o poder de Deus que se manifesta na vida daqueles que se arrependem e que verdadeiramente o buscam.

A ele toda a honra, toda a glória, todo o domínio, poder e majestade por todos os séculos!

Apóstolo Nicolau Pitsica
Florianópolis – SC

Capítulo 4

Um milagre para alguém que não queria um milagre

Alguns sofrimentos são tão profundos — não só pela gravidade, mas pela dor específica que encontra outras dores acumuladas — que transformam-se em feridas latejantes. Esse estado de dor aguda, com o passar dos dias e dos meses, começa a amainar, alternando dias apenas tristes e dias com céu de chumbo sobre sua cabeça. Posteriormente, o sofrimento sai do estágio agudo para o crônico. Você acostuma a fazer tudo o que sempre fazia, mas agora carregando uma frustração que bloqueia os sonhos, as gargalhadas, os dias mais festivos. Então, vai profissionalizando a tristeza e a alegria. Dispõe delas de acordo como precisa, apenas para compor a cena. Quando perguntam, você diz: "Tudo vai bem!"

A dor se transforma em decepção e depois em frustração. E frustração é como um câncer: uma destruição silenciosa e sem pressa; outras vezes, fulminante. Adoece o coração e faz a gente perguntar: "Deus, por que me abandonastes?" Às vezes você tinha fé, e as coisas funcionavam, ou pareciam funcionar. Você pedia, Deus ouvia. Você conhecia as regras, a música, e dançava no ritmo. Mas um dia, quando menos esperava, parece que tudo mudou. Apesar de clamar, chorar, buscar por um longo período, quando mais precisou, quando nem conseguia acreditar que aquilo estivesse acontecendo com você, não conseguiu nenhuma resposta de Deus, nem mesmo um sonoro "não". Apenas o silêncio.

O rei Salomão escreveu o seguinte: "A esperança que se adia faz adoecer o coração, mas o desejo cumprido é árvore de vida" (Provérbios 13:12).

Quantas pessoas não estão assim hoje? Doentes porque não esperam mais nada. Desejaram tanto, buscaram por muitos meses ou anos, trabalharam e lutaram por um sonho, mas não deu certo; a resposta não veio — pelo menos, não no tempo delas. Então, o coração, que é a alma, ficou doente, endureceu. Parou de sonhar, parou de desejar. E ai daqueles que tentam, com frases feitas ou conselhos religiosos, ressuscitar o que está morto, enterrado, esquecido dentro delas. Elas ainda têm que ouvir: "Você tem que pensar no que você fez de errado para estar passando por isso." Ou: "Você orou pouco, por isso não aconteceu ainda." E o pior de todos: "É castigo de Deus."

Os decepcionados crônicos, frustrados, desesperançados não querem ouvir falar em milagre. Não têm interesse nem permitem que mencionemos essa possibilidade. Já foram machucados demais justamente porque tiveram esperança. Para eles, não há mais promessas.

A Bíblia fala de uma mulher assim. É chamada de sunamita no relato bíblico. Ela é o retrato de pessoas que tiveram seus sonhos mais desejados negados. No caso dela, ser mãe. Mas a entrada em cena da palavra profética rompeu a cadeia da desesperança. Quero contar para vocês sua história.

Existia em Suném, cidade no vale de Jezreel, ao norte de Israel, uma mulher muito rica. A Bíblia não revela seu nome; chama-a apenas de sunamita, caracterizando-a como moradora daquela cidade. Era uma mulher entre trinta e quarenta anos, decidida, forte, generosa, sem filhos. O seu marido era bem mais velho, talvez uns vinte anos a mais do que ela. O texto bíblico também não diz se ele tinha outras mulheres, já que a esterilidade da esposa dava direitos ao homem de casar-se novamente para que tivesse herdeiros. Assim, subentende-se que a esterilidade estivesse nele; talvez sofresse de alguma enfermidade que expusesse sua impotência. Daí a razão de não ter outras mulheres.

Assim que se casou, a sunamita tinha grande expectativa de engravidar e encher a casa de filhos. Esse era um valor primordial para as mulheres da época, o motivo de sua existência — achavam. Uma mulher sem filhos era uma maldição terrível. Não havia médicos ou laboratórios para revelar o tipo de problema que tornava um casal vítima de esterilidade. Como outras mulheres estéreis da Bíblia — Sara, Rebeca, Raquel, Ana — a sunamita teve que suportar a humilhação, o escárnio, o desprezo e a frustração, com o agravante de que no seu caso podia ser um problema do marido. Fez tudo o que havia disponível na época em termos de tratamentos médicos, pois era mulher rica e temente a Deus, mas de nada adiantou.

Os anos foram se passando e ela acostumou-se com o que o destino lhe reservara. Sempre que via uma criança, sentia uma ponta de tristeza por causa da mensagem acusadora que lhe vinha à cabeça com cobranças alheias ou autoimpostas, e pela própria criação da época. Era só pensar no assunto e lá vinha aquela enxurrada de sentenças infernais e ainda em primeira pessoa: "Sou estéril, seca, inferior, defeituosa. Nunca vou carregar um filho nos braços. Meu marido me dá tudo, menos o que eu mais desejo e o que, com certeza, traria-me honra diante de todos: um filho. Nem sei para que vim ao mundo!"

No começo, é claro, tinha certeza de que, no próximo mês, a boa notícia viria. Continuou otimista e perseverante por cinco, depois dez anos, mas como nada aconteceu, passou a buscar explicações: "É uma lição, é castigo, é culpa dos meus pais, meu marido não me ama, meu marido não ora por nós o suficiente, Deus não me ama ou nem existe." Os meses de amargura transformaram-se em anos. O pior não foi a humilhação e a tristeza, e sim perceber que aquele processo todo afetara sua relação com o Deus da sua vida, o Deus de Israel, aquele que sempre lhe dera esperanças. Sem ele, o que podia esperar? Com quem poderia contar?

Quando afinal percebeu que, apesar da esterilidade, tinha um marido que a amava, que era rico, que poderia contar com ele e desfrutar certo status na sociedade em que vivia, ficou um pouco menos amarga. Mas, com Deus, a relação era como daqueles casais desapaixonados: moram na mesma casa, mas são como dois estranhos.

Pode ser difícil de acreditar, mas tem muita gente por aí com mágoa de Deus, não porque ele tenha feito algo ruim, mas porque, aparentemente, não fez nada por elas. Fico abismado quando vejo pessoas precipitadas murmurando, brigando com Deus. Elas não sabem o que ele está fazendo, não imaginam o que pode acontecer no dia seguinte e já estão tirando conclusões precipitadas. Já me perguntaram muitas vezes se eu nunca me decepcionei com Deus. A resposta é "não", porque nossa relação não é pautada pelos desejos que ele realiza ou não na minha vida.

Desde que conheci a verdade da Palavra de Deus e passei a me relacionar com Jesus Cristo, meu objetivo é o céu, e não qualquer situação terrena. Além do mais, é a minha relação com Deus que me mantém íntegro apesar dos pesares, na perspectiva de que, para mim, sempre o melhor de Deus está por vir. Se assim não fosse já teria largado tudo, porque muitos foram os momentos difíceis para a minha carne. O servo não é maior que o senhor. Se Jesus morreu em uma cruz, porque eu não posso enfrentar adversidades? Sofro e tenho dores profundas como qualquer pessoa, mas não posso culpar aquele que é o começo, o meio e o fim de tudo na minha vida. Sem exagero, prossigo para o alvo.

Conformismo

Voltando à história da sunamita. Quando ela entrou no estágio do conformismo, depois de ter se afastado de Deus discretamente, e para não lhe azedar o restante da vida e sobreviver a essa calamidade, tomou a decisão de colocar uma pedra em cima daquela história de filho. O que não tem remédio, remediado está. A partir de então, seria um assunto morto e enterrado — aliás, proibido. Nessa hora entrou a morte naquela área da vida da mulher; uma espécie de poção que produz mortos-vivos.

Ela continuou acordando todos os dias, trabalhando, ajudando o marido a enriquecer, afinal era uma mulher realizadora. Apostou suas fichas no trabalho, jogou-se de cabeça na administração da casa e dos bens; viu que tinha tino para os negócios — talvez até por isso tenham enriquecido. Deu tão certo que passou a poder até a ajudar os outros. Assim, descobriu uma nova forma de realização. Tentava ser útil como podia — e realmente era. Estava sempre atenta às necessidades alheias e ajudou muita gente da cidade. Assim, parando de olhar somente para si mesma e deixando de se alimentar de autocomiseração, foi que a história de sua vida começou a mudar.

O profeta Eliseu, eventualmente, passava por Suném; às vezes a caminho do Monte Carmelo ou de Sarepta. Era famoso por ser discípulo de Elias e seus feitos eram muito conhecidos em Israel. Certa vez, estando na cidade, a sunamita convidou-o para comer em sua casa, o que passou a ser um costume. Eliseu e aquela família tornaram-se mais próximos e, toda vez que o profeta passava por ali, a casa dela era parada obrigatória. Não podia ser diferente. Depois que ele deixou sua família para ser discípulo de Elias, a sunamita foi a pessoa mais parecida com a mãe que ele encontrara. Sabia bem o que ele gostava de comer e beber; até seu doce favorito deixava preparado, tudo para mimar o profeta.

O convívio fazia bem ao casal, mas foi a sunamita quem reconheceu a necessidade do homem de Deus. Ela vinha observando sua pesada rotina e queria colaborar com seu ministério, mas não sabia como. Um dia teve uma ideia. Sugeriu ao seu marido que construísse um quarto de hóspedes para Eliseu. O marido concordou e começou a obra. Não era um quarto qualquer — até uma tenda serviria para visitas passageiras e era, na verdade, o mais comum na época —, mas era obra de alvenaria, uma construção feita para durar. Na próxima vez que Eliseu foi a Suném, o seu quarto já estava pronto e ele, agora, tinha onde se hospedar.

O profeta Eliseu ficou tocado com toda aquela atenção e preocupação. Ele havia percebido que os gestos da sunamita eram desinteressados — ela não queria nada em troca. Mas quando ele se deitou na cama novinha e macia, começou a observar os detalhes de tudo a sua volta, o esmero com que tudo havia sido feito — a cadeira, a mesa e o candeeiro como ele gostava — e foi profundamente tocado por aquele amor. O seu coração agradecido quis retribuir ao casal todo esse cuidado.

Disse, então, a Geazi, seu ajudante, que chamasse a mulher e perguntou-lhe o que ela desejava, se havia algo que ele pudesse fazer por ela para retribuir a sua bondade e generosidade. A sunamita respondeu que estava bem e que não precisava de nada, que tinha tudo o que queria. Para ser mais exato, ela respondeu: "Estou bem entre minha própria gente" (2Reis 4:13) — ou "O que mais posso querer?"

Obviamente, aquele sonho impossível estava fora de questão. Não incomodaria o profeta com suas lamúrias e ressentimentos passados — era bom deixar aquela novela enterrada onde estava, pois de uma maneira ou de outra sua vida estava resolvida.

Depois que ela se foi, Geazi comentou com Eliseu que ela não tinha filhos e que seu marido já era idoso. Eliseu, então, a chamou de volta e profetizou que ela, após um ano, a partir daquela data, teria nos braços um filho. A sunamita ficou brava, até furiosa, eu diria. "Não, meu senhor. Não iludas a tua serva. ó homem de Deus" (2Reis 4:16). Por que tocar nesse assunto? Quem teria dado com a língua nos dentes? Chateada, mas com educação, pediu que o profeta não a iludisse com promessas falsas e procurou esquecer o contratempo. Entretanto, a palavra profetizada estava viva e agindo dentro dela, e sua vida começou a mudar a partir daquele momento, mesmo que ela nem se desse conta.

Passados três meses, mais ou menos, percebeu que algo estava diferente em seu corpo. Já não conseguia comer como antes e começou a ficar indisposta, enjoada. Normalmente, o café da manhã era a refeição de que mais gostava, a mais completa. Comia uma deliciosa mistura de coalhada, passas e mel, duas ou três fatias de pão molhados no azeite, e leite fresco. De um dia para o outro dispensou a coalhada, depois só desceu uma fatia, depois quase nada. Dava a primeira mordida e abandonava tudo na mesa. Também não podia sentir o cheiro da lentilha no fogo que lhe "embrulhava" o estômago. A sua menstruação não veio uns dois meses e imaginou que estivesse entrando na menopausa. Bem lá no fundo, entretanto, acalentava o sonho de que a palavra do profeta se cumprisse. Muitas vezes ela se pegou pensando em todos os feitos poderosos de Eliseu, como quando ele orou e um menino morto ressuscitou, ou quando ele multiplicou o azeite da viúva, ou quando curou a lepra de Naamã. Eram muitas as evidências de um grande poder de Deus na vida dele. E se aquela história de filho fosse verdade?

E era verdade. A barriga começou a endurecer no baixo ventre e, quando a criança estremeceu dentro dela, não teve mais dúvidas. Estava grávida. Ela já nem sabia mais o que sentir, se perguntou se a gravidez iria até o fim. Contou ao marido com muito receio de que ele achasse que ela estava louca e, aos poucos, com a evidência inequívoca de uma barriga de nove meses, os amigos e parentes ficaram sabendo. No tempo determinado por Eliseu, a sunamita deu a luz a um menino. Que alegria! Todos estavam felizes pelo casal, mas a mãe da criança vivia como quem sonha.

Nascer e renascer

Nos primeiros dias de vida do filho passava quase toda a noite vigiando para ver se o bebê estava respirando, típico de mãe de primeira viagem, mas no caso dela ficava contemplando aquele presente de Deus. Aos poucos ela foi relaxando. Era verdade. Era seu filho. O derradeiro sonho realizara-se. Nunca mais seria envergonhada por mulheres invejosas ou parentas maldosas. Na calada da noite, quando tinha que se levantar para atender o bebê, sempre fazia de boa vontade, e naquele silêncio não dava para não pensar em Deus. Ela agradecia a ele com um tímido sorriso.

O menino crescia forte, saudável e alegre — uma criança normal. Era um menino cheio de energia, que gostava de sair com o pai para o campo, em especial na época da colheita. Tudo estava correndo bem, por isso a sunamita não podia imaginar que viveria uma reviravolta em breve.

Um dia, ao longe, a sunamita viu que os servos de seu marido vinham correndo, chamando por ela e com o seu filho nos braços. Ela levou um susto. Correu ao encontro deles e quis saber o que tinha acontecido. Eles contaram que o menino começou a reclamar de fortes dores de cabeça enquanto estava no campo, talvez uma insolação, e o pai, então, mandara que lhe trouxessem o filho para que ela resolvesse o problema.

Sem saber o que fazer, tomou-o em seus braços. Ele estava mole, sem reação, os olhos opacos. Tentou dar algo para ele comer, fez chás, mas ele já não respondia, estava como que desacordado. Ela ficou com ele no colo, orando, pedindo a Deus por uma interferência, mas, ao meio-dia, ele morreu. Ela não podia acreditar. Estava atordoada, não conseguia pensar direito. Pior do que nunca ter tido um filho é tê-lo e depois perdê-lo.

Inconformada, a primeira coisa em que pensou foi no profeta. Colocou o filho morto na cama de Eliseu, no quarto de hóspedes, fechou a porta e saiu. Pediu ao marido que lhe preparasse uma das jumentas e que um dos empregados a acompanhasse até o Monte Carmelo, onde estava o homem de Deus. O marido quis saber porque ela iria fazer essa inesperada viagem, mas ela não deu muitas explicações, nem contou sobre a morte do filho. Partiu apressada e deu ordens ao moço que não parasse no caminho a não ser quando ela lhe dissesse. Eles deveriam percorrer cerca de 40km de Suném até Carmelo.

Depois de quase um dia de viagem, antes que chegasse ao seu destino, Eliseu avistou-a ao longe e reconheceu-a imediatamente. Ele estranhou a visita, desconfiou de que algo não ia bem, mas não tinha certeza, porque Deus não lhe revelara nada. Ele disse a Geazi para correr ao encontro da sunamita e perguntar se estava tudo bem com ela, com o marido e com o filho.

— Tudo vai bem. — ela respondeu.

Disse aquilo pra ser educada, porque sua conversa não era com Geazi, mas com quem tinha a palavra profética. Chegando perto de Eliseu, depois de guardar aquele terrível segredo por horas, não suportou mais e rompeu num choro convulsivo, jogando-se aos pés dele. Geazi correu para arrancá-la dali, mas o homem de Deus lhe disse:

— Deixe-a! Ela está por demais amargurada e eu não sei o que está acontecendo, pois Deus não me revelou.

Depois de alguns minutos de desabafo, ela finalmente disse:

— Por acaso eu pedi um filho? Não falei para não me enganar?

Ela não precisou dizer mais nada. Eliseu entendeu tudo e mandou que Geazi partisse imediatamente para a casa da sunamita e que colocasse o seu cajado sobre o rosto do menino. Ela, entretanto, não arredou pé e disse que só voltaria para casa para enfrentar aquela situação se Eliseu fosse com ela. Sabia que era caso para um homem que conhecia o poder de Deus; não queria intermediários. Resignado, ele foi com ela.

Geazi correu na frente e pôs o cajado sobre o rosto do menino, como Eliseu ordenara, mas ele não deu sinal de vida. Permaneceu frio, lívido. Pouco tempo depois chegaram Eliseu e a sunamita à casa e foram direto para o quarto onde o menino continuava sem vida, apesar da tentativa de Geazi de ressuscitá-lo. O profeta entrou, deixando a mãe com sua amargura e desespero do lado de fora. Fechou a porta e ficou a sós com o menino morto sobre a cama.

Quando o profeta começou orar, lembrou-se do que Elias, de quem herdara a unção dobrada (1Reis 17) havia feito. Então, subiu à cama, deitou-se sobre o menino e, pondo a sua boca sobre a boca dele, os seus olhos sobre os olhos dele e as suas mãos sobre as mãos dele, a carne do menino aqueceu. Andou pelo ambiente, orou, louvou, falou com Deus buscando direção e pôs para correr o espírito de morte. Repetiu esse ato profético por mais uma vez e o menino reviveu; espirrou sete vezes e abriu os olhos.

Eliseu chamou a sunamita e entregou-lhe o filho vivo e saudável. Ela lançou-se aos pés do profeta, agradecida e comovida. Depois, tomou o menino e saiu para cuidar dele; dar comida e um bom banho, tirar aquela roupa que só lhe trazia lembranças ruins. Assim, Eliseu restituiu o filho àquela mulher.

Depois desse episódio, ela teve certeza de que, no momento da calamidade, não adianta buscar culpados, não adianta culpar a Deus, tem que buscar a palavra profética e deixá-la agir. E mais, ao receber pela primeira vez o filho através da palavra profética e da gravidez, recebeu também o espírito de ousadia, de guerreira e destemida, que não se conforma, mas luta por suas promessas com armas espirituais, posicionamentos, atitudes, sempre debaixo de obediência à autoridade espiritual. Conformada e frustrada... Nunca mais!

Maria, irmã de Lázaro, viveu uma situação parecida, descrita em João 11. Seu irmão estava morto há quatro dias quando Jesus atendeu ao chamado deles e chegou à casa enlutada. Maria lhe disse:

— Jesus, se você tivesse vindo mais rápido, se tivesse chegado antes, se tivesse ouvido nosso pedido de socorro a tempo, meu irmão não teria morrido.

— Eu sou a ressurreição e a vida. Aquele que crê em mim, ainda que morra, viverá — disse Jesus.

É SÓ NÃO CRER CONTRARIAMENTE

A história da sunamita é maravilhosa. A vida dela é um exemplo incrível de que os milagres podem acontecer mesmo em meio a muita desesperança, anos de frustração e até em meio a uma situação já assumida e incorporada como "destino". Eliseu profetizou um milagre para alguém que não o pedira e o impossível aconteceu em cima do poder da fé do homem de Deus.

Jesus deu-nos um parâmetro em relação à fé para viver o sobrenatural: o grão de mostarda. Um grão de mostarda é praticamente nada de fé. É só você não crer contrariamente. As pessoas fazem isso quando:

As suas mentes estão enfermas.

Quando a palavra do médico é mais forte.

Quando não se acham dignas.

Quando as marcas profundas de um passado de dor falam mais alto e trazem incredulidade.

Quando já tentaram de tudo, inclusive espiritualmente falando, e não obtiveram sequer uma resposta.

Quando olham para os recursos que têm e tiram seus olhos de Deus, o que as torna incrédulas por concluírem que para elas é impossível.

Quando agem carnalmente e não espiritualmente, deixando de se renovar através da comunhão com Deus.

Em vez de cultivar uma pequena semente de fé, elas desenvolvem um remédio abortivo do milagre. Elas matam a semente pela incredulidade, com palavras, pensamentos, sentimentos e posicionamentos contrários.

Os profetas Elias e Eliseu ressuscitaram pessoas. Eliseu ressuscitou o dobro de pessoas por causa da unção dobrada.

Em certa ocasião, jogaram um soldado morto na sepultura de Eliseu e o rapaz ressuscitou. Essas ressurreições que aconteceram através das vidas de Elias e de Eliseu são proféticas e prenunciavam a ressurreição de Cristo, mas também foram deixadas como marcas e como um fator crucial que diferencia o mover apostólico (ver próximo capítulo), que é o que podemos identificar, em dobro, com os apóstolos Pedro e Paulo. Pedro levou esse poder de ressurreição apostólica até Dorcas, que estava morta, como vemos em Atos 9:36-42:

> "Em Jope havia uma discípula chamada Tabita, que em grego é Dorcas, que se dedicava a praticar boas obras e dar esmolas. Naqueles dias, ela ficou doente e morreu, e seu corpo foi lavado e colocado num quarto do andar superior. (...) Pedro mandou que todos saíssem do quarto; depois, ajoelhou-se e orou. Voltando-se para a mulher morta, disse: 'Tabita, levanta-se!' Ela abriu os olhos e, vendo a Pedro, sentou-se. Tomando-a pela mão, ajudou-a a pôr-se de pé. Então, chamando os santos e as viúvas, apresentou-a viva. Este fato se tornou conhecido em toda a cidade de Jope, e muitos creram no Senhor."

O poder da ressurreição está entregue à Igreja para desfazer a mais terrível área de domínio de Satanás, que é a morte. Se ele não pode matar a Igreja, que é o Corpo de Cristo, ele tenta matar as pessoas com drogas, sexo, ou álcool, com depressão, com síndrome do pânico. Ele mata com prostituição, com uma depravação terrível. Se não dá para matar o corpo físico, busca matar os sonhos, a esperança, a alegria.

Morte espiritual

Neste livro reunimos histórias de pessoas que, por meio da fé, venceram a morte imposta pela enfermidade. Essa morte é terrível, pois quando uma pessoa adoece, toda a sua casa adoece. O Senhor pode e quer dar soberania e domínio sobre as enfermidades e sobre a morte do corpo. Entretanto, existe uma morte pior, a morte espiritual, que sempre vem de Satanás, e precisamos entender como isso acontece.

Quando o espírito de morte ataca, ele começa com uma famosa frase: "Não tem jeito!" Ele sussurra: "Esqueça Deus, esqueça essa história de igreja, desista de seus sonhos, de sua família, de seus filhos." Ele sentencia: "Você está doente e vai morrer mesmo. Não adianta orar, lutar, profetizar. Não vá atrás do profeta. Ele não tem solução para você." Quando você aceita o que esse espírito terrível diz, então morre mesmo. Isso é a morte espiritual. "O espírito do homem o sustenta na doença, mas o espírito deprimido, quem o levantará?" (Provérbios 18:14)

A pessoa que está morta ou morrendo espiritualmente só tem ligação com o passado, fracassos e pessimismo; só tem mágoa e rancor em seu coração. Satanás atacou seus sentimentos e teve vitória. Ele parte, então, para sua segunda investida, para que de sua boca saiam palavras de morte que sacramentam a sua obra destruidora na casa, no casamento, na saúde, no trabalho etc. Começa incitando pensamentos e faz você relembrar toda morte que trouxe para a sua vida, como você é infeliz, como Deus o esqueceu, e por aí vai. Essas lembranças e pensamentos transformam-se em depressão e tristeza, e você não consegue mais se alegrar com a vida que Deus te deu. Em seguida, a sua boca se abre apenas para destilar veneno mortífero porque ela reproduzirá o que está em seu coração. Isso é morte espiritual.

"A morte e a vida estão no poder da língua; o que bem a utiliza come do seu fruto." — Provérbios 18:21

Por exemplo, em muitos casamentos, durantes as discussões, são proferidas palavras de morte sobre aquilo que o sangue de Jesus já lavou e perdoou. O que Satanás quer é que volte a reinar a morte em sua casa, em seus relacionamentos. Quando as coisas não dão certo, em vez de perseverar e usar o poder da ressurreição, você diz palavras de morte, como: "Essa casa é um inferno! Deus não me ajuda mesmo." Você observou o comportamento da sunamita? Ela não disse nada que pudesse matar de uma vez o seu filho ou reforçar, selar aquele estado. Ela fechou a boca; só falou com quem poderia resolver e, mesmo com Eliseu, não disse uma única vez a frase: "Meu filho morreu." Se não tivermos nada de edificante para dizer, é melhor não dizer nada.

A morte espiritual mata os sonhos, a motivação. Muitas vezes já ouvi pessoas dizendo que não sentem mais a presença de Deus quando vão à igreja nem em lugar algum. Então, quando é que sentem alguma coisa boa? Quando entram em site pornográfico? Quando se embriagam? Quando estão na roda dos escarnecedores falando mal da igreja, que é o Corpo de Cristo? Isso é morte espiritual.

A morte espiritual mata os bons sentimentos. Em alguns aconselhamentos de casais, escuto os cônjuges dizer: "Não amo mais o meu marido." "Não amo mais a minha esposa." Pergunto: "O que aconteceu?" Não aconteceu nada. Aconteceu apenas que o sentimento diminuiu, mudou — e como as pessoas ainda são muito guiadas pela alma, já decretam que o amor acabou. Não sentem mais desejo, prazer, alegria, não sentem nada. Mas você está sentindo por quem? Pela mulher estranha, pelo homem estranho? Preste a atenção. Será que não é a morte que está entrando em sua vida?

Nós não vamos viver a morte espiritual, porque por meio de Jesus Cristo temos o poder da ressurreição. Depende de você fazer com que toda morte que entrou em sua vida, para matar seus sonhos, seu casamento, seus sentimentos e suas motivações, saia agora.

O homem só tem vida quando tem dentro de si a vitória contra a morte.

A SUA VITÓRIA NÃO É DEIXAR DE MORRER. A SUA VITÓRIA É RESSUSCITAR.

Em primeiro lugar, como Eliseu, você vence a morte profetizando. Pare de pedir e profetize. Não podemos nos deixar levar pelo que vemos, pois isso pode nos causar uma paralisação. Deus permitiu que a sunamita vivesse a esterilidade — que é uma espécie de morte — para que reconhecesse a vida na palavra do profeta e aprendesse como se faz. Então, permitiu que encarasse a morte do filho para que pudesse praticar o que já havia aprendido. Da mesma forma, Deus deseja nos ensinar a vencer as mortes que nos rondam, pois ela pode destruir do empresário à dona de casa, de um casamento a um ministério; de um sonho, um filho, uma boa condição financeira a uma saúde de ferro.

Enquanto a sunamita andava 40km no lombo de um jumento em busca de Eliseu, o Espírito Santo começou a trazer à memória o que podia lhe trazer esperança: a alegria dos primeiros meses de gravidez, a barriga enorme, o parto, o choro do filho, as risadas, a alegria. Durante o percurso, concluiu que se Deus havia feito uma vez poderia fazer novamente, e que o veículo do milagre era a palavra profética que estava na boca de Eliseu.

Da mesma forma, comece a trazer agora à sua mente o que lhe dá esperança, não o que lhe traz desespero. Quando a morte se apresentar em suas centenas de faces e figurinos, enfrente-a com a palavra profética. Diga: "Vem, Espírito de Deus, e traz vida, cura! Vem, Espírito de Deus, e traz saúde, alegria, restituição, restauração, honra, liberdade! Vem, Espírito de Deus, e quebra as cadeias, muda a sentença, faz a sua obra maravilhosa."

Entre no seu quarto, feche a porta, levante sua mão para o céu e diga: "Em nome de Jesus, eu enfrento, a partir de agora toda morte profetizando. Não vou mais chorar, murmurar ou me desesperar, eu vou profetizar!" Essa força vai produzir frutos dignos de vida eterna. O Senhor também fará reviver os sonhos. Aqueles que você enterrou ou deixou morrer ressuscitarão e se tornarão realidade nesse novo tempo de Deus em sua vida, um tempo de milagres.

Para vencer a morte como a sunamita, você também tem que entregar o que está morto para o Senhor. Tem que entregar e falar: não choro mais essa morte. Não chore mais esse casamento morto, esse emprego que foi tirado, a casa que um dia morou, não chore mais. Esse é o tempo em que aquele peso morto que você carregava nas costas vai sair. Em vez de desânimo e cansaço, o Espírito de ressurreição injetará em suas veias motivação, ânimo, força de realização e conquista, porque você verá o braço forte do Senhor à sua frente para vencer o inimigo. Você não dará a mínima para sua idade ou condição humana porque a Palavra de Deus tomou conta do seu ser.

Temos que invadir o espaço da morte, encará-la de frente e falar como Eliseu quando entrou no quarto onde estava o menino morto: Agora somos só você e eu. Ainda que você sinta o frio da morte, ainda que sinta esse frio no seu corpo, Deus lhe dá vida suficiente. Você não vai mais temer, mas se preciso for vai colocar sua boca sobre a boca da morte, seu olho em cima do olho da morte, sua mão sobre a mão da morte. E a vida de Deus em você a tragará.

Comprometa-se com a ressurreição e não com a morte. Quem é comprometido com a ressurreição não tem medo de palavras, sentenças ou diagnósticos. Quando atingir esse entendimento profundo sobre o poder de ressurreição e vida que está na palavra — e palavra é verbo, e verbo é Jesus Cristo — não haverá o impossível: o seu corpo estará cheio de vida, o seu casamento ressuscitará, o seu ministério vai espirrar sete vezes e reviver; o amor, a alegria, a saúde lhe serão entregues, como o profeta entregou o filho ressurreto para a sunamita.

Satanás conhece esse poder da ressurreição porque é a verdadeira arma de Deus capaz de destruir todos os seus planos. O diabo recebeu o poder da morte, mas o poder da ressurreição foi entregue a Cristo, que venceu e entregou essa vitória nas mãos da sua Igreja.

A sua vitória não é deixar de morrer. A sua vitória é ressuscitar. O inferno não conta com isso. Satanás sabe o significado disso e quer manter você preso na caverna do medo. Mas quem tem o Espírito Santo não se encolhe diante das ameaças da morte. Como disse o rei Davi: "Mesmo quando eu andar por um vale de trevas e morte, não temerei perigo algum, pois tu estás comigo; a tua vara e o teu cajado me protegem" (Salmo 23:4).

A palavra do profeta não trouxe apenas ressurreição àquela casa, mas preservação e restituição. Anos depois do milagre duplo envolvendo o filho da sunamita, Eliseu a alertou sobre um período de sete anos de fome que viria sobre a nação de Israel e que ela e a família deveriam mudar-se. A mulher, em obediência à palavra profética, saiu de Suném e morou sete anos na terra dos filisteus. Assim que ouviu falar que a situação havia melhorado, regressou a Israel, mas viu todos os seus bens e propriedades tomados por posseiros.

Ela poderia ter se desesperado, mas já conhecia o caminho da ressurreição; sabia que tinha o direito de lutar. Não teve dúvidas. Solicitou uma audiência com o rei para pedir de volta suas terras e tudo o que lhe pertencia. Quando ela chegou ao palácio, Geazi, ajudante de Eliseu, estava contando para o rei sobre os grandes feitos do profeta, conforme o rei havia pedido. Geazi reconheceu a sunamita e disse:

— Essa é a mulher e esse é o filho que Eliseu ressuscitou.

O rei quis que ela própria lhe contasse toda a história. Então, mandou um oficial para acompanhá-la e disse:

— Devolva tudo que pertencia a ela e todo lucro da terra durante o tempo em que esteve ausente.

Um milagre marca uma vida para sempre e a obediência à palavra profética traz frutos surpreendentes. Ainda que você nem acredite mais ou não deseje mais o milagre porque o tempo passou, **existe** uma palavra de Deus esperando para fazer a diferença **na sua** vida. Eliseu foi um profeta muito especial, usado **por Deus** inúmeras vezes para realizar milagres e trazer sua palavra à terra. Como qualquer homem, ele morreu. Mas existe outro, o grande profeta Jesus, que curou e liberou palavras **chocantes** que podem transformar a sua vida. Sabe o que ele **diz para** você: "'Porque sou eu que conheço os planos que tenho **para** vocês', diz o Senhor, 'planos de fazê-los prosperar e não de lhes causar dano, planos de dar-lhes esperança e um futuro" (Jeremias 29:11). Existe uma Palavra de Deus esperando para fazer a diferença na sua vida.

Se em vez de Deus, você está se unindo ao choro, à esterilidade, à morte, ao passado, é hora de mudar e construir em sua vida um quarto duradouro — como fez a sunamita — para o Verbo de Deus, para a Palavra Profética, para Jesus Cristo entrar e fazer morada. Quem une-se a Cristo não conhece a morte, mas passa da morte para a vida.

> "Eis que estou à porta e bato; se alguém ouvir a minha voz e abrir a porta, entrarei em sua casa e cearei com ele, e ele, comigo." — Apocalipse 3:20

Depoimento

GERADO NO ALTAR

Eu tinha 26 anos quando me casei. Achei que seria o casamento dos sonhos, afinal, tinha tudo para dar certo. Éramos um casal jovem e bonito. Tínhamos uma linda casa, carros e uma boa profissão cada um. Tudo corria bem até ele se envolver em uma "sociedade secreta". As obrigações e comprometimentos espirituais que teve que assumir destruíram nossa aliança. Logo no início de toda essa loucura, eu não entendia o que estava acontecendo, pois não conhecia as verdades bíblicas, como o amor de Deus, a plenitude do Evangelho de Jesus Cristo e o mundo espiritual, mas não demoraria para isso acontecer.

Eu trabalhava em um grande hospital em São Paulo e lá havia um armário só de remédios controlados, os "tarja preta". Poucas pessoas tinham acesso à chave — eu era uma delas. Observei que no chaveiro estava escrito "De bem com a vida" e perguntei o que aquilo significava. A dona do chaveiro explicou-me que se tratava de um programa de rádio e TV apresentado pela bispa Sonia, da Igreja Renascer, à qual pertencia. Aproveitando a conversa, ela começou a me falar sobre Jesus Cristo e a explicar sobre a visão da igreja de restaurar vidas. Isso me atraiu — especialmente o trabalho com moradores de rua. Fui com a intenção de ajudar nos trabalhos sociais, mas tive uma forte experiência com Deus e não saí mais.

Meu ex-marido foi comigo algumas vezes à igreja, mas a partir do momento em que ele se envolveu com aquela organização, nossa relação foi piorando. Percebi na vida dele uma mudança muito grande comigo, com o mundo e com tudo ao redor. Ele parou de falar com meus pais, nem os cumprimentava. Parecia uma pessoa ausente. Falava frequentemente palavrões e começou a fazer coisas que não fazia antes. Fiquei casada por sete anos. Por cinco anos fomos felizes, porém os dois últimos foram com muita luta.

Independentemente das nossas dificuldades, desde o primeiro ano de casada, nunca evitei filhos. Mesmo assim, não conseguia engravidar. Após todas as guerras, o desgaste das traições, da total aversão dele pela minha fé e pelo meu Deus; depois de orar, jejuar, buscar muito uma restauração, percebi que não haveria como manter aquele casamento. Optamos pelo divórcio e, apesar da tristeza, foi algo que o Senhor ajudou a resolver dentro de mim.

Ao mesmo tempo, fui envolvendo-me cada vez mais no ministério, cuidando de vidas, sendo forjada, experimentada e aperfeiçoada. Foi quando conheci meu atual marido, o Sulivan, que é um presente de Deus, uma restituição completa e plena.

Sabendo do meu histórico de não engravidar e da nossa idade, desde que nos casamos, nunca usamos qualquer método contraceptivo. Apesar de toda nossa felicidade e comunhão, a desejada herança não vinha. Eu tinha um diagnóstico de ovário policístico, que não é como a infertilidade total, mas traz uma dificuldade com grau variável, mas eu já estava há dez anos tentando engravidar.

Fizemos todos os exames possíveis. Estava tudo normal com meu marido, mas o meu diagnóstico se confirmou: ovários policísticos. Meu primo, que é médico especializado em ultrassonografia e que faz os meus exames desde que eu tinha 15 anos, disse-me claramente:

— Andréia, você não vai conseguir engravidar. É melhor você partir para a fertilização.

Todos os médicos que consultei não conseguiam dar um diagnóstico fechado de uma infertilidade total, mas por todos os resultados de exames, por todo o tempo em que estive tentando e sem sucesso, eu era tratada como estéril e a saída final era fertilização. Pensamos nessa possibilidade, mas não era isso que eu queria. Eu cria que Deus iria curar-me e que eu geraria um filho de uma forma natural; e nós sempre orávamos sobre isso.

Em 2010, durante um culto de nossa igreja denominado Noite de Poder, o apóstolo Estevam chamou as pessoas que não conseguiam engravidar. Meu marido e eu subimos no altar, junto com outros dois casais, e sentimos que aquele dia seria um divisor de águas. O apóstolo começou a orar e pediu que meu esposo colocasse a mão no meu ventre; ele colocou e o apóstolo colocou a mão em cima da dele. Foi uma experiência divina. Sentimos que algo estava sendo gerado ali. Foi muito forte e até hoje, quando lembro, não deixo de me emocionar.

Naquele dia vivenciamos o que é o poder de Deus. Você sente vida mesmo; vida em abundância. Saímos dali crendo. A gente já acreditava, mas acho que precisava ter essa liberação, essa palavra profética, e unção. Não ficamos apenas esperando o milagre. Também selamos essa palavra com ofertas memoráveis, ofertas de vida.

Depois que o apóstolo orou, sempre que ia à médica, ela me passava algum exame ou achava algo que deveria ser resolvido. Era sempre assim:

— Agora você precisa cuidar da tireoide que está desajustada.

— Agora precisa emagrecer porque nesse peso é mais difícil.

Eu nem lembro mais quantos "agoras" eu ouvi, mas chegou o dia em que falei para meu esposo:

— Agora? Agora chega. Não vou fazer mais nada porque Deus está cuidando de mim, Deus está colocando a mão.

Disse a mesma coisa para a médica. Ela deve ter achado que eu estava maluca. Eu expliquei:

— Olha, doutora, agora é só eu e Deus. Não vou fazer mais nada.

Meu marido orava todos os dias e profetizava sobre o meu ventre. Ele tinha tanta paz e convicção de que aconteceria que, em uma de suas viagens aos Estados Unidos, comprou uma mala de um enxoval de menino. Ele me contou depois que, quando entrou na loja de roupas para bebês, se dirigiu para o setor de roupas de meninas, mas então Deus falou com ele que seria um menino. Assim, ele trouxe uma quantia absurda de roupas para meninos. Quando voltou para casa, com tudo aquilo, fiquei feliz e, ao mesmo tempo, me senti pressionada.

— Mas eu nem estou grávida e você comprou só de menino!

No final das contas, fiquei feliz com aquele gesto de fé; aquela atitude mexeu bastante com a gente, porque ele não comprou cinco peças, ele comprou uma mala inteira.

Nesse tempo, eu fazia um trabalho do ministério de mulheres com a bispa Fernanda e ela fez uma aliança de oração comigo acerca da cura e da gravidez. No término de uma campanha de jejum da Igreja, cujo tema era a história das filhas de Zelofeade (Números 36:2), veio a resposta. Foi muito marcante porque aquelas mulheres da Bíblia não tinham direito à herança, mas, por causa de uma Palavra de Deus, tiveram sua sorte mudada.

Foi incrível. Minha menstruação atrasou, mas, como isso sempre acontecia, não fiquei muito animada para fazer o exame. Não queria viver mais uma expectativa frustrada. Acabei fazendo o teste de farmácia. Estava escrito para esperar quarenta segundos, mas em dez segundos apareceram os dois *risquinhos* [sic]. Sabe como é, gato escaldado tem medo de água fria. Pensei: acho que fiz errado. Fiz outro e deu positivo novamente. Então, ligamos para a bispa Sonia à meia-noite para contar a novidade. Foi a maior gritaria e muita felicidade.

A gravidez, que muitos achavam que seria problemática, foi uma grande bênção. Engordei 12kg e não enjoei ou vomitei. Não soube o que era isso. Por ter um diagnóstico de uma anemia hereditária chamada talassemia — que acarreta cansaço e torna a pessoa mais sensível ao frio, entre outros sintomas — tive um pouco mais de cuidado. Eu já tinha 36 anos, era considerada uma gravidez de risco, mas, como disse, minha gestação foi extremamente feliz e tranquila.

Ficamos sabendo que era mesmo um menino quando eu estava com cerca de quatro meses de gestação. E, claro, foi outra festa. Já tínhamos decidido o nome. Seria Davi. Primeiro, porque o Davi da Bíblia era chamado de "o homem segundo o coração de Deus"; depois, porque significa "o amado".

Deus nos deu também um grande suprimento. Além daquela primeira mala de roupas, o Sulivan foi aos Estados Unidos e fez o enxoval completo para mais um ano. Com tudo o que se possa imaginar: carrinho, cercadinho, cadeira de alimentação, balança e muitas outras coisas. O mais incrível é que ele comprou sozinho todas as roupas e acertou em tudo. Foi perfeito. Ele só comprou coisas lindas. Assim, o Senhor nos deu esse suprimento que durou mais de um ano.

O que posso dizer é que vale a pena esperar. O Davi é a expressão do nosso amor, da nossa aliança com Deus e de uma palavra profética. Ele é doce, carinhoso, inteligente, observador, calmo e engraçado. Ele foi gerado no altar. Como veio do altar, então, quando vamos à igreja, ele quer voltar para lá. Ele ama músicas que louvem a Deus — pode estar brincando, mas sai correndo para ouvir e, quando acaba a música, ele chora. Quando ele vê um culto pela TV, em casa, também chora quando acaba o louvor.

Ele é um milagre, um presente. É a restituição plena. Não tem marcas de dor ou de passado; não tem marca de enfermidade. A gente brinca que nossa história é só "i": inexplicável, incomparável, incrível e indescritível.

Recentemente tive a oportunidade de ministrar durante um Encontro de Meninas, de jovens solteiras. Apresentei-me assim:

— Eu sou a pastora Andréia. Deus foi me constituindo a cada dia. Antes, eu era a pastora Andréia, filha do seu Abel. Depois, tornei-me a pastora Andréia, esposa do pastor Sulivan. Hoje, eu sou a pastora Andréia, mãe do Davi. Então é assim: Deus nos dá novos nomes conforme nossas novas conquistas.

Agora, todo mundo fica pedindo o segundo filho.

Andréia Cordeiro Bolean
São Paulo – SP

Capítulo 5

A revolução está no nome de Deus

Algumas pessoas não acreditam que a Bíblia é a Palavra de Deus. Outros até acreditam, mas acham que os acontecimentos sobrenaturais que lemos nos Evangelhos e no Velho Testamento foram para outras épocas, que o tempo dos grandes milagres e manifestações sobrenaturais acabou. É verdade que existem ciclos na Bíblia. Por exemplo, o profeta Joel fala de um tempo em que Deus derramaria seu Espírito Santo sobre toda a carne. Cremos que esse ciclo de Joel é o que estamos vivendo agora. Ele se cumpre em nós. É o tempo que antecede a volta de Cristo e os acontecimentos descritos no Apocalipse.

> "E acontecerá, depois, que derramarei o meu Espírito sobre toda a carne; vossos filhos e vossas filhas profetizarão, vossos velhos sonharão, e vossos jovens terão visões; até sobre os servos e sobre as servas derramarei o meu Espírito naqueles dias. Mostrarei prodígios no céu e na terra: sangue, fogo e colunas de fumaça. O sol se converterá em trevas, e a lua, em sangue, antes que venha o grande e terrível Dia do Senhor. E acontecerá que todo aquele que invocar o nome do Senhor será salvo; porque, no monte Sião e em Jerusalém, estarão os que forem salvos, como o Senhor prometeu; e, entre os sobreviventes, aqueles que o Senhor chamar." — Joel 2:28-32

Também existe o que está escrito em Tiago 4:8: "Chegai-vos a Deus, e ele se chegará a vós outros." Quer dizer que em qualquer época, independentemente dos ciclos, todo homem que busca a Deus pode viver milagres e liberações sobrenaturais.

Então, milagre não tem tempo para acontecer. Vive quem tem fé.

Esse ciclo de Joel que estamos vivendo iniciou-se no Pentecostes (Atos dos Apóstolos 2:1-4), ou seja, com a descida do Espírito Santo, logo depois que Jesus voltou para o Pai. Foi um acontecimento espetacular que trouxe dons aos homens, fundamental na história de amor de Deus com a humanidade. Os primeiros a receberem esses dons foram os apóstolos. Eles saíram pregando, curando, salvando, expulsando demônios, operando sinais e maravilhas. A partir de então, entendemos que começou o tempo do mover apostólico, o tempo da Igreja Apostólica de Jesus Cristo.

E o que é exatamente esse mover apostólico? É uma liberação do conhecimento de Deus, de intimidade e dons do Espírito Santo; é um mover de milagres, do resgate de nossa identidade de filhos e herdeiros de Deus. Um mover de amor pelos perdidos; um mover de fé, de arrependimento, de transformação. Um mover de libertação que não se prende a convenções, regras ou aparência, mas que se importa com a essência, porque Deus vê o coração. É sobre isso que vamos tratar nesse capítulo. Antes, porém, queremos denunciar o maior inimigo do mover apostólico: a religiosidade.

O AMBICIOSO PLANO DO INFERNO

A religiosidade é como denominamos um plano bem-orquestrado do inferno para trazer confusão e descaracterizar a Igreja Cristã. Essa manobra de Satanás faz parte de uma ação ainda mais ambiciosa: fazer com que o homem esqueça-se de Deus, ou ignore-o, ou despreze-o. A Bíblia fala que a terra se encherá do conhecimento de Deus (Isaías 11:9), então, cremos que acontecerá de fato, inclusive porque a grande arma contra o mal é o conhecimento de Deus. Todas as formas da ignorância são malignas.

Muitas são as artimanhas infernais para desviar o homem de Deus e da verdade que está escrita no Evangelho de João 14:6: "Respondeu-lhe Jesus: Eu sou o caminho, e a verdade, e a vida; ninguém vem ao Pai senão por mim." O esforço das estruturas mundanas é para fazer com que os valores humanos se deteriorem e, consequentemente, o homem se torne cada vez mais superficial. Essa superficialidade tira dele todo poder de luta. E quanto mais superficial a pessoa é, mais desligada de Deus fica, porque ela foca em coisas fúteis, o que é, na verdade, uma grande estratégia demoníaca.

Já as estruturas ligadas à religiosidade trabalham para, além da ignorância em relação às verdades espirituais, diminuir a importância de Jesus Cristo em todo e qualquer cenário. Não podem se colocar total e escancaradamente contrários a Jesus por motivos óbvios, mas então o colocam em meio ao panteão de outros deuses, guias, espíritos, xamãs etc. Para nós que cremos é uma manobra vergonhosa, mas muitos não se dão conta disso. O ódio do diabo não é sem razão, porque foi o Filho de Deus quem o venceu. Nele cumpriu-se o que Deus disse para a serpente no Éden: "Porei inimizade entre ti e a mulher, entre a tua descendência e o seu descendente. Este te ferirá a cabeça, e tu lhe ferirás o calcanhar" (Gênesis 3:15). Jesus esmagou a cabeça da antiga serpente, que se chama diabo e Satanás, o sedutor de todo o mundo.

Observe como o mesmo apóstolo João, nos Evangelhos, resume essa grande batalha espiritual em Apocalipse 12:9-12, 17:

> "E foi expulso o grande dragão, a antiga serpente, que se chama diabo e Satanás, o sedutor de todo o mundo, sim, foi atirado para a terra, e, com ele, os seus anjos. Então, ouvi grande voz do céu, proclamando: Agora, veio a salvação, o poder, o reino do nosso Deus e a autoridade do seu Cristo, pois foi ex-

pulso o acusador de nossos irmãos, o mesmo que os acusa de dia e de noite, diante do nosso Deus. Eles, pois, o venceram por causa do sangue do Cordeiro (...). Irou-se o dragão contra a mulher e foi pelejar com os restantes da sua descendência, os que guardam os mandamentos de Deus e têm o testemunho de Jesus (...)."

Historicamente, os cristãos sempre sofreram duras perseguições desde sua origem. Nos primeiros séculos da igreja eram jogados aos leões e destruídos com violência. Mesmo essa forte repressão não pôde conter a expansão do cristianismo. Como escreveu Tertuliano, um dos pais da igreja primitiva, "sangue de cristão é semente". O diabo, então, percebeu que não adiantava perseguir a Igreja de forma ostensiva. Isso piorava a situação, já que ela crescia e ganhava novos adeptos.

Nesse momento, o diabo teve que rever sua estratégia e decidiu partir para a guerrilha e a sabotagem. Uma de suas invenções mais engenhosas foi a religiosidade. Ele infiltrou-se na Igreja Cristã e passou a combatê-la de dentro, na tentativa de implodi-la. Observe esse trecho do livro *Cartas de um diabo a seu aprendiz* (Editora WMF Martin Fontes), de C.S. Lewis, no qual um diabo mais experiente orienta o seu "estagiário" sobre como seduzir os homens e derrotar a Igreja:

> "Hoje em dia, um de nossos aliados é a própria igreja. Mas não me compreenda mal: eu não estou falando da Igreja que se propaga através do tempo e do espaço ancorada na Eternidade, terrível como um exército agitando seus estandartes. Isso, devo confessar é um espetáculo que incomoda até os nossos mais audazes tentadores. Felizmente, é algo praticamente invisível aos humanos." (p. 6 e 7)

A RELIGIOSIDADE ENTRA EM CENA

A religiosidade é maligna porque perverte o conhecimento do Deus de amor para um deus punitivo, vingativo, terrível. Não nega sua existência, mas a corrompe. Estabelece centenas de regras para o homem se aproximar de Deus, dificulta o caminho da salvação, tira a liberdade e coloca peso e jugo; faz o homem imaginar que está indo para o céu por merecimento, mas está na rota para o inferno. A hipocrisia é o traço marcante dos religiosos.

João Batista e Jesus Cristo foram os primeiros a denunciar essa engrenagem infernal disfarçada de religião piedosa. João Batista bradava contra a hipocrisia e a injustiça reinantes. Exortava não só os fariseus e saduceus, a quem chamava de "raças de víboras", mas confrontava toda a depravação e corrupção do governo local. João foi preso e decapitado, pois a religiosidade odeia a voz profética e sempre buscará silenciá-la.

Jesus também sempre batia de frente com os fariseus e com o sinédrio judaico (uma espécie de suprema corte liderada por um sumo-sacerdote) e, por isso, eles o odiavam. Acredito que o discurso de Jesus contra religiosos que podemos ler no capítulo 23 do Evangelho de Mateus selou sua sentença de morte. Observe alguns trechos entre os versículos 1 e 28:

> "Então, falou Jesus às multidões e aos seus discípulos: 'Na cadeira de Moisés, se assentaram os escribas e os fariseus. Fazei e guardai, pois, tudo quanto eles vos disserem, porém não os imiteis nas suas obras; porque dizem e não fazem. Atam fardos pesados [e difíceis de carregar] e os põem sobre os ombros dos homens; entretanto, eles mesmos nem com o dedo querem movê-los (...). Praticam, porém, todas as suas obras com o fim de serem vistos dos homens (...). Ai de vós, escribas e fariseus, hipócritas, porque fechais o reino dos céus diante dos homens; pois vós não entrais, nem deixais entrar os que estão entrando! Ai de vós, escribas e fariseus, hipó-

critas, porque sois semelhantes aos sepulcros caiados, que, por fora, se mostram belos, mas interiormente estão cheios de ossos de mortos e de toda imundícia! Assim também vós exteriormente pareceis justos aos homens, mas, por dentro, estais cheios de hipocrisia e de iniquidade.'"

Jesus expôs todas as deformações — hipocrisia, mentiras e outras atitudes absurdamente mesquinhas — de religiosos que imaginam que Deus pode ser manipulado. Esse cenário, infelizmente, não mudou, pois se trata de uma guerra espiritual. Todas as igrejas têm seus sepulcros caiados e fariseus que querem matar o profeta, calar a boca apostólica e invalidar os sinais, prodígios e poderes. Por isso muitas igrejas hoje não têm a liberdade de viver milagres, pois estão debaixo do domínio da religiosidade.

Vivi isso na pele. Após um tempo de perseguição dentro da própria igreja, compreendi que a maior luta da Igreja Apostólica seria contra um sistema religioso anacrônico, que odeia o novo e diferente e faz tudo para neutralizar a ação de homens que amam a Deus e querem viver o que Jesus pregou. No meu caso, apesar das várias tentativas do mundo e da religião de me enquadrarem, não parei. A seguir, está resumida a minha caminhada em direção ao mover apostólico.

Sinal vermelho

A minha dissociação da religiosidade começou antes mesmo de me converter. Nasci e cresci no bairro da Aclimação, em São Paulo, e quando tinha uns dez anos, comecei a frequentar a igreja do bairro. Logo, como era tradição, tornei-me um coroinha. Engajei-me na igreja, pois sempre tive sede de Deus e aquela era o que existia de mais próximo de uma vida espiritual. Apesar de criança, minha rotina era da escola para casa e para a igreja.

Sempre fui bom aluno, mas aconteceu que, em um determinado ano, parei totalmente de fazer lição de casa, de estudar. Eu só ia à igreja — queria até seguir a carreira eclesiástica. Quando chegou perto do final daquele ano e vieram as minhas notas, levei um susto. Estava muito mal e, para mim, foi o fim do mundo. Decidi que o melhor a fazer era ter uma conversa com o sacerdote, buscar a direção de um homem de Deus.

Lá fui eu cheio de esperança procurar uma resposta para o meu problema. Esperava tudo, menos a reação de impaciência e sem qualquer consideração que ele demonstrou. Era só uma criança — e ainda por cima vivia na igreja, servindo-o — e mesmo assim ele não deu a mínima e tratou-me muito mal. Quando contei-lhe sobre a minha preocupação em repetir de ano, ele falou rispidamente:

— Você está assim porque não estuda. Faz o seguinte: acenda duas velas que isso vai dar um jeito nas suas notas.

Saí desse encontro meio decepcionado pela frieza, pois tinha ilusões de que aquele homem era como Jesus na terra. Fiquei magoado, mas obedeci. Fui lá e acendi as velas, ajoelhei e rezei para uma determinada imagem:

— Por favor, ajude-me com as minhas notas!

A direção que recebi de que aquilo seria a saída para meus problemas infantis criou uma expectativa positiva de que eu iria passar de ano. Tinha certeza que conseguiria meu milagre, mas pela primeira vez fui reprovado. Fiquei confuso, não entendi nada. Fui reclamar com o sacerdote:

— Fiz tudo o que o senhor mandou e não deu certo.

Ele respondeu com sua grosseria habitual:

— O problema é seu. Você é quem tem que fazer dar certo o ano que vem. Vire-se!

Que resposta era aquela? Ele não me explicou nada, não me ensinou nada. Saí de lá mais confuso do que quando entrei e poderia ter ficado com a mensagem: você está por sua conta.

Aquilo ficou dentro de mim como um sinal de alerta contra tudo o que fala de Deus, mas não o conhece, e creio que o Senhor começou a trabalhar em meu coração desde aquela época. Mesmo tendo acontecido tudo isso, nunca perdi o desejo de buscar a Deus. E, para que não haja dúvidas, é claro que sabemos que Deus não faz aquilo que devemos e podemos fazer — como estudar para prova.

Tempos depois, aconteceu uma reviravolta na minha casa que quase matou de desgosto minha avó materna: meus pais se converteram e fomos para uma igreja evangélica pentecostal. Fui também; a princípio resistente, só para acompanhar meu pai, até que um dia fui alcançado pelo amor de Deus na porta da igreja mesmo. Entrei, ajoelhei-me e tive uma forte experiência com Deus, senti a presença do Espírito Santo e tive certeza de que era isso que eu queria.

Apesar de estar feliz, vivendo uma plenitude espiritual que não conhecia, de outro lado continuei a viver fortes conflitos com a religiosidade. Incomodava-me quando disseram que eu deveria parar de estudar — eu cursava contabilidade. Um dos líderes chegou e intimou-me:

— Pare de estudar porque Jesus vai voltar! Isso é tudo perda de tempo!

Eu achei aquela postura uma barbaridade e disse que não ia parar de estudar. Resultado: quase fui expulso da igreja. Para eles, eu era um incrédulo, um rebelde. Eu não me importei com as opiniões humanas, mas queria ser obediente. Procurei o pastor principal daquela congregação e disse que não iria parar de estudar. Ele foi sensato e tranquilizou-me, dizendo que os estudos não me atrapalhariam servir a Deus. O segundo escalão da igreja não pensava assim.

Era difícil engolir essas atitudes manipuladoras da religião. Todas as oposições e situações surreais que vivi martelaram no meu interior e comecei a identificar a hipocrisia, a inveja, as competições. Isso sempre foi um problema muito sério, porque as pessoas mostravam claramente que estavam com as motivações erradas.

Deus começou a trabalhar no meu coração e eu estava decidido em relação àquilo que eu queria espiritualmente. Queria ter um relacionamento profundo com Cristo, queria conhecer mais a Bíblia e queria pregar para os perdidos. Como mencionei em capítulos anteriores: o que lia na Palavra de Deus, eu procurava viver. Por exemplo, li que era para pregar o Evangelho a toda criatura, então eu achava que tinha que pregar de qualquer jeito e de qualquer maneira. Eles achavam que não, então, eu pregava sozinho.

As regras, os usos e os costumes eram tantos — e, para alguns, mais importantes do que uma transformação profunda no seu interior — que me deixavam perplexo. Os estereótipos que os religiosos criavam agredia a sociedade e só afastavam as pessoas de Cristo. Perguntava-me: onde ficava a Palavra que diz para ser luz do mundo e sal da terra? Tentei lutar contra esse *status quo*. Não demorou para perceber que essa estrutura religiosa que tem raízes espirituais profundas era muito pesada.

O pastor principal daquela igreja era um grande servo de Deus e sabia como eu pensava, só que não podia se levantar contra aquela engrenagem que estava acima dele. Quando conversávamos, concordava sempre comigo, das coisas mais simples às mais complexas. Ele tentava me acalmar e me pacificar, explicar o raciocínio que levou às regras com algum embasamento bíblico, mas eu não conseguia entender. Não fazia o menor sentido manter certos costumes que não provavam nada e nem podiam mudar vidas — como diz a Bíblia, eles só tinham aparência de sabedoria, mas sem qualquer poder de combater tudo o que está ligado à carne:

"Se morrestes com Cristo para os rudimentos do mundo, por que, como se vivêsseis no mundo, vos sujeitais a ordenanças:

não manuseies isto, não proves aquilo, não toques aquiloutro, segundo os preceitos e doutrinas dos homens? Pois que todas estas coisas, com o uso, se destroem. Tais coisas, com efeito, têm aparência de sabedoria, como culto de si mesmo, e de falsa humildade, e de rigor ascético; todavia, não têm valor algum contra a sensualidade." (Colossenses 2:20-23)

Meu pai nunca me obrigou a ir à igreja. Eu fui com eles, mas permaneci por uma convicção, por uma experiência que tive com Deus. Sabia que tinha que ser transformado porque cresci brincando na rua e aprendendo coisas com os colegas. Não queria viver como um hipócrita: por fora bela viola, por dentro... A primeira decisão que tomei foi não namorar por um bom tempo. Por causa dessa decisão, que nasceu com propósito e motivação puros, fui caluniado, mal-interpretado, o que me deixou ainda mais injuriado com os preconceitos e os rótulos, pois estava apenas buscando me separar para conhecer mais a Deus.

Com todas essas situações inacreditáveis, ficava preocupado com as pessoas que chegariam à igreja e teriam que passar pelas mesmas coisas que eu, enfrentar a incoerência dos religiosos. Queria pregar sobre o amor de Jesus Cristo, mas como seria quando essas pessoas viessem à igreja com todas aquelas imposições? Nem todo mundo suportaria. E se desistissem de Cristo por culpa da religião? Isso não podia acontecer!

Apesar de tudo, não pensava em deixar a igreja. Acreditava que era possível mudar o *status quo*. Comecei a lutar pelo que eu acreditava. Por exemplo, o filho de outro pastor dessa mesma igreja era o eterno presidente da mocidade e ninguém questionava. Mas um dia cheguei para o pai dele e perguntei o motivo daquele continuísmo e disse que gostaria de ser o próximo presidente. Ele respondeu em tom grave que não era bem assim. Mas para mim, era. Organizei uma votação, fiz uma eleição com cédula, urnas, campanha, tudo o que uma democracia tinha direito. Os religiosos, mais uma vez, ficaram escandalizados, especialmente porque fui eleito.

Ao tomar posse como presidente da mocidade, comecei a mudar tudo. Mudei a forma do louvor, comecei a fazer reuniões e acampamentos, coisas que eles nunca tinham feito. Nessa gestão, vivi o meu maior confronto com a religiosidade. Aconteceu quando organizamos uma excursão para a Caverna do Diabo, que fica a umas cinco horas de viagem da cidade de São Paulo, mas ainda dentro do estado.

Falar "caverna do diabo" era um pecado. Como eu já tinha ido lá algumas vezes, achava o lugar bonito e ideal para um passeio diferente. Como sabia o que nos esperava, chamei todo o grupo e dei as instruções sobre o que levar, a roupa mais adequada para entrar nas cavernas etc. Orientei:

— Pessoal, amanhã, todo mundo tem que estar de calça jeans e tênis!

Chegou o dia do passeio e as mulheres estavam mesmo de calça. Por que tomei essa decisão? Apenas por uma questão prática. Dentro da Caverna do Diabo, os visitantes têm que fazer um trajeto que passa por muitas escadarias. Saia, com certeza, não era a roupa mais adequada para a ocasião. Foi um pensamento lógico para preservar as meninas. Quando voltamos, foi o maior escândalo, porque a igreja não permitia que mulheres usassem calça em hipótese alguma. Estávamos em 1971 e eu tinha 17 anos.

A direção da igreja marcou uma reunião com dezenas de pastores e obreiros e fui convocado, sem nem saber o porquê. A reunião começou e passaram a me acusar. Diziam que eu era endemoninhado, que feria a Bíblia, tudo por causa da calça comprida. Cada um dava uma opinião. De repente, chegou um indivíduo, um presbítero. Ele levantou e falou muita bobagem:

— Você não deveria estar em uma igreja evangélica! — ele esbravejava.

Felizmente, eu sempre fui uma pessoa bem-resolvida. Se tiver que falar, eu falo. Se tiver que brigar, eu brigo. Quando ele acabou, foi a minha vez.

— O senhor é o maior hipócrita que eu já vi na minha vida — eu disse, exaltado. — Eu tenho nojo de comportamentos como o seu e, se for para viver isso, prefiro não ficar nessa igreja. Sabe por quê? Porque sua mulher usa calça comprida em casa, sua filha usa calça no trabalho. Você sabe, finge que não vê e tem esse discurso mentiroso.

— Minha filha não usa calça nem para dormir! Você deu um jeito de arrumar uma para ela ir nessa viagem.

— O senhor me desculpe, mas seria impossível encontrar o tamanho dela de última hora. Ela veio com a calça que usa todo dia. Estava até gasta.

Então, voltei-me para falar com os demais presentes e perguntei:

— O que vocês prefeririam? Que eu levasse todo mundo de saia, e nas escadas todos vissem as roupas íntimas delas, ou que fossem vestidas decentemente? A viagem foi ótima. Todos se divertiram, não teve nenhum incidente, está todo mundo na bênção aqui e acabou essa discussão.

O pastor presidente, o único que gostava de mim, ficou em silêncio o tempo todo. Assim que terminei de falar, ele disse:

— Isso é um absurdo! Perdermos o nosso tempo aqui para discutir calça comprida? Será que a santidade de Deus está na calça ou na saia?

E a partir daquele dia os religiosos passaram a me odiar e eu fiquei folgado de vez.

Aquele pastor que nunca liberava o púlpito para ninguém pregar em razão de seu zelo para com o povo que pastoreava resolveu me dar a oportunidade para pregar uma vez por mês. Isso despertou ainda mais a raiva dos religiosos. Para piorar a minha situação, pouco antes de esse pastor falecer, eu fiz uma pregação chocante. Deus usou-me mesmo, o povo foi abençoado, teve salvação, e, quando terminei de pregar, para surpresa de todos e escândalo de boa parte da audiência, esse pastor levantou as mãos e disse:

— Deus, o Senhor já pode me levar porque os meus olhos já viram o meu sucessor.

Aquela declaração despertou a fúria de vários líderes. Foram tantas perseguições na minha vida. Foram até a casa do pastor e passaram a noite inteira dizendo que ele não poderia ter dito aquilo, que ele deveria se retratar, que existiam outras pessoas para o sucederem, que eu era um moleque. Os caras também vieram para cima de mim com tudo. Não queriam mais que eu pregasse.

Depois de toda essa confusão e para que aquele pastor não sofresse ainda mais, comecei, aos poucos, a afastar-me e a exercer meu ministério em outra igreja menos religiosa. Mas, como morávamos perto da antiga igreja e a Sonia estava grávida, ela ainda ia ao culto de quarta-feira à tarde ali.

Pouco tempo depois, aquele pastor tão querido faleceu. Então, aproveitaram e disseram para ela:

— Por favor, não venha mais, pois a sua presença causa constrangimento aqui.

Uma palavra desprovida de qualquer sentimento cristão, algo muito sério para alguém que só queria orar e buscar a Deus. A Sonia ficou extremamente abalada. A religiosidade torna as pessoas egoístas, insensíveis, mais amantes de si mesmas do que de Deus.

Religiosidade x mover apostólico

A inveja e o medo de perder posições que vemos hoje nas igrejas são filhotes do mesmo espírito de inveja que matou Jesus e que motivava o sinédrio a pregar a preservação da religiosidade acima daquilo que é a constituição de Deus. Ninguém olhou para mim e viu um grande potencial para continuar com aquela obra, mas as disputas, as competições, o orgulho e a vaidade quase nos destruíram. Se eu não tivesse um verdadeiro chamado de Deus, convicções e o sangue espanhol — ou seja, uma determinação que, hoje sei, é espiritual — não teria suportado e nunca mais teria entrado em uma igreja. Mas dou graças a meu Deus, que nos deu uma direção e um chamado, e o que tinha que se cumprir, cumpriu-se.

Isso tudo é um retrato da religiosidade que pode estar dentro das igrejas e se contrapõe à visão apostólica do amor de Jesus pelos homens. De lá para cá — e isso aconteceu há mais de trinta anos —, as possibilidades de manifestações religiosas modificaram-se bastante. Mesmo em uma igreja em que a religiosidade é denunciada e combatida constantemente, como a nossa, pode nascer uma erva daninha em meio ao concreto.

A maioria dos religiosos — no sentido da hipocrisia e não da piedade — que conheço são pessoas fracas. Fracas de convicção, de autoridade, de opinião, de determinação, porque é isso que a religiosidade faz, enfraquece-as. A Igreja Apostólica de Jesus Cristo não tem esse tipo de fraqueza e trabalha justamente para produzir homens fortes e fortalecidos por uma experiência profunda com Deus, e não para serem desviados por quem quer que seja. Quando temos experiências com Deus, elas nos fazem permanecer na fé e viver milagres. Uma coisa é ter fé. Outra coisa é permanecer na fé. A fé é espiritual, não é apoiada em nada que se dissolva, que fique velho, que passe, mas precisa ser apoiada no Eterno. A fé espiritual está focalizada em Deus e não em si mesmo, por isso torna-se inabalável a ponto de continuar crendo mesmo contra todas as esperanças humanas (Romanos 4:17-21).

À semelhança de Abraão, o rei Davi, um ícone do mover apostólico, tinha força e determinação inigualáveis. Seu segredo — que não é segredo para ninguém — era amar e confiar em Deus cegamente. Ele vivia pela fé. Em consequência disso, por onde ia, Deus dava-lhe vitórias.

"(...) e o Senhor dava vitórias a Davi, por onde quer que ia."
— 1Crônicas 18:13b

A história emblemática dessa garra de Davi se passa na cidade de Ziclague, localizada ao sul de Jerusalém, e seus arredores. Depois de voltar de uma guerra, Davi chega à Ziclague, onde havia estabelecido residência, e percebe, chocado, que os amalequitas tinham invadido, queimado e levado as mulheres e os filhos de todos como escravos. Davi chora por um momento, mas depois decide fazer aquilo que um homem apostólico faz no dia da calamidade: fala com Deus:

"Então, consultou Davi ao Senhor, dizendo: 'Perseguirei eu o bando? Alcançá-lo-ei?' Respondeu-lhe o Senhor: 'Persegue-o, porque, de fato, o alcançarás e tudo libertarás.' Feriu-os Davi, desde o crepúsculo vespertino até à tarde do dia seguinte, e nenhum deles escapou, senão só quatrocentos moços que, montados em camelos, fugiram. Assim, Davi salvou tudo quanto haviam tomado os amalequitas; também salvou as suas duas mulheres. Não lhes faltou coisa alguma, nem pequena nem grande, nem os filhos, nem as filhas, nem o despojo, nada do que lhes haviam tomado: tudo Davi tornou a trazer. Também tomou Davi todas as ovelhas e o gado, e o levaram diante de Davi e diziam: Este é o despojo de Davi." (1Samuel 30:8, 17-20)

Mas nem sempre foi assim. Davi, o maior rei da história de Israel, precisou viver o que chamamos de constituição, um processo que envolve desafios, provas, lutas, e que, ao final, acaba fazendo de nós pessoas mais parecidas com Jesus, com o Pai, mais espirituais e menos carnais. Essa é mais uma das diferenças entre o mover apostólico e a religiosidade. O mover apostólico encara os desafios da vida como algo positivo para o crescimento do ser humano. A religiosidade faz os homens, em seus momentos de dificuldade, revoltarem-se contra Deus. Então ouvimos coisas do tipo: "Deus, você não tem opção. Ou você me cura ou me cura!" É inacreditável. Quem eles pensam que são para tentar enquadrar Deus?

Durante esse processo de formação e habilitação, Davi enfrentou perdas, humilhações e traições. Foi desprezado, subestimado, teve que fugir de sua terra, habitou em uma caverna com homens falidos e deformados, mas, aonde ele ia, em tudo o que colocava a sua mão, o Senhor dava-lhe vitórias. Mesmo com essa sucessão de lutas, perseguições e injustiças, Davi não se tornou um homem traumatizado, inseguro, com depressão ou qualquer transtorno de personalidade. Ao contrário, Davi trazia na memória o que lhe dava esperanças: as conquistas que o Senhor lhe deu. Em cada batalha, ele lembrava-se de que, se o Senhor lhe deu a vitória uma vez, poderia dar-lhe novamente.

Davi, como cada um de nós, não teve uma história de vida perfeita, mas a Bíblia diz que ele foi homem segundo o coração de Deus. Por quê? Porque, apesar de ter cometido erros, não tinha aliança com o pecado, com a rebeldia, com o medo ou com a arrogância. Tinha um coração maleável para aprender e arrepender-se. Um coração para Deus. Ele enfrentou um urso, um leão e um gigante, venceu Satanás, venceu a religiosidade de seu tempo. Nunca foi achatado pela sedução do poder ou mesmo paralisado por seus pecados. O grande diferencial de Davi foi justamente o de nunca ter quebrado alianças. Ele pecou, errou — todo homem peca —, mas Davi nunca rompeu a sua aliança com Deus, com o altar e com os homens.

Você pode agora mesmo estar passando por uma luta suportável ou pelo pior pesadelo da sua vida. Se escolher depositar toda a sua confiança em Deus, se escolher viver a liberdade do Espírito Santo, se escolher não ser mais um traumatizado de guerra, se escolher não ser mais um religioso, e sim um homem liberto pelo Espírito Santo e convicto em seus sentimentos, então estará preparado para viver milagres.

Essa enfermidade que você está enfrentando, essa separação, esse problema financeiro, essas perdas, uma atrás da outra, não poderão lhe destruir se crer de verdade. Será que você já não enfrentou um leão ou um urso? Então, esse gigante que levantou-se agora não poderá lhe paralisar. Você já tem habilitação para vencer, já conhece o caminho. Se Deus fez uma vez, se o livrou uma vez, irá livrá-lo de novo.

A pregação de Jesus Cristo sempre colocou as pessoas em liberdade. Por isso, no meio da Igreja, não podem existir pessoas que se encolham diante das lutas, das adversidades ou das ameaças do inferno. Isso é feito pela religiosidade.

> "[...]e que em nada estais intimidados pelos adversários. Pois o que é para eles prova evidente de perdição é, para vós outros, de salvação, e isto da parte de Deus." — Filipenses 1:28

Jesus, ao contrário, veio para dizer que você pode alcançar tudo aquilo que as evidências e os outros dizem que não pode. Você é um revolucionário de Cristo aqui na terra e foi levantado para destruir as obras do diabo que achatam o ser humano, tornando-o miserável, egoísta, arrogante e fraco.

Depois de toda essa experiência com a religião, entendi perfeitamente o que o apóstolo Paulo quis dizer ao escrever: "Para a liberdade foi que Cristo nos libertou. Permanecei, pois, firmes e não vos submetais, de novo, a jugo de escravidão" (Gálatas 5:1). Foi isso que eu fiz. Saímos de debaixo do jugo da religião; abrimos nossa casa para todos os que desejavam conhecer a revolução de Jesus Cristo e ali se tornou o primeiro centro de recuperação da Igreja Renascer. Chegou uma época em que tínhamos 12 jovens que estavam deixando o vício morando conosco. E quando Deus nos deu a Renascer em Cristo essa liberdade já estava impressa em nosso DNA espiritual: a visão apostólica da liberdade para viver tudo o que a sua fé lhe permitir.

Hoje, continuamos a lutar pela liberdade e somos prisioneiros apenas da esperança, como está escrito em Zacarias 9:12: "Voltai à fortaleza, ó presos de esperança; também, hoje, vos anuncio que tudo vos restituirei em dobro."

Se você precisa de um milagre, Deus faz, mas você deve ter liberdade em seu espírito para buscá-lo. Isso se dará somente através da revolução interior que o Espírito Santo é capaz de proporcionar, colocando dentro de nós o mover apostólico de sinais, prodígios e poderes.

> "Pois as credenciais do apostolado foram apresentadas no meio de vós, com toda a persistência, por sinais, prodígios e poderes miraculosos." — 2Coríntios 12:12

Por isso mesmo é que Jesus deixou como sua última ordem aos seus discípulos que eles permanecessem unidos na Igreja até que fossem revestidos com o Espírito Santo. Quando isso aconteceu, Deus encheu-os com uma liberdade, ousadia, fé, amor e verdade capazes de habilitá-los para andar em meio aos que os odiavam e opunham-se a eles e ao Evangelho de Jesus Cristo. Foram, pregaram e tornaram-se instrumentos de Deus não só para viver milagres, mas para levar os sinais, prodígios e maravilhas por onde quer que fossem.

Um dia, sentado com os "malucos" que moravam em nossa casa, escrevemos uma música que se chama "Revolução". Ela diz assim: "Revolução está no nome de Deus. Seu Filho Jesus, que agora conheci, me libertou das cadeias, dos enganos deste mundo que sabem muito bem como iludir. Revolução está no nome de Deus, Seu Filho Jesus, Espírito Santo, fogo do céu me libertou de vez."

Deus não nos fez para ficar amarrados às tradições, às mentiras, ao pecado e às imposições humanas. Nós somos livres para viver o Evangelho de Jesus Cristo e essa liberdade está em ser cheio do Espírito Santo e ser em tudo guiado por ele. Se tiver que dançar, eu danço, se tiver que pular, eu pulo, mas nada vai roubar minha herança de filho de Deus. Agora eu tenho vida e ela transcende tudo o que tem na Terra.

"[...] já não sou eu quem vive, mas Cristo vive em mim; e esse viver que, agora, tenho na carne, vivo pela fé no Filho de Deus, que me amou e a si mesmo se entregou por mim." — Gálatas 2:20

Depoimento

DEPENDENTE DE DEUS

Nasci em São Paulo, em 1976, em uma boa família de classe média. Quando tinha 12 anos, meus pais se separaram. Até aquele momento, pelo que me lembro, estava tudo bem, mas, à medida que fui crescendo, já na adolescência, com 13 para 14 anos, descobri que meu pai usava drogas e acabei entendo o porquê da separação. Na época, minha irmã e eu não entendíamos o motivo das brigas entre meus pais, mas o problema era o vício.

Apesar dessa revelação horrível e vendo o sofrimento de todos, enveredei pelo mesmo caminho. Comecei com o cigarro e o álcool, mas com a influência dos colegas de rua e da escola tive acesso a outras drogas. Conheci maconha, cocaína, cola, chá de cogumelo — usava tudo a que tinha acesso.

Meu pai usava drogas, mas pensava que eu não sabia; eu usava e imaginava que ele não sabia. Depois de um tempo, a coisa passou a ficar tão descarada que chegamos até a nos drogar juntos. Achávamos que era uma coisa moderna, bem aberta. Eu tentava manter as aparências, como se tivesse algum controle sobre as drogas, mas era uma ilusão, pois elas é que passaram a comandar minha vida.

Minha mãe não sabia de nada, nem imaginava, porque todo final de semana eu passava com meu pai em Atibaia, cidade para onde ele se mudou depois da separação. Com essa situação, eu não tinha referencial nenhum de pai. Ele, apesar de sempre procurar nos proporcionar conforto material, não sabia ou não podia nos dar afeto e amor, pois ninguém dá o que não possui. Era como se fosse um colega, não um pai.

Quando você já está viciado, não consegue viver sem a droga e, consequentemente, a vida vai de um abismo para outro de uma forma rápida e sem limites. Chega um determinado momento em que você está cercado de pessoas também viciadas e que vão te levando cada vez mais para o fundo do poço. Você faz coisas que nem percebe. Eu ficava acordado por várias noites seguidas e andava a cidade inteira a pé, vagando sem me dar conta, só usando drogas. Todo o dinheiro que ganhava, eu gastava com o vício. Então, passei a traficar. Levava drogas de São Paulo para Atibaia e vendia para os meus conhecidos e, assim, ia sustentando o vício.

Quando estava com 17 anos, comecei a namorar firme; estava muito envolvido nesse relacionamento, mas não deu certo. Fiquei mal e, nesse período, iniciei uma busca espiritual, mesmo me drogando e ainda muito viciado. Frequentei todas as religiões. Fui católico, espírita, mesa branca, cheguei até a frequentar centro de umbanda de esquerda. Era místico, tinha muito gnomos e duendes. Apesar dessa busca, nada melhorava na minha vida, no meu interior. Ao contrário, estava ficando cada vez pior.

Após alguns anos, minha mãe se casou de novo. Eu respeitava o meu padrasto e tínhamos uma relação tranquila, especialmente porque percebia que a minha mãe estava bem. Eu sempre achei que ela tinha mesmo que ser feliz. Realmente gostava dele, mas ele tinha um defeito: era evangélico, frequentava a Igreja Renascer — e eu odiava igreja evangélica.

Certo domingo, ele me fez um convite para conhecer a igreja dele. Apesar de toda a resistência que tinha contra os evangélicos, aceitei. Eu estava muito mal porque havia sofrido um acidente de carro, além de todas as demais insatisfações, e fui com ele. Isso aconteceu em maio de 1996.

Na noite em que entrei naquela igreja, ouvi Deus falar comigo pela primeira vez. Foi uma experiência inesquecível. O apóstolo

Estevam Hernandes estava pregando e, no momento da oração da família, Deus falou comigo de uma forma muito clara:

— Aquilo que você buscou a sua vida inteira nas drogas, na prostituição, em baladas, para te preencher e que nunca conseguiu encontrar, eu vou te dar. Eu sou Jesus Cristo.

Senti o meu vazio interior ser completamente preenchido. Nesse mesmo dia, assim que o apóstolo Estevam convidou as pessoas para irem à frente e deixar que Jesus Cristo cuidasse de suas vidas, não tive dúvidas e fui. Quando estava no altar, aquela mesma voz falou comigo novamente:

— Esse homem que está pregando vai ser o seu pai e você vai andar ao lado dele.

Cheguei em casa — ninguém precisou me falar nada — e joguei todas as imagens que tinha no lixo. Nunca mais me droguei. Só continuei fumando cigarro, mas meu padrasto me tranquilizou:

— Fique em paz! Deus vai completar a obra na sua vida, tenho certeza.

Em três meses, parei de fumar. Eu tinha vinte anos.

A partir daí, não perdia um culto aos domingos. Quando tinha uma folga da faculdade, corria para a igreja durante a semana. Larguei as velhas amizades que me associavam ao vício. Eu queria conhecer mais a Deus, tinha fome e sede da sua Palavra, então ia a todos os cultos possíveis, independentemente de quem estivesse pregando. Mas não foi tudo assim tão fácil. Guerra espiritual é uma realidade e percebi isso assim que me converti. Podia acordar no domingo às 15h, mas quando chegava a hora de ir para o culto me dava um sono que eu tinha que sentar para não cair. Não era normal, mas nunca deixei de ir para a igreja por isso. Eu entendia que era algo maligno. Eu ia e quando chegava lá o sono acabava. Isso aconteceu por três meses e, resistindo por todo esse tempo, venci, e o sono foi embora.

Logo em seguida à minha conversão, minha vida começou a melhorar também do ponto de vista financeiro e profissional. Entrei em uma empresa multinacional, uma das maiores indústrias farmacêuticas do mundo, e lá fiquei por quatro anos. Nesse tempo, começou a nascer em mim o desejo de crescer espiritualmente, de trabalhar para Deus. Passei a me dedicar mais à leitura da Bíblia, a fazer os cursos da igreja e a ajudar nos ministérios.

Eu me lembro da primeira vez em que orei por um drogado. O rapaz estava fumando maconha em um barzinho. Eu ajoelhei perto dele e comecei a contar minha experiência. Ele ficou impactado. Orei pela vida dele e aquele jovem se converteu. Deus me deu a capacidade, até pela minha experiência, de identificar a pessoa que é dependente química. Sei o que leva a pessoa àquilo, o motivo para ela se drogar e o que a leva a continuar nessa vida.

Um dia, convidaram-me para conhecer o Café Gospel, um evento que era promovido pela Igreja Renascer em Cristo de Alphaville. Deus falou comigo que o meu lugar era lá e que eu devia frequentar aquela igreja. E assim aconteceu. Ali, fui ungido a aspirante, diácono e presbítero; ali conheci a Nicole, minha esposa, e ali nos casamos. Nessa época, já liderava o ministério de jovens da igreja.

Depois que me casei, em abril de 2000, o bispo Antonio Carlos Abbud, que dirigia a Igreja de Alphaville, me levou até a sala do apóstolo Estevam. Ele tinha algo a me dizer.

— Leandro, você vai assumir a nossa Igreja em Moema. Você vai ser o pastor da igreja.

E isso realmente aconteceu. Em janeiro de 2001, inauguramos a Igreja Renascer Moema.

Com apenas quatro anos de conversão, passei a dirigir uma igreja, cumprindo mais rapidamente do que eu imaginava aquilo que Deus havia me falado na primeira vez em que pisei na Igreja Renascer. A Igreja de Moema cresceu muito e, em um ano, se transformou em uma igreja regional, isto é, tinha responsabilidade de cuidar de outras igrejas. Também passei a ajudar o apóstolo nos programas de rádio. Em janeiro de 2002, assumi a Igreja Renascer do Morumbi e, um ano depois, fui ungido bispo.

Os planos de Deus não pararam por aí. Em outubro de 2005, fui ungido bispo primaz e voltei a dirigir a Igreja de Alphaville, onde há quase dez anos havia iniciado minha vida ministerial, fechando um ciclo maravilhoso na presença de Deus.

Em toda essa caminhada, meu referencial sempre foi o apóstolo Estevam. Sempre me espelhei muito nele, desde a educação até o caráter, como homem de Deus, como pai, como marido, no altar, na condução da obra de Deus. Ele tornou-se o meu referencial de vida, um pai mesmo, e não só espiritual.

Meu pai biológico também venceu o vício. Deus usou-me tremendamente para ajudá-lo e ele também se converteu. Hoje, frequenta a Igreja de Alphaville, casou-se de novo com uma mulher que também é da igreja e está na bênção. A Bíblia diz: "Crê no Senhor Jesus e será salvo tu e a tua casa" (Atos dos Apóstolos 16:31).

Eu me considero um milagre vivo. Alguém que usava cocaína todos os dias entra em uma igreja e nunca mais usa? Não tem médico ou psicólogo que explique isso. Acredito que a dependência é físico-química, há um tempo para a pessoa se libertar — a síndrome da abstinência —, mas não passei por nada disso. Se Deus não tivesse me libertado, eu estaria morto ou preso. Não tinha condições de cuidar nem de mim mesmo, mas hoje posso cuidar de bispos, de pastores, de famílias, da minha família, da minha esposa, dos meus filhos. Considero esse processo o milagre da transformação da água em vinho.

Hoje, na verdade, me sinto a pessoa mais privilegiada do mundo, primeiro, por ter sido salvo e liberto; segundo, pelo meu chamado; terceiro, pelo meu chamado na Renascer para estar ao lado do apóstolo Estevam. É claro que temos desafios, lutas grandes pela frente, mas o altar de Deus é, sem dúvida alguma, o lugar que nos renova, que nos fortalece, que nos dá vida, que nos dá alegria. A música "Ressurreição", do Marcelo Aguiar, tem um verso que diz: "Essa vida que eu vivo hoje é a vida que eu sempre quis viver." É assim que me sinto. Eu não tinha perspectiva alguma, então, vivo no lucro, porque nunca sonhei ter o que tenho hoje.

Leandro Miglioli
São Paulo – SP

Capítulo **6**

Milagre não se explica

As maiores oposições sofridas por Jesus para realizar a obra de Deus na terra vieram dos religiosos da época. Parece que para eles nada mais irritava do que um milagre — afinal, os milagres fogem ao controle. Eles acontecem sem seguir regras ou script. O religioso, por sua vez, quer explicações. Deseja convencer a todos que o que ocorreu foi algo natural. Por ser invejoso, quer contaminar a outros com o vírus da incredulidade e da dureza de coração. Não quer vê-lo grato ou reconhecendo Deus em seus caminhos e fará tudo o que puder para você negar o que viveu.

Ao olhar com atenção os relatos dos evangelhos e a vida de Jesus, você percebe barbaridades ocorridas nos bastidores. Com certeza, já ouviu falar de Lázaro, irmão de Marta e Maria. Jesus ressuscitou-o depois de quatro dias morto, já cheirando mal. Sabia que depois de sua ressurreição os religiosos começaram a armar um plano para matá-lo? Parece brincadeira. Eles odiavam tanto o milagre que queriam destruí-lo, anulá-lo ou, de preferência, matá-lo. Está no texto de João 12:10.

Entretanto, a história que mais denuncia e expõe essa oposição ferrenha às manifestações do poder de Deus pode ser encontrada em João 9. Esse episódio o ajudará a entender por que muitos não podem viver o sobrenatural de Deus.

Certo dia, Jesus fez questão de parar e conversar com um cego. Naquela época, os deficientes físicos eram considerados pessoas amaldiçoadas pela religião. Aquele homem não enxergava desde que nasceu. Era uma vergonha e um peso aos seus familiares. A única forma de sobreviver era pedindo esmolas, o que fazia sentado na sarjeta.

Diante desse drama, a primeira pergunta que os discípulos fizeram a Jesus foi: "Mestre, quem pecou: este homem ou seus pais, para que ele nascesse cego?" (João 9:2) A interrogação explicitava bem o sistema religioso da época. A preocupação não estava com a situação do rapaz. Também não interessava se Jesus poderia curá-lo. Queriam apenas encontrar um culpado. Aí está a primeiro obstáculo para o milagre: as pessoas muitas vezes desejam explicações e não a solução. Também buscam culpados, e não o milagre.

A pergunta era uma das mais inadequadas. E por várias razões. Primeiro, porque todos pecaram (Romanos 3:23). O próprio rei Davi escreveu em Salmo 51:5: "Eu nasci na iniquidade, e em pecado me concebeu minha mãe." Isso significa que todo mundo peca quase todo o tempo. Em segundo lugar, esse tipo de questionamento esconde uma cruel acusação. Quantas são as mães que hoje se sentem culpadas por seus filhos que nasceram com algum tipo de má formação? Ou mesmo porque o filho seguiu por um caminho errado? Ou contraem uma enfermidade ou perdem algumas de suas funções, ficando aleijado? E aqueles discípulos, alheios ao sofrimento, ainda queriam piorar o drama e a culpa da família?

O foco de Jesus nunca foi apontar culpados, mesmo que eles existam. Veja a incrível declaração que ele faz em João 12:47: "Se alguém ouve as minhas palavras, e não as guarda, eu não o julgo. Pois não vim para julgar o mundo, mas para salvá-lo." Quando jogaram a seus pés uma mulher flagrada em adultério, Jesus disse: "Se alguém não tem pecado, atire a primeira pedra." E depois emendou, após um a um irem se retirando: "Nem eu te condeno" (João 8:11). E ainda temos as palavras do apóstolo Paulo na sua epístola aos romanos (8:33): "Quem intentará acusação contra os eleitos de Deus? É Deus quem os justifica."

O relacionamento de Jesus com os homens sempre esteve alicerçado no amor e na expiação da culpa, e não o contrário. Não existem culpados. Existe o fruto das ações (Isaías 3:10) e aquilo que é o plano e a vontade de Deus.

A enfermidade não é um castigo. É a decorrência das escolhas dos homens — ou de um propósito, uma missão de Deus na terra: manifestar sua glória. Deus criou o ser humano para viver bem e por muitos anos. A ideia original era viver eternamente, mas o modo de vida desregrado, a dissociação de Deus e a quebra de princípios e valores causaram a degeneração. Ao mesmo tempo em que temos a medicina lutando pela longevidade e possibilitando às pessoas ultrapassarem os cem anos, frequentemente temos jovens morrendo antes dos vinte devido aos vícios, como o crack e outras drogas. Nessa busca desesperada e desassociada de Deus, o homem cria caminhos que trazem enfermidades e morte.

Curas nada ortodoxas de Jesus

Jesus explicou, pacientemente, que ninguém havia pecado. A cegueira daquele jovem tinha um propósito: serviria para que se manifestasse nele um plano maior. Esse moço nasceu cego porque tinha uma missão a cumprir, aconteceria um milagre em sua vida e todos testemunhariam as obras poderosas de Deus por meio dele. Pode acontecer com qualquer um de nós. Existem pessoas que Deus escolheu para que nelas se manifeste a sua glória. Por outro lado, isso se universaliza pelo Filho de Deus, no sentido de que todos os que crerem nele receberão poder (João 1:12) e, por esse poder, encontrarão um caminho de cura e de manifestação da glória de Deus.

Uma das coisas impressionantes que Jesus fala é que o reino de Deus nos é chegado, isto é, veio para que o vivamos (Marcos 1:14-15). Ele veio estabelecer esse reino e trazer a operação celestial para a terra. Dessa forma, a glória de Deus poderia ser manifesta. Antes de Jesus, o homem não conhecia isso plenamente. Conhecia apenas a dureza da lei, e sua relação com Deus era legalista e distante. Foi por isso que Jesus afirmou que deveria fazer as obras daquele que o enviou, — que incluía milagres e sinais poderosos e inequívocos. Ele estava instaurando os fundamentos desse reino celestial.

Para devolver a visão ao cego, como podemos ver em todo o Evangelho de João, capítulo 9, Jesus fez uma mistura de terra com saliva. Aplicou nos olhos dele e o instruiu a se lavar no tanque de Siloé. As curas que Jesus realizava não eram nada ortodoxas; não é comum curar com barro e saliva. Porém, elas tinham um significado profético e uma revelação profunda. No caso desse cego, no nosso entendimento, Jesus usou uma metáfora através da sua saliva, mostrando que ele era a água viva capaz de curar a terra que havia recebido a maldição do Éden. Jesus, profeticamente, estava santificando a terra, mostrando que o homem foi feito do pó, e aquele pó santificado representava o homem igualmente curado através da água viva que é Jesus. Essa água, por onde passa, ela cura.

Quem era o cego, afinal?

Mesmo diante da solução nada convencional, o rapaz cego obedeceu à orientação de Jesus e se deixou untar com barro feito de saliva. Foi até o tanque determinado, lavou-se e foi curado. Eu não teria condições de descrever a sensação de alguém que nunca viu o mundo, as cores, a natureza e, de repente, volta a enxergar. A notícia correu a cidade. Todos estavam comentando:

— Aquele ali não é o cego que vivia pedindo esmolas?

— Acho que não. O que pedia esmolas era cego de nascença. Não pode ser ele.

— Sou eu mesmo — respondia.

— Impossível! Como é que você foi curado?

— Um homem chamado Jesus fez lodo, untou meus olhos e me disse: "Vai ao tanque de Siloé e lava-te." Então, fui, lavei-me e estou vendo.

— Quem é e onde está esse Jesus?

— Não sei.

Todos os que o conheciam ficaram estupefatos. A maior parte buscava uma explicação, enquanto poucos se alegravam com o raro acontecimento. Em vez de festa ou de uma celebração de graças a Deus pelo milagre, o rapaz foi recebido no mundo dos que "enxergam" com perseguições e interrogatórios dos invejosos, arrogantes e incrédulos — aqueles que nunca conseguirão viver um milagre. Enquanto o cego permanecia na miséria e na desgraça, os religiosos não se importaram. Porém, foi só viver um grande milagre que se lembraram de sua existência e passaram a questioná-lo duramente como se fosse um criminoso.

Já testemunhamos situações de pessoas de nossa igreja que viviam na miséria, nas ruas; homens dominados e destruídos pelo álcool e pelo crack. Nem seus familiares sabiam por onde andavam. A Igreja saiu às ruas e pregou sobre o amor de Deus. Mostrou-lhes o caminho. Mas basta eles se converterem, batizarem-se e começarem a frequentar uma igreja para que todo mundo dê palpites. A primeira coisa que perguntam é se estão dando dinheiro para o pastor. Enquanto o indivíduo está gastando tudo no jogo, nas drogas, na prostituição, com amantes e cigarros, ninguém diz nada.

O cego percebeu esse movimento. Muitos dos que nunca lhe deram um pedaço de pão passaram a assediá-lo. Faziam-no repetir a mesma história dezenas de vezes. Ele não podia nem desfrutar o presente que recebera de Deus. Ainda mais depois que a multidão o forçou a se apresentar aos fariseus, os mais rígidos religiosos seguidores da lei deixada por Moisés. Eles eram, em geral, inflexíveis e até impiedosos com aqueles que transgrediam os mandamentos, ou seja, usavam a palavra de Deus para acusar, punir e até matar. A população tinha medo deles.

A discussão não era sobre a forma milagrosa que um homem cego desde seu nascimento agora via. Aparentemente, o debate dizia respeito ao dia em que Jesus abriu os olhos do cego. Isso gerou uma exagerada investigação por parte dos fariseus. Jesus curou o cego em um sábado, que é dia santo para os judeus. Nesse dia não se pode fazer nada, é contra a lei; não importa se a ação vai colocar as pessoas em liberdade ou trazer cura.

A cegueira da religiosidade é algo impressionante. Aqueles homens não enxergavam o reino de Deus. Não entendiam que o sábado tinha um objetivo: o do descanso, um dia para entregar um tempo a Deus. Jesus não veio destruir o sábado, mas veio mostrar que o sábado é espiritual. Que na era da graça todos os dias são para o Senhor e que ele pode operar milagres quando quiser. Os religiosos não conseguem desfrutar esse tipo de liberdade e ainda por cima perseguem e querem roubar a alegria e matar os que a desfrutam. O apóstolo Paulo fala, em Gálatas 4:1-2, que o menor de idade precisa de tutores para guiá-lo, pois criança não pode receber e administrar sua própria herança. Os religiosos precisam de regras para conduzi-los, pois são imaturos e essa imaturidade os distancia daquilo que já lhes pertence. Enquanto você for imaturo na fé e permanecer com dúvidas e questionamentos pueris, não poderá receber a herança que está reservada aos filhos de Deus.

Quando se encontraram com o cego, os fariseus quiseram saber a história toda de novo e de novo:

— Como foi que você passou a enxergar? — perguntaram os fariseus, depois de já terem ouvido a mesma história inúmeras vezes.

— Ele aplicou lodo nos meus olhos, lavei-me e estou vendo — resumiu o ex-cego, já irritado.

— Esse homem fez isso no sábado? Então, ele não é de Deus.

— Como pode um homem pecador fazer tamanhos sinais?

E eles próprios começaram uma discussão. Mas dirigindo-se ao rapaz, questionaram:

— O que você acha desse Jesus, visto que te abriu os olhos?

— Que é profeta — respondeu.

Você pode imaginar a indignação dos fariseus ao ouvir uma história simples e estranha dessas? Cospe na terra, faz uma espécie de barro, passa aquela mistura nos olhos do cego, quer dizer, deixa-o sujo, manda que ele se lave e pronto! Ele passa a enxergar?! Para pessoas acostumadas a seguir o manual, endurecidas feito um bloco de concreto, Jesus confundia as suas convicções com atitudes muito estranhas.

Pouco mais de dois mil anos depois, vivemos situações bem parecidas. Qualquer coisa que fuja aos padrões religiosos dos que se consideram "proprietários" de Deus é difamada, criticada, ameaçada e rotulada. Fomos perseguidos quando, no final dos anos 1980, começamos a tocar rock na igreja. Também fomos julgados porque dançamos, porque levantamos as mãos, porque batemos palma, porque oramos em línguas, porque oramos por cura, porque falamos de dízimos e das ofertas. E ouvimos: "Vocês não são de Deus." Aqueles que jamais viverão um milagre acham que têm poder para julgar e decretar o que é e o que não é de Deus ou avaliar e classificar a relação das pessoas com Deus.

Voltando à história da cura do cego, os "detentores de toda a verdade" resolveram interrogar os seus pais. Perguntaram-lhes:

— Ele é seu filho? Nasceu cego? Como enxerga, agora?

Atemorizado, o casal respondeu:

— Sabemos que este é nosso filho e que nasceu cego, mas não sabemos como e nem quem lhe abriu os olhos. Perguntem para ele.

Pobre família. Acuada, acusada, com medo das punições e represálias dos religiosos que ameaçavam expulsar da sinagoga qualquer um que confessasse que Jesus era o Messias. A religiosidade tem o poder de desestruturar as famílias e negar o milagre. Tentem entender a profundidade do estrago que o incrédulo e o religioso podem causar. Um pai e uma mãe têm um filho que nasce cego. Ficam desolados. Sabiam bem das dificuldades que esse filho querido enfrentaria na vida. O maior desejo é que essa situação seja revertida. Porém, quando isso ocorre, eles são intimidados, ameaçados; e coagidos a abortar a alegria, a celebração do milagre. Sem coragem de assumir, foram impedidos de comemorar a cura daquele filho. Que espécie de malignidade é essa? É a religiosidade.

Se fosse comigo, quer saber o que eu responderia?

— Esse é meu filho. Nasceu cego, mas foi curado pelo poder e misericórdia de Deus. Se quiser me expulsar da sinagoga, pode me expulsar já. Mas esse fato eu não vou negar nunca.

Milagre não se explica

O homem que havia sido curado por Jesus, porém, continuava a ser torturado. Imagino que ele já quisesse procurar emprego, estudar, conhecer a cidade. Tantas coisas para serem vistas e vividas. Os fariseus, no entanto, não o deixavam em paz. Outra vez lhe interrogaram sobre sua cura e disseram:

— Glorifique a Deus por você estar vendo, porque esse Jesus é um pecador que nem guarda o sábado.

Aquele homem tinha maior lucidez que os respeitáveis e acadêmicos fariseus. Jesus conta isso no fim da história. O cego não tinha compromisso com as regras ou convenções. Ao ser arguido sobre o sábado, já contrariado com tamanho absurdo, respondeu mais ou menos assim:

— Não estou nem aí para essa história de sábado. Também não sei se quem me curou é pecador ou não. Só sei de uma coisa: eu era cego e agora vejo. Desde que há mundo jamais se ouviu que alguém tenha aberto os olhos a um cego de nascença. Se este homem não fosse de Deus, nada poderia ter feito.

Ele bem que poderia ter emendado o sermão aos fariseus com uma frase usada frequentemente pela bispa Sonia: "Milagre não se explica. Milagre se vive. Então, pode me dar licença que eu vou viver a vida de Deus que agora habita em mim."

Ao perceberem que estavam sem argumentos e perdendo o controle da situação, restou apenas àqueles homens recorrerem à frase mais tradicional dos arrogantes: "Você sabe com quem está falando?" As palavras foram um pouco diferentes, mas com o mesmo sentido. Repare o que disseram pouco antes de expulsar o jovem da sinagoga:

— Tu és nascido todo em pecado e nos ensinas a nós?

Quanta arrogância! Alguém que tem a liberdade do Espírito Santo é uma pessoa aberta para aprender sempre, seja lá com quem for. Porém, eles se achavam superiores. Além disso, estavam desesperados só de pensar que o cego sairia por toda a cidade dizendo que Jesus tinha operado um milagre. E como eles iriam explicar isso ao povo? O mesmo povo a quem ensinaram que uma deficiência como a cegueira era castigo de Deus em função dos pecados dos pais. O povo que manipulavam pelo medo. Então, o melhor a fazer, pensaram, era expulsar o moço e começar a dizer que ele era problemático, endemoninhado e rebelde, desqualificando-o junto com seu testemunho. Sem a chancela do poderoso Sinédrio, pensavam, Jesus e seus milagres seriam desacreditados.

Jesus, é claro, já sabia de todas as armações e, como Deus encarnado, podia discernir e resistir a esse mal. Mas, e quanto ao moço curado? Era apenas uma criança na fé. Como aguentar e resistir a toda essa intrincada trama do mal? Acabou de ser curado e agora foi excomungado? Nasceu cego para que se manifestasse nele a glória de Deus, mas agora o que estava se manifestando era a vergonha de ter sido expulso da sinagoga, excluído da vida religiosa e talvez até banido de vez da vida social da cidade. Seria considerado um proscrito. Enquanto era cego, vivia à margem da sociedade. Agora que enxergava, por que estaria de volta àquela condição de marginalidade e exclusão?

Veja o que escreveu o rei Davi muitos anos antes: "Com efeito, não é o inimigo que me afronta; se o fosse, eu o suportaria; nem é o que me odeia quem se exalta contra mim, pois dele eu me esconderia; mas és tu, homem meu igual, meu companheiro e meu íntimo amigo. Juntos andávamos, juntos nos entretínhamos e íamos com a multidão à Casa de Deus" (Salmo 55:13-14).

Quando somos enredados pela religiosidade, achincalhados, julgados e condenados por aqueles que pareciam irmãos, o envolvimento do mal é tão severo que não sabemos o que fazer. Ficamos desorientados. Sabia que, no passado nem tão distante, muita gente foi expulsa de igrejas porque começaram a orar em línguas (Atos 2)?

A religiosidade é terrível porque coloca irmão contra irmão.

Jesus novamente foi ao encontro daquele rapaz que fora cego. Tinha agora uma nova missão. Era preciso confortá-lo e enviá-lo para vencer o mundo, as oposições e os preconceitos religiosos. Jesus nunca enganou ninguém. Ele nos avisou: "No mundo tereis aflições, mas tende bom ânimo. Eu venci o mundo." Aquele que fora cego precisava aprender que sua luta não era contra carne e sangue, isto é, contra homens, mas contra demônios. Não adiantava se revoltar contra os fariseus, saduceus, sacerdotes e religiosos em geral e começar uma "guerra santa". Devia perdoá-los e combater a verdadeira fonte desse mal: Satanás.

— Você crê no filho de Deus? — Jesus lhe perguntou.

— Creio, Senhor!

— Então, quero te explicar algumas coisas para você não ser confundido ou desanimado pelos religiosos. Eu vim a esse mundo não para aqueles que se consideram sãos, que acham que veem tudo e sabem todas as coisas. Vim para aqueles que não enxergam o caminho. Vim por sua causa e para aqueles que estão precisando de ajuda. Vim para aqueles que sabem que não enxergam. Mas para aqueles que acham que veem claramente e para os arrogantes e espertos, minha presença, minhas palavras e meu poder trarão grande confusão e eles se tornarão como cegos.

Quando os fariseus escutaram seu discurso, perguntaram-lhe:
— Você está nos chamando de cegos?
— Se vocês fossem cegos como era esse jovem rapaz, seria mais fácil ver transformação na vida de vocês, porque seriam um pouco mais humildes. Mas como acham que sabem tudo e parecem não precisar da salvação que vem por meio do Filho de Deus, o pecado tomou conta e já não enxergam mais nada.

A pior cegueira é a espiritual. Eles não podiam enxergar o filho de Deus porque estavam cheios de si mesmos. Jesus Cristo estava estabelecendo os fundamentos do reino de Deus na terra, mas eles só conseguiam enxergar alguém que tentava lhes tirar o lugar, um concorrente. Temiam por seus status e passaram a competir com o próprio Cristo. Por outro lado, Jesus queria prepará-los, transformá-los e renová-los. Mas cada vez que Jesus realizava curas proféticas, milagres poderosos de um jeito incomum, eles enlouqueciam. Cegos, deixaram passar a oportunidade de viver o reino de Deus.

O ENVIO

Houve outros atos proféticos realizados por Jesus além de fazer barro com saliva. Em todo o seu ministério muitos foram os gestos simbólicos, como a própria ceia, o pão e o vinho e a lavagem dos pés dos 12 apóstolos. Quando ele lava os pés de seus discípulos, por exemplo, existem dois aspectos. O primeiro era a humildade, efetivamente, porque ninguém lava pés sujos se não quiser demonstrar a importância de servir. Se ele fosse um demagogo, populista, poderia fazer isso em um lugar público de maneira hipócrita para ganhar a admiração dos outros. Ele, entretanto, escolheu fazer isso escondido dentro de um cenáculo.

O segundo, e mais importante, foi uma revelação ainda mais profunda. Não foi só por humildade que ele lhes lavou os pés, mas para prepará-los para o "envio". Para purificá-los e dar autoridade aos pés deles de entrar e sair de onde quer que fosse, assim como de cumprir o envio apostólico (a palavra "apóstolo" significa "enviado de Deus"). O envio, explicando de maneira simples, significa mais ou menos assim: você pode visitar outro país fazendo turismo ou em missão oficial. Se for a segunda opção, você foi enviado por algum tipo de governo e, portanto, está ligado a uma autoridade superior. Quando somos enviados por Jesus temos a garantia de que estamos ligados a algo espiritual e superior. Assim como para aquele cego, para enfrentar o mundo que jaz no maligno, repleto de lutas, enfermidades, armações, invejas, perseguições, traições, precisamos do envio de Jesus Cristo. O Senhor disse a Pedro quando ele tentou impedi-lo de lavar seus pés: "Pedro, se eu não lavar seus pés, você não tem parte comigo."

Fico pensando que nem de longe os discípulos entenderam por completo aquele tremendo gesto espiritual de Jesus. É como se ele dissesse: "Pedro, se você não tiver seus pés santificados e enviados para tocar o chão desse planeta, que jaz no maligno, você não vai suportar tudo o que terá que viver."

Por que isso era necessário? Porque Satanás colocou como que uma placenta no mundo, e dentro dela gera todo o mal. Da incredulidade à dureza de coração. Nesse ambiente contaminado por Satanás, quando falamos em milagre e no poder sobrenatural de Deus, as pessoas nos olham como se estivéssemos contando uma história de ficção. E quem consegue penetrar essa placenta? São aqueles que têm o envio e são lavados e remidos no sangue do Cordeiro. Quem tem o envio de Jesus Cristo pode transitar por esse mundo, ser multiplicador da luz, viver testemunhos chocantes, e o diabo não pode tocá-lo. Os apóstolos saíram do cenáculo, após a última ceia, para jornadas incríveis. Eles estavam envoltos no poder de Deus. Como na visão de Ezequiel 47:1-3, as águas começaram pelos pés até cobri-los completamente.

Na visão apostólica, o envio para vencer e viver milagres sobrenaturais, para ter provisão do céu, pregar ou ter um ministério, é para todos. Ao contrário da religião, que é elitista e acha que Deus privilegia apenas aqueles que fazem parte de um grupo de elite. O envio é para todo aquele que crê. A única condição é a que vemos em Isaías 6:8: "Então ouvi a voz do Senhor, conclamando: 'Quem enviarei? Quem irá por nós?' E eu respondi: 'Eis-me aqui. Envia-me!'"

Quando temos esse posicionamento espiritual, permanecemos debaixo da cobertura de Deus e de sua Igreja e deixamos de andar em trevas, a luz do envio nos ilumina e temos caminho em toda e qualquer situação.

Ainda nesse episódio do cego de nascença, Jesus falou, não por acaso: "Enquanto estou no mundo, eu sou a luz."

Jesus disse em Mateus 13:15:

"Pois o coração deste povo se tornou insensível; de má vontade ouviram com seus ouvidos, e fecharam seus olhos. Se assim não fosse, poderiam ver com os olhos, ouvir com os ouvidos, entender com o coração e converter-se, e eu os curaria."

Ele estava dizendo o seguinte: "Se os homens não tivessem a mente fechada e o coração endurecido, voltariam-se para mim e eu os curaria no corpo, na alma e no espírito." Uma cura que só no reino dos céus, através de Jesus, podemos alcançar. Por que digo isso? Porque muitos são curados no corpo, mas seguem enfermos em suas mentes e em seus sentimentos. No entanto, quando a cura vem por meio da fé em Jesus Cristo, manifesta-se no corpo, na alma e no espírito.

Isso é muito, muito sério! Muitas pessoas não são curadas porque não se convertem. Porque não se voltam para Deus. A conversão é uma mudança de rota. É tomar outra direção e desistir do seu caminho antigo; é escolher a direção de Deus.

Jesus veio para abrir os olhos de todos nós. Espiritualmente falando, somos todos cegos de nascença, mas ao encontrar o Filho de Deus, nossos olhos são abertos e passamos a ver claramente quem somos e o que podemos viver mediante o poder do Pai. "Para a liberdade foi que Cristo nos libertou. Permanecei, pois, firmes e não vos submetais, de novo, a jugo de escravidão." (Gálatas 5:1) A conversão a Jesus Cristo, de modo que ele seja o único senhor de sua vida, seguida da atitude de participar de seu Corpo aqui na terra, a Igreja com certeza levará você a viver um milagre novo a cada dia.

Depoimento

O TEMPO DE DEUS

Conheci minha esposa, Lousi, quando estava com 21 anos e ela 16. Desde essa época, ela sempre se dedicou ao ministério infantil — o qual chamamos de Renascer Kids — porque sempre amou crianças. Justamente por isso, seu sonho era se casar e ter filhos, encher a casa de crianças. Dois anos depois, casamo-nos sob a bênção e a orientação do nosso Deus e da Igreja.

Nosso plano era ter filhos já no ano seguinte. Porém, aquele ano veio e se foi e não engravidamos. Tentamos por mais um ano e meio, e nada aconteceu. Então, decidimos fazer exames para entender o que estava acontecendo, pois não havíamos feito nenhum exame pré-nupcial. Na verdade, a Lousi até fez, mas apenas os básicos.

Fomos ao médico, falamos sobre nosso desejo de engravidar e o histórico de quase dois anos de tentativas sem sucesso. Ele nos encaminhou para realizar todos os exames e, assim que ficaram prontos, fomos levar os laudos para avaliação o mais rápido possível. Naquele dia, recebemos a notícia que ninguém imaginava: nós dois éramos estéreis. O médico disse que não poderíamos gerar filhos. A Lousi tinha endometriose, que foi tratada por cirurgia, mesmo assim não resolveu. No meu caso, também havia uma importante limitação na fertilidade. Começamos a buscar e fazer tratamentos. Eu fui medicado várias vezes de formas diferentes.

Depois de cinco anos de tentativas frustradas, os médicos bateram o martelo: não teria jeito. Era impossível. Ofereceram alternativas, mas como na época já éramos pastores decidimos que iríamos nos dedicar a fazer a obra do Senhor e gerar filhos na fé. O amor, o respeito e a amizade que sempre sentimos um pelo outro também nos ajudou a ir em frente sem permitir que aquela situação se transformasse em uma frustração terrível. Graças ao ministério que Deus nos deu, sempre tivemos a oportunidade de cuidar das pessoas, ajudá-las a renascer. Era como se realmente estivéssemos sempre gerando filhos.

Espiritualmente falando, fizemos tudo o que estava ao nosso alcance: oramos, jejuamos, entregamos ofertas no altar, profetizamos e, o mais importante: nunca murmuramos ou acusamos Deus por essa situação. E, nessa caminhada, o Senhor nos deu paz.

Entretanto, lá no fundo, existia a esperança. No meu caso, desejava muito ver cumprido o sonho que minha esposa acalentava desde a adolescência. Isso tornava-se mais forte todas as vezes que consagrávamos uma criança, um recém-nascido, a Deus, no altar; vinha o sentimento, o desejo de carregar nosso filho nos braços.

O tempo passou e a idade também. Agora, já estávamos para completar 14 anos de casados. Nessa época, vivíamos em Sorocaba, São Paulo. Em um sábado do mês de abril de 2004, viemos para São Paulo para participar do culto da Santa Ceia com o apóstolo Estevam Hernandes. A igreja estava, como sempre, superlotada.

Nesse dia, a ministração falava sobre esterilidade. Em determinado momento, do altar, o apóstolo Estevam nos chamou e disse:

— Chegou o tempo de Deus na vida de vocês. Coloque a mão no ventre da sua esposa — e orou por nós.

Foi uma experiência maravilhosa e tivemos certeza do amor e do cuidado de Deus. Ao encerrar, ele disse que eu devia fazer a minha parte, pois o Senhor já havia feito o milagre. Obedeci.

Algumas semanas depois, a Lousi começou a passar muito mal. Levei-a ao médico, pois não sabíamos qual era o problema. Esse médico, que não conhecia nada da nossa história, disse que pelos sintomas poderia ser gravidez. Olhamos um para o outro e, é claro, ficamos apreensivos porque lembramo-nos da palavra do apóstolo.

Fizemos todos os exames que o médico pediu, incluindo o de gravidez, mas quando o resultado ficou pronto, não tínhamos coragem de abri-lo. De um lado, o receio de ser mais um alarme falso; de outro, a esperança de ver cumprida a palavra de Deus.

No meio do caminho entre o laboratório e o consultório médico, não suportei esperar, parei o carro e abri o exame. Não existem palavras para descrever o que senti, mas, muito emocionado, olhei para a Lousi e falei:

— Estamos grávidos — e ali mesmo, dentro do carro no meio da rua, abraçados, choramos muito. Era o sonho esperado por mais de 13 anos, sonho que imaginávamos que não viveríamos. Sem tratamento, sem hormônio, sem fertilização artificial. Foi Deus!

Na mesma hora, Lousi e eu ligamos para nosso pai apóstolo Estevam e nossa mãe bispa Sonia. Ele deviam ser os primeiros a saber. Contamos as boas-novas, choramos e eles festejaram aquela vitória conosco.

Nove meses depois, nasceu nossa linda, saudável e desejada filha Louisi Hernandes Pena Fonseca, hoje com sete anos. Ela é a prova que vivemos debaixo do maravilhoso mover apostólico que traz sinais, prodígios e poderes, e que nos ensina que não haverá impossíveis para Deus em todas as suas promessas.

Sidinei e Lousi Fonseca
São Paulo – SP

Capítulo 7

Meu melhor amigo

Era 25 de dezembro de 1978. Passamos a noite de Natal na casa dos meus pais. A ceia transcorreu tranquilamente e o assunto não era outro senão o nascimento do nosso primeiro filho, o Felippe. A Sonia estava no fim da gravidez, com uma barriga enorme. A previsão era a de que o Tid — apelido do Felippe — nasceria em breve, e a expectativa era grande. Aquele filho fora desejado, planejado e muito amado sempre. A noite estava quente, mas agradável, como são as noites de dezembro. Comemos, esperamos dar meia-noite, desejamos um feliz Natal a todos e preparamo-nos para ir embora.

Já passava de uma hora da madrugada quando pegamos o carro para voltar para casa. Saímos da Aclimação em direção à Vila Olímpia, dois bairros da capital paulista, quando, sem que percebêssemos, um motorista bêbado passou o farol vermelho e bateu violentamente contra a lateral do nosso carro, bem onde a Sonia estava. O indivíduo não conseguia nem andar de tão embriagado. Fiquei furioso, mas estava muito mais preocupado com a Sonia e o Felippe. Verifiquei se ela estava ferida, apalpei a barriga, pois o parto estava previsto para dali a três dias. A Sonia estava muito abalada mas não tinha nem um corte. Corremos para o hospital, e graças a Deus não aconteceu nada mais grave. Foi um tremendo livramento de Deus — o primeiro de muitos que viriam.

Em 28 de dezembro, o Tid nasceu saudável, lindo, cheio de vida. Trouxe alegria para nossa casa. Sempre foi uma criança feliz, inteligente, bem-humorada, uma verdadeira festa. A sua primeira década de vida foi maravilhosa. Era um garoto divertidíssimo e travesso, que, não raro, conseguia driblar a Sonia para fazer o que queria, tal a sua inteligência e percepção apurada.

Quando ele tinha uns 13 anos, começamos a perceber uma mudança de comportamento. Estava menos agitado, mais quieto. Em uma das vezes em que fomos à praia, ele, que sempre amou o mar, ficou em casa. Não queria sair. Estranhamos, mas acreditamos que esse comportamento estivesse associado à chegada da adolescência, pois ele não tinha qualquer outro sintoma, como febre, e não se queixava de nada. Voltamos de viagem e as aulas logo recomeçaram. Já nos primeiros dias, pela manhã, com o estômago ainda vazio, ele passava mal e vomitava. No primeiro dia, imaginamos que fosse mais uma das suas brincadeiras para não ir à aula, mas no dia seguinte aconteceu a mesma coisa, o que nos preocupou muito. Levamo-lo ao médico e, após o resultado dos exames, fomos encaminhados para o hospital. Para nossa tristeza, constataram que os seus rins sofreram uma paralisação, um quadro grave de insuficiência renal.

Esse é o tipo de diagnóstico que nenhum pai quer ouvir. Primeiro, porque é complicado demais; depois, porque ele era apenas uma criança. Em princípio, você não compreende bem, depois acha que é exagero, então imagina que tudo será resolvido de forma rápida e indolor. Infelizmente, não foi assim e a nossa luta estava apenas começando.

Como já mencionei, o Tid sempre foi saudável, comia de tudo, dormia bem, tomou todas as vacinas. A Sonia levava-o periodicamente ao pediatra. Nada indicava essa situação crônica. Nos últimos anos, nem cárie teve. Também não havia histórico de problemas renais na família. Todo mundo queria uma boa explicação, mas nem os médicos conseguiram identificar a causa. Havia várias hipóteses — uma delas apontava para um vírus raro, mas nada foi confirmado.

Conseguimos contato com uma equipe fantástica de um importante hospital de São Paulo e eles fizeram vários exames. O Tid ficou internado nesse hospital para tais procedimentos e estava deitado na cama do quarto quando o médico, um senhor já de meia-idade, chegou com os resultados e falou para ele sem qualquer escrúpulo:

— Rapaz, recebemos os resultados finais dos seus exames. Os seus rins estão tão ruins que nem gato come.

Uma colocação infeliz para um estado grave. Se a intenção foi descontrair, não teve graça alguma. A sentença era terrível e aquilo deixou o Tid apavorado. Ele não era bobo.

A equipe médica informou-nos que a única saída seria fazer diálise peritonial para não ter que fazer hemodiálise e, depois, transplante. Começava, então, outro capítulo extremamente difícil da nossa história, pois essa diálise, apesar da flexibilidade que dá ao paciente, requer muitos cuidados, bolsas, cateteres, soluções especiais. Para uma criança que não quer ser limitada por nada é ainda mais difícil. Mas se essa era a saída...

Em um dia marcado, fizeram a cirurgia para a colocação do cateter que ficaria localizado um pouco abaixo do umbigo. A partir daí, ele ficou com esse tubo permanente, por onde conectávamos as bolsas da troca da diálise peritonial. Uma das bolsas, como aquelas de soro, continha uma solução que entrava pelo abdômen e a outra bolsa, vazia, recolhia o fluido que saía do corpo. Fomos treinados para realizar esse processo em casa e a cada 15 ou 30 dias voltávamos ao hospital para verificarmos suas condições. Essa opção de tratamento dava ao nosso filho uma maior liberdade, mas não resolvia o problema, porque, constantemente, apesar de todos os cuidados, ele tinha alguma infecção peritonial. Em consequência disso, estava sempre internado. Sua cor mudou de um corado cheio de brilho para um tom acinzentado e, por vezes, até esverdeado. Muito dolorido de se ver. Os médicos já haviam nos informado que a solução definitiva era o transplante.

Então, começamos os preparativos para isso. A Sonia e eu fizemos os exames para saber se poderíamos ser os doadores do rim para o nosso filho. Nós dois queríamos muito, mas o médico avisou que era difícil que os pais fossem compatíveis. No dia de buscar os resultados, o médico perguntou:

— Bom, quem vai ser o doador?

— Quem for compatível — respondemos.

— Vocês dois são compatíveis.

Como pais, nosso desejo era dar a vida pelo Tid. Faríamos qualquer coisa para ajudá-lo. Conversamos com ele e dissemos que nós dois poderíamos doar o rim. Ele disse que gostaria que fosse eu. Comunicamos nossa decisão aos médicos e eles avisaram-me que esse tipo de cirurgia é muito mais penosa para o doador do que para o transplantado. O médico falou:

— Vai doer mais em você do que nele.

Efetivamente doeu, mas fiz a cirurgia com a maior alegria no coração. Em alguns aspectos foi traumático, porque naquela época tinham que serrar uma costela e o corte nas costas foi bem grande, até a metade do abdômen. A dor era violenta, mas foi uma grande bênção de Deus. Atualmente, as técnicas de transplantes evoluíram muito e o doador sai às vezes no mesmo dia, mas não naquela época. Foi muito dolorido realmente, mas nada comparável à alegria de ver meu filho saudável novamente.

Passamos a viver milagres chocantes nesse período. Tudo correu bem durante o transplante, o Tid não teve rejeição alguma e ficou ótimo. Entretanto, o médico o avisou que durante um bom tempo ele não deveria frequentar locais públicos. Nesse período, ele foi a uma festa. Não sabemos se foi lá, mas contraiu um vírus que foi direto para o rim.

Voltamos ao hospital, onde ficamos sabendo que esse vírus era letal. Descobrimos que, no quarto ao lado, dois pacientes que estavam com a mesma contaminação não sobreviveram. Eu e a Sonia passamos a noite inteira clamando, orando, e Deus nos deu graça, falou conosco e visitou-nos poderosamente enquanto rodeávamos o hospital por sete vezes, como fez Josué em Jericó (Josué 6:2-4). Orando e louvando, Deus nos deu a Palavra que está em Isaías 65:23: "Não trabalharão debalde, nem terão filhos para a calamidade, porque são a posteridade bendita do Senhor, e os seus filhos estarão com eles." Ao voltarmos para o quarto, os médicos já estavam preparando o Tid para levá-lo para a UTI e disseram-nos que sua expectativa de vida era de dois a três dias.

Na força e na ousadia da Palavra que Deus nos dera, pedi que nos dessem mais um dia antes de removê-lo para a UTI. O médico ficou irado, revoltado, mas acabou cedendo desde que nos responsabilizássemos por tudo. No outro dia pela manhã, antes das seis horas, o Tid levantou e urinou normalmente. Foi impressionante! O médico titular deu-lhe alta assim que passou no quarto. Nosso filho, em vez de ir para a UTI, foi para casa curado. Deus é fiel e sua bondade dura para sempre!

Ele conseguiu vencer o vírus, e o rim continuou funcionando, mas com uma pequena avaria.

Em cada um desses episódios, em cada fase da doença, a situação era difícil demais. Os diagnósticos e as sentenças foram desfavoráveis desde o início; era um sobressalto atrás do outro. Entretanto, sempre tivemos o apoio da Igreja, que orava conosco e por nós o tempo todo. Quantas vezes deixamos o nosso filho como que desenganado pelos médicos e fomos para a igreja pregar. Pode parecer loucura, mas era no altar que encontrávamos forças para continuar. Mas não pense que, enquanto passávamos por isso, o diabo dava trégua em outras áreas. A Sonia, especialmente, viveu duras lutas nesse período com traições de pessoas próximas e cobranças tais que parecia que "estávamos no Caribe, de férias", e não entrando e saindo de hospital. Pensando agora, percebo como o Senhor nos fortaleceu para essas longas jornadas e intercorrências uma atrás da outra.

Após cinco anos e seis meses, mais ou menos, o rim que doei acabou não aguentando. A situação do Tid piorou muito. Em 2000, conseguimos uma incrível permissão para gravar o *Renascer Praise 7* em Israel, em um teatro aberto, a primeira desse tipo concedida a grupos religiosos. Foi um grande marco e uma grande conquista. O Tid, como sempre, estava muito envolvido em todos os preparativos, mas não tinha condição alguma de ir para Israel naquele momento. Entretanto, ele teve uma súbita melhora e seu rim começou a funcionar, o que tenho certeza, foi a interferência da mão de Deus dando-lhe o desejo do coração de estar conosco em mais uma peregrinação pela Terra Santa e naquela gravação histórica. Ele foi, e depois da gravação, voltamos direto para o hospital. Um grande sinal e manifestação da misericórdia e graça de Deus.

Nesse momento da história do Tid, o desafio era encontrar outro doador compatível. O Senhor, mais uma vez, deu graça e encontramos. Foi uma pessoa enviada por Deus. A Sonia insistia em ser a doadora dessa vez, mas o médico preferiu esperar, porque, na sua opinião, não era aconselhável que um dos pais fosse novamente o doador. O novo transplante foi feito e também com sucesso. A partir de então, ele passou a ter uma vida normal na medida do possível — todo transplantado tem que tomar remédios chamados imunossupressores para o resto da vida. Esses remédios são combinações de algumas drogas, incluindo corticoide, que diminuem as chances de rejeição do órgão transplantado. Em decorrência do corticoide, ele ficou inchado e, em seguida, acima do peso.

Com o passar dos anos, a obesidade piorou e começou a prejudicá-lo. Uma das saídas apontadas pelos médicos foi a cirurgia de redução de estômago. Todos nós ficamos apreensivos porque ela não é indicada para quem tem problemas renais, mas começamos a nos informar, entender os riscos e o

Tid mesmo decidiu pela operação. E, assim, ele foi o primeiro transplantado no Brasil — aliás, duplamente transplantado — a fazer uma cirurgia bariátrica. Tudo correu bem. Faltaria papel e tinta para descrever os detalhes de cada milagre — os riscos corridos, os dias de espera, os jejuns, as orações, os votos no altar de Deus, a preciosa e agasalhadora direção do Espírito Santo e como o Senhor sempre foi à nossa frente já deixando tudo preparado. É maravilhoso poder dizer que sou testemunha de que Deus é socorro bem presente no dia da angústia (Salmo 46:1).

Nessa mesma época, lembro-me que voltamos à batalha, pois ele teve várias tromboses e apresentou um problema no coração, um princípio de infarto. Foi preciso até colocar stents (prótese em formato de um tubo colocado na artéria para normalizar o fluxo sanguíneo) para ajudar a desobstruir as veias. Enfim, os desafios que enfrentamos em relação à saúde dele foram muitos, e isso é sempre angustiante para os pais. Como diz a Sonia, os filhos são a parte do nosso corpo que mais dói.

Por volta dos 20 e poucos anos do Tid, entramos em um período de calmaria. A cirurgia bariátrica cumpriu sua função e ele emagreceu bastante, chegou no peso que queria e sua saúde melhorou sensivelmente como um todo. Após esse problema no coração, a saúde estabilizou e a sua vida deu uma guinada. Casou-se e deu-nos um neto, um verdadeiro sonho, uma promessa cumprida para nós, pais e avós que, periodicamente, vivíamos sob sentenças e ameaças em relação à vida dele.

CIRURGIA EXPERIMENTAL

Passados mais de cinco anos de cirurgia bariátrica, o Tid voltou a engordar e ficou preocupado com a evolução desse quadro. Quando consultou outro "médico renomado" foi sugerido que ele fizesse uma cirurgia experimental. Passando por cima do histórico médico do Tid, ele enganou-o, foi em frente e fez a tal cirurgia que, até hoje, não foi aprovada pelo Conselho Federal de Medicina. Aconteceu no dia 9 de julho de 2010. Nós estávamos nos Estados Unidos e ele aqui no Brasil. Foi essa mesma cirurgia que deixou uma advogada de Goiás com sequelas terríveis. Em 2005, em busca da cirurgia de redução de estômago, ela acabou ganhando de "brinde" a tal cirurgia de reposicionamento do íleo, que é a porção final do intestino delgado. Só descobriu isso depois, quando as complicações incluíram a ocorrência de uma fístula (conexão anormal entre dois órgãos) no estômago, que não cicatriza. Como consequência, ela só se alimenta por sonda, carrega um dreno na barriga e não pode ingerir nenhum líquido porque podem causar infecções, hemorragias e dores terríveis. Imagina uma pessoa sem comer nada por anos e anos? Quando sente cheiro de comida, descreveu a revista *Veja*, ela chora, grita e puxa os cabelos.

Foi essa cirurgia que levou o Tid a um quadro desesperador. Uma sequência de erros, imperícia e irresponsabilidade levaram o meu filho a um quadro de falta de oxigênio no cérebro e consequente lesão cerebral.

Assim que soubemos o que estava acontecendo, voltamos ao Brasil imediatamente. Desembarcamos no Aeroporto Internacional, em São Paulo, e fomos direto para o hospital. O quadro era mais do que grave. Chamamos outro especialista, novos exames foram feitos, mas a notícia, definitivamente, era a pior possível. Esse médico que consultamos nos chamou e, com muito cuidado, disse que precisaríamos pensar seriamente em outro caminho. Como a Sonia estava na sala, ele foi muito sutil, mas colocou as coisas nesses termos:

— Vocês precisam pensar na doação dos órgãos dele, pois o risco de morte é iminente.

— Nós vamos orar, doutor, e buscar uma direção de Deus — foi tudo o que consegui falar naquele momento.

— Vocês trabalham com um ingrediente que eu não conheço: a fé — disse o médico. — Eu os respeito, mas a situação é exatamente essa que acabei de descrever para vocês.

A gente tinha completa consciência da gravidade daquele quadro. Naquele dia, a bispa não teve forças para ir à igreja. Eu fui, subi no altar, preguei e pedi para que todo mundo orasse. Levantamos um clamor. Eu saí de lá e fui para o hospital, entrei na UTI, fui até o leito onde o Tid estava e falei:

— Filho, estou trazendo para você o poder de ressurreição que há na Igreja de Cristo. Todas aquelas pessoas clamaram e vou ministrar esse poder de ressurreição na sua vida.

Eu orei com ele e o que aconteceu ali foi sobrenatural. O médico que estava junto começou a chorar porque durante a oração o corpo enfraquecido do Tid se movimentou inteiro. Assim, ele venceu aquela sentença de morte iminente e passou aquela noite e a seguinte, mas continuou na UTI.

Decidimos mudá-lo de hospital. Todo dia era um risco de morte diferente que aparecia e tínhamos que lutar e vencer. Foram muitas as hemorragias. Ele teve que passar por umas oito operações seguidas. Do abdômen do meu filho saíam quatro drenos que levavam um líquido negro esverdeado para quatro bolsas grandes. Um cenário terrível. O problema é que aquela cirurgia experimental de interposição do íleo — proibida até hoje — deixou, entre outras consequências, duas fístulas por onde saía o suco gástrico, destruía as artérias e causava hemorragia. Não raro quando você busca ler sobre as fístulas descobre que são decorrentes, em muitos casos, de imperícia técnica. No caso do Tid, além disso, houve irresponsabilidade e má-fé.

Conversamos com um médico que é uma pessoa muito consciente e ele disparou:

— É impossível fechar essa fístula.

Ele nos mostrou casos e foi então que ouvimos a história daquela advogada de Goiânia. Já se passaram 13 anos desde que ela fez a cirurgia e a fístula está aberta. O médico avisou:

— Vocês terão que conviver com isso. Seu filho pode morrer a qualquer instante.

Nunca tivemos uma palavra de esperança por parte da medicina. Quando comecei a perguntar sobre o aspecto neurológico, as notícias eram as mais apavorantes. A verdade é que se sabe muito pouco sobre o assunto ou quase nada. Um único médico disse que poderia haver uma reposição neural, mas que era algo raro. O restante foi sempre más notícias.

Uma vez, já perto do final do ano, o Tid teve outra hemorragia intensa. Conseguimos contatar um médico muito bom e de nossa confiança. Ele, ali na porta do quarto de UTI onde o Tid estava, perguntou-me:

— O que você quer que eu faça?

— Eu quero que você lute por ele até as últimas consequências. Faça até o impossível aos seus olhos, porque nós vamos orar e não vamos abrir mão dele de jeito nenhum.

— Vou lutar, mas não posso lhe dar esperança porque o estado é muito crítico.

Ficamos orando, clamando. A cirurgia durou quase oito horas. Ele voltou e disse:

— Vamos esperar. A fístula está aberta e a gente não sabe como esse quadro vai evoluir.

Fora o aspecto da lesão cerebral, o mais grave naquele momento eram as hemorragias que ele tinha. Se já existe uma lesão no cérebro, fica mais difícil para os órgãos se recuperarem e há o risco de uma falência múltipla.

A nossa postura sempre foi espiritual e de muita oração e clamor, sempre recebendo o apoio da nossa Igreja; aliás, até hoje os intercessores oram lá no hospital, o que para nós é alento e prova indiscutível do amor e cuidado de Deus. Os dias e as noites passados em um hospital parecem infindáveis. É difícil descrever os muitos sentimentos que aparecem para assolar-nos, as noites em claro orando, clamando, os jejuns, os atos proféticos, os gestos de amor e as inumeráveis manifestações do cuidado do Senhor por meio do povo de Deus. Preciso, ao menos, deixar registrado aqui nossa eterna gratidão a todos nossos irmãos em Cristo que, de início e até hoje, estão conosco nessa batalha e espera de fé. O que desejamos é que cada um colha mais do que semeou em nossas vidas movidos pelo Espírito Santo.

Assim — sempre assim — ele passou aquela noite. Apesar da pressão altíssima e o coração com 150, 180 batimentos por minuto. Ele conseguiu passar outra noite e, aos poucos, começou a melhorar. Foi uma coisa absurda o que nós passamos, mas sempre confiando no Senhor, clamando, buscando e crendo que Deus tem caminhos onde não há caminhos.

Lentamente ele começou a apresentar uma melhora do quadro clínico: os exames começaram a melhorar. Passado uns meses da última cirurgia, o médico pediu uma endoscopia. Quando o médico começou a ver como estava o estômago por dentro, ficou impressionado porque as fístulas fecharam. Milagrosamente. O líquido que saía pelos drenos começou a diminuir até que nada mais saiu. Foi o primeiro grande milagre que espantou todo mundo. Os médicos tentavam explicar:

— As fístulas devem ter mudado de posição, mas, a qualquer hora, voltam a vazar de novo.

Já faz mais de dois anos que fecharam e não deram mais problemas. Glória a Deus!

Uma das lições que aprendemos foi vencer uma situação por vez, alegrar-nos e sermos gratos em cada uma delas. Também recusamo-nos a colaborar com o inferno, pois nossas palavras podem invalidar o milagre. A Bíblia fala que há poder nas palavras. Então, quando você se enche de um negativismo e malignidade, eles influenciam-no e interferem em sua vida. O simples fato de você exercer o seu poder de resistência contra a enfermidade já faz com que se mova na direção da cura. Não tem nada a ver com pensamento positivo, mas o que está escrito em Provérbios: "A morte e a vida estão no poder da língua; o que bem a utiliza come do seu fruto" (18:21) e "O que guarda a boca e a língua guarda a sua alma das angústias" (21:23). Com suas palavras você pode construir ou destruir.

Vencidas as fístulas, era o momento de concentrar-se no desafio do abdômen, que ficou completamente aberto; dava até para ver os órgãos. Com os imunossupressores que ele toma por causa do transplante, além de todos os outros problemas, o prognóstico era de que não cicatrizaria. Mas a cada frase, cada palavra contrária, a gente orava mais, buscava mais a Deus. E o Senhor sempre manda reforço. Lá no hospital, no andar em que o Tid estava, havia uma enfermeira serva de Deus que cuidava dele. Ela estava sempre por perto, ajudava a orar. Depois de todo esse processo, o abdômen fechou e o estado clínico dele ficou estável.

Ele saiu da UTI, da semi-UTI e, após dois anos, foi para o quarto. Passou a fazer sessões de fonoaudiologia e fisioterapia; já queriam até levá-lo para a piscina. Estamos falando de quase quatro anos de um processo que se reverteu de morte para um quadro visível de recuperação. Parece muito lento para nós porque temos toda ansiedade e expectativa de vê-lo curado, mas, para um corpo que estava tão debilitado, cada pequena melhora é uma grande vitória.

Hoje, vemos claramente que Deus livrou-o da morte e a nossa expectativa é de que essa obra seja completa e que ele se recupere na totalidade; e nós cremos efetivamente nisso.

Quando falamos que cremos na cura total do nosso filho, os médicos não concordam porque para eles é irreversível. Mas tudo o que eles não concordavam aconteceu e hoje o caso dele não existe na medicina. Depois de quase quatro anos, ele não tem uma escara, uma ferida. Ele está inteiro. Quem o visita ou vê sua foto, quase não acredita. O cabelo cresceu, está corado, os exames são perfeitos. Em tudo isso eu vejo Deus; e você nem tem ideia de como foi difícil resumir toda essa história de vida e os detalhes do cuidado de Deus nessas poucas páginas.

Venci optando por não parar

As pessoas perguntam o que mais doeu nesse processo todo ou qual foi o momento mais difícil. Como já comentamos, o sentimento da saudade, da ausência, é terrível, pois o Felippe era meu melhor amigo. Tínhamos uma relação tão próxima que despertava ciúmes em algumas pessoas. Ele gostava de ficar comigo mais do que com qualquer pessoa no mundo. Vivíamos dia e noite juntos e ele era a pessoa com quem eu compartilhava tudo. Então, não sei dizer o que doeu mais. O que eu posso falar é que o consolo do Espírito Santo é inexplicável, porque, efetivamente, se nós não tivéssemos esse consolo, um altar e uma vida com Deus, creio que não teríamos suportado passar por isso.

A fase da UTI, crítica, é terrível porque você não dorme. Fica ao lado da cama ouvindo todos os "bips" dos aparelhos que medem os sinais vitais, e a qualquer alteração você é tomado de pavor porque não sabe o que está acontecendo. Depois de dias, vai para casa, toma um banho, cai na cama, mas não dorme. Fica desesperado para voltar logo para o hospital, para ficar ao lado do seu filho. A sua vida passa a girar em torno disso e fica como que suspensa. Essa fase é desgastante, apesar de sentir o cuidado de Deus e o consolo do Espírito Santo, que nos fortalecia e ministrava por meio da Bíblia, das orações e da presença e amor da Igreja.

Como a venci? Eu, particularmente, venci optando por não parar minha vida e entendi que, se me entregasse a essa situação, não iria ajudá-lo. Eu pensava: "Tenho duas opções. Posso parar e entregar-me, entrar em depressão e ficar com aqueles questionamentos: 'Senhor, o que quer de mim? Por que o Senhor está permitindo isso?' Ou posso crer realmente que ele está nas mãos de Deus, que existe um propósito em tudo isso e que preciso lutar."

Minha opção foi lutar e foi a melhor saída para mim.

Acho que ainda não mencionei, mas tenho um segundo acordo com Deus: eu não o questiono em nada. Selei esse trato desde o dia em que tive uma experiência com Deus, no começo do ministério, quando decidi que minha vida pertenceria a ele. Tudo o que sou, aconteça o que acontecer e o que já aconteceu, nunca pergunto a Deus o porquê. Eu entendi que, se creio que Deus tem o melhor para mim, se creio que ele dirige a minha vida, não tenho o que questionar.

Eu sempre tive o meu foco na eternidade. Sempre tive a certeza que nós estamos construindo para a eternidade. O meu Evangelho sempre foi muito mais focado na minha salvação do que nas coisas do meu dia a dia. Entendo perfeitamente a vida abundante que podemos ter aqui na terra, pois Jesus promete isso na Bíblia. Luto por essa vida e prego sobre isso. Entretanto, o mais importante é a salvação por meio de Jesus, que me leva de volta ao Pai. *Não posso fazer da minha relação com Deus algo baseado no que ele me dá ou no que não dá. Não posso ferir essa relação ao tentar compreender com a minha mente carnal o que Deus está fazendo. O pior que poderia acontecer seria eu me revoltar contra Deus.*

O processo comigo funciona um pouco diferente. No desespero é o momento que eu mais peço socorro a Deus. Eu não tenho esse lado negativo dos questionamentos. O meu foco é pedir socorro a Deus e, no caso do Tid, tenho consciência de que a vontade de Deus é soberana. Nós podemos, com nosso clamor e oração, tocar o coração de Deus, e o seu amor, que é insondável e imensurável, pode fazer o que fez com o rei Ezequias (Isaías 38).

Eu estava nesse exato momento da minha vida e orei:

— Deus, o que o Senhor fez com Ezequias, faz com meu filho!

Já vi no meu ministério, na minha vida, pessoas indignadas com Deus, e costumo dizer que elas deveriam ter vergonha porque se revoltam, mas não sabem, de fato, o que ele está fazendo. Você pode achar que alguma situação é a maior desgraça da sua vida, só que não é. É um propósito de Deus. Por incrível que pareça, a situação do Tid tem um propósito e procuramos compreendê-lo. Se me perguntar se entendo tudo, vou responder que não, mas sei que esse propósito existe. Vejo muitos milagres, como pessoas sendo salvas, vindo para a igreja, abandonando uma vida desgraçada. Vejo outros pais e mães em situações parecidas, mas que puderam ouvir uma palavra vinda da parte de Deus e foram curados e transformados pelo poder de Deus e por meio do nosso testemunho e posicionamento.

O que o Tid já fez e já pregou nesse período, muita gente não fez a vida inteira. Pessoas olham para nós e dizem assim: "Eu tenho que continuar lutando porque eles estão de pé." Outras: "Meu problema é muito menor que o deles e eles não estão destruídos." Nosso posicionamento ensinou mais do que qualquer pregação.

Tudo isso está dentro de um propósito de Deus e nós estamos pagando um preço, o preço da ausência, da saudade, da espera perseverante na fé em Deus.

Em cada grande desafio que já enfrentei, a única coisa que me preocupa é não conseguir enxergar a Deus. Se eu não conseguir vê-lo, então é desesperador. Mas se consigo enxergar o seu agir, nada me paralisa; e por tudo o que já vivemos e testemunhamos estamos vendo a sua poderosa mão.

Em 2012, fomos para Israel e levamos todos os exames do Tid para médicos de um centro de tratamento muito avançado. Os médicos olharam e disseram que ele não está mais em estado de coma, mas de consciência mínima. Ele tem uma pequena consciência e sua visão está melhorando, pois já acompanha pessoas e objetos com os olhos. São coisas pequenas, mas muito significativas para nós.

Existem várias maneiras de se ter um filho. Nós descobrimos uma maneira diferente e até aprendemos a interagir com ele, por exemplo, pela respiração. Aprendemos algumas coisas que não sabíamos. É o que nós temos de Deus agora e recebemos com alegria. Por outro lado, não falta em nosso coração a esperança. O pior é não tê-la. No nosso caso, Deus permitiu que pudéssemos manter essa expectativa: nosso filho está vivo.

Muitas pessoas dizem:

— Seu filho está vegetando.

Falem o que quiserem. Para nós, ele está vivendo.

Sofro, choro, sinto a falta dele. Tentei descrever a saudade na música "Amigo maior", do CD *Inesquecível*. Escrevi: "Aquela conversa esperada, o sorriso, o abraço desejado, o encontro: nada disso mais existe. O vazio cruel um espaço ocupará. Os dias mais compridos ficarão". Humanamente falando, é assim, mas então eu oro, jejuo e vem sobre nós o consolo do Espírito Santo, e temos certeza de que tudo o que nos foi roubado, Deus nos dará de volta. Também consola-nos muito ver a obra, as vidas salvas, ouvir os testemunhos, ver Deus trabalhando na vida das pessoas. Tudo isso é maior do que os problemas que já tivemos, porque esse é o objetivo verdadeiro da morte de Cristo.

O segredo é a perseverança, é não retroceder, como disse o escritor de Hebreus: "o meu justo viverá pela fé; e se retroceder, nele não se compraz a minha alma" (10:38). A pior coisa que pode acontecer é um servo de Deus voltar para trás e desistir. Não retroceder significa não permitir que o inimigo, sua alma ou qualquer circunstância, lhe paralisem. Como disse Martin Luther King Jr., em um dos seus discursos: "Se não puder voar, corra. Se não puder correr, ande. Se não puder andar, rasteje, mas continue em frente de qualquer jeito."

Depoimento

O IMPROVÁVEL ACONTECEU

Nosso caçula, o João Pedro — que carinhosamente chamamos de JP — nasceu no dia 7 de novembro de 2011. Estávamos muito felizes com a chegada desse filho. Depois de três anos do nascimento da Esther, nossa primogênita, ele chegou para completar o casal de filhos que sempre quisemos ter. A nossa alegria não era maior porque estávamos um pouco apreensivos com o resultado de um ultrassom feito dez dias antes do parto. Ainda na minha barriga, por esse exame, os médicos detectaram que os rins dele estavam muito dilatados e que deveríamos investigar melhor essa anormalidade após o nascimento.

Com dois dias de vida, seguindo a orientação médica, o João Pedro fez seu primeiro ultrassom. O resultado foi o mesmo: rins dilatados. Apesar disso, ele não apresentava nenhum outro sintoma preocupante, mas tanto o pediatra quanto a nefrologista que procuramos quiseram investigar as causas com exames mais específicos. Aquele tamanho dos rins não era normal, mas não exatamente raro em recém-nascidos.

Com o passar do tempo e sem alteração no tamanho dos rins, com quatro meses, nosso filho fez o primeiro exame de medicina nuclear, chamado nefrograma radioisotópico. Esse procedimento — que é muito agressivo, pois o bebê tem que tomar contraste, é sedado e ainda fica amarrado — pode verificar e calcular as funções dos rins, da bexiga e de outros órgãos que poderiam já estar sofrendo com essa dilatação. Finalmente, conseguimos um diagnóstico: Estenose de JUP, isto é, estreitamento do canal que vai do rim para a uretra. Esse estreitamento impede a saída apropriada da urina do rim para o ureter, fazendo com que essa urina se acumule no rim, causando a dilatação.

Os médicos começaram com as más notícias. Desde a primeira consulta com a nefrologista, ela disse que esse canal não se alargaria sozinho, mesmo com o crescimento da criança; já tinha visto fechar ainda mais, nunca o contrário. Disseram que, como o tal canal era muito estreito, caso se acumulasse urina poderia evoluir para uma infecção e, dependendo da gravidade, nosso filho teria que ir direto para a sala de cirurgia para não prejudicar o funcionamento do rim.

Ficamos apavorados, mas nunca deixamos de orar e buscar a cura em Deus, o médico dos médicos. Na Marcha para Jesus daquele ano, marchamos com esse pedido de cura, pois os médicos admitiam a impossibilidade de cura, exceto com uma delicada cirurgia. Então, era caso para Deus. Precisávamos de um milagre.

Pelo diagnóstico, nosso filho não poderia urinar normalmente, mas urinava. A cada 15 dias, eu levava o João Pedro para fazer novos exames de urina e ultrassom dos rins, um acompanhamento obrigatório. Entretanto, no dia 13 de junho de 2012, após um final de semana em que ele chorou muito, fomos ao pediatra já com o resultado do exame de urina. Para nossa tristeza, apontava uma infecção de urina muito forte causada por um micro-organismo chamado *Klebsiella pneumoniae*, o que não deveria acontecer. Os leucócitos, que não poderiam dar mais que 20.000, eram superior a 1.000.000/ml.

Com isso, a nossa preocupação aumentou, pois, de acordo com os alertas iniciais, esse tipo de infecção poderia acabar na sala de cirurgia. Não queríamos isso para nosso filho tão pequeno.

Era uma quarta-feira. Saímos do consultório com novos pedidos de exames; a nefrologista já queria deixar tudo encaminhado para uma possível internação. Fomos ao laboratório, refizemos os exames de urina e ultrassom e fomos direto para a igreja, para o culto "Noite de Poder", com o apóstolo Estevam Hernandes, buscar em Deus a cura para nosso filho. Eu disse ao meu marido:

— Não saio da igreja hoje enquanto não subir no altar e pedir oração — e fui lá para frente na hora da oração, com o João Pedro no colo.

O apóstolo Estevam, antes que eu dissesse qualquer coisa, olhou pra mim e disse:

— Ele está com problema no rim — e já começou a orar.

Na hora da oração, o apóstolo simplesmente colocou as mãos sobre o João Pedro e orou; foi tremendo. Senti um calor e, para meu espanto, nosso filho deu um grito como se fosse dor e alívio ao mesmo tempo. Eu tremia e sentia aquele calor; tive a certeza da presença do Espírito Santo. O mais marcante é que nem precisei dizer nada. Tenho a certeza de que a cura aconteceu no momento da oração no altar na casa de Deus.

No dia seguinte, retornamos ao consultório da nefrologista e ela mandou refazer os exames de medicina nuclear, que eram extremamente desgastantes para todos nós. Nosso coração doía em ver nosso pequeno filho passando por tudo aquilo, mas, naquela ocasião, foi para uma boa causa. Após uma semana, com os resultados dos exames em mãos, a mesma médica que disse nunca ter visto um canal alargar deu a notícia:

— Nunca vi um canal alargar, mas pelos resultados, parece que alargou.

O exame comprovava numericamente um fluxo de urina passando pelo canal que nunca antes havia passado.

Gritei, chorei... Sabia que era nosso presente de Deus. Para os médicos, qualquer milagre era impossível, mas para nós não. O JP fez mais exames como cintilografia renal e mais um nefrograma radioisotópico, além de ultrassom e exame de urina. E, para honra e glória do Senhor, nosso filho foi curado.

O canal, que segundo os médicos ficaria estreito para sempre sem cirurgia, alargou de uma maneira que os médicos não conseguiram entender ou explicar.

Ele recebeu a alta médica, fez a cirurgia da fimose para melhorar ainda mais a questão urinária e está muito bem. Novos exames, só daqui um ano, para comprovar mais uma vez que ele foi curado.

Deus é fiel!

Marcelo e Claudia Maciel
São Paulo – SP

Capítulo **8**

Um milagre todo dia

"Só há duas maneiras de viver a vida. Uma é pensar que nada é um milagre. A outra é pensar que tudo é um milagre." A frase é do físico alemão Albert Einstein. Eu escolhi a segunda opção. Vivo milagres diariamente, pequenos e grandes. Eles são pistas claras da presença de Deus no meu caminho e me alegro com cada um deles.

Desde criança, aos nove anos, comecei a trabalhar. Fiz carreto na feira, trabalhei em açougue, tinturaria e quitanda. Não havia tempo ruim. Nunca fiquei desempregado. Deus sempre esteve ao meu lado, me dando força para trabalhar e me abençoando, pois nunca soube o que é indisposição. Quando estava com 14 anos, entrei em uma empresa como *office-boy*. Permaneci naquele local por 12 anos. Nesse período eu me converti, iniciei minha vida ministerial e conheci o poder, amor e suprimento de Deus aplainando meus caminhos.

Quando Sonia e eu nos casamos, ainda trabalhava na mesma empresa, mas já como gerente geral. Foi quando recebi uma proposta para ingressar como diretor em uma metalúrgica. As condições eram melhores e, realmente precisávamos incrementar os ganhos da família, pois os filhos estavam chegando. Passado alguns meses, a empresa pediu falência e tive que retornar ao mercado de trabalho. Não foi fácil, mas confiava que Deus abriria portas.

Após orar em busca de uma recolocação, fui trabalhar como vendedor na empresa Xerox do Brasil. Não me intimidei com a diferença de posição e de salários (saí de diretor para atuar como vendedor). Meu trabalho era prospectar novos clientes. Eu não tinha uma carteira com empresas pré-selecionadas para atender. Como antes, agora teria que começar do zero, literalmente.

Nossa família, que estava acostumada a um padrão de vida confortável, foi afetada. Tivemos que fazer muitos sacrifícios até eu me estabilizar novamente. Saía cedo e voltava tarde; chegava a gastar uma sola de sapato por semana de tanto que andava. Percorria regiões da cidade de São Paulo em busca de novos clientes. Antes de sair, a Sonia orava comigo. Ia até a porta e sempre tinha uma palavra de encorajamento, uma palavra profética para aquele dia.

Enquanto eu saia para buscar o sustento para nossa família, ela cuidava da casa e das crianças. Foi uma época difícil sob o ponto de vista financeiro. Buscamos ainda mais a presença e a orientação de Deus e ele nos dava estratégias. Quando já sabia qual era a região que tinha que percorrer para vender as máquinas copiadoras, estendíamos o mapa da cidade de São Paulo na mesa da sala ou no chão e orávamos abençoando as ruas onde eu trabalharia no dia seguinte e profetizando que eu seria bem-sucedido.

Eu saía e a Sonia continuava intercedendo e orando sobre o mapa. Deus me abençoava e aconteciam coisas loucas. Por exemplo, enquanto caminhava, algo chamava minha atenção para uma placa de determinada empresa. Era como se ela brilhasse. Entrei nesses locais várias vezes sem qualquer perspectiva e, ao chegar, era recebido pelo dono da empresa. Ao me identificar, ele exclamava:

— Puxa vida! Eu estava tentando falar com a Xerox e não conseguia.

Ou então:

— Acabei de ligar lá e você já está aqui?

Era Deus. Através desses milagres diários que incluíam força, humildade, estratégia e visão do mundo espiritual,

Deus nos deu muito sucesso e nos reerguemos para uma das melhores condições financeiras de nossa vida. Eu tinha consciência da minha capacidade e condição pessoal e empenho, mas sabia que, sem o favor e a interferência de Deus, minha vida profissional não prosperaria.

Favo de mel

Tanto eu quanto a Sonia fazíamos faculdade quando nos casamos. Apesar de sempre desejar uma família e ter uma afinidade grande com as crianças, tínhamos o acordo de só ter filhos após o término de nossos estudos. Não foi o que aconteceu. Praticamente dez meses após nosso casamento a Sonia engravidou. E, para minha alegria, nasceu o Felippe. O menino que eu sempre sonhei; um presente de Deus, tenho certeza.

Depois de dois anos, tivemos a Fernanda. Ela nasceu justamente naquele período complicado que mencionei, quando estava na transição de emprego. Para piorar, por pouco não a perdemos por causa de complicações na gravidez. A Sonia teve um sangramento fortíssimo e nem o médico achou que ela fosse segurar o bebê. Graças a mais um desses milagres, no dia 5 de maio nasceu uma menininha loirinha, de olhos azuis. A coisa mais linda e impressionante. Eu sempre digo que a Fernanda foi um favo de mel que a gente tirou de dentro do leão. No meio de uma fase muito difícil da nossa vida, o Senhor nos trouxe alegria, força e doçura.

Dessa forma, tudo em nossa vida e ministério sempre dependeu do sobrenatural de Deus. Nada foi sorte ou coincidência. A mão forte do Senhor esteve conosco desde o primeiro dia em que entregamos nossa vida a ele e lhe demos o controle absoluto do nosso futuro. Aprendemos a esperar, viver e enxergar que para cada manhã há um milagre de Deus. É bem como a Sonia escreveu na música "Tua glória", do *Renascer*

Praise 7:

"Para cada manhã, há um milagre de Deus;
Andando com Jesus não há perdas.
Só abrindo espaços para o novo de Deus,
tirando o velho para que venha o melhor (...)
O Alfa é Jesus, o princípio e o fim.
Todo resto é só o meio..."

E de fé em fé, e de milagre em milagre, construímos uma história de dependência total de Deus, sem o qual não sabemos viver. Exatamente por isso somos gratos. Pelos grandes e pelos pequenos milagres. Mas se você me perguntar qual o maior milagre que vivi, vou lhe dizer que o maior milagre é ter meu nome escrito no Livro da Vida. Ser filho de Deus e ter um relacionamento diário com ele. Esse é o milagre que me faz feliz, que traz luz para as minhas trevas, que me dá esperança e motivo para prosseguir.

Quero incentivá-lo, durante esse capítulo, a se alegrar todos os dias com tudo o que tem recebido de Deus. A rever seus conceitos sobre o que espera de Deus ou o que você acha que ele é. Isso pode tê-lo transformado numa pessoa ingrata, que se revoltou com o Senhor por achar que ele não lhe deu o suficiente. Gostaria que fizesse uma análise honesta sobre si. Pergunte-se: "Sou do tipo que imagina que todo mundo me deve algo? Os pais, os amigos, os irmãos, o pastor, o cônjuge, a vida ou Deus? No fundo, será que imagino que todos eles são meus devedores?" Se a resposta for sim, você precisa de uma boa dose de autocrítica.

Eu sou grato a Deus pela vida, família, igreja, irmãos e natureza. Em tudo posso ver Deus. Ele fala comigo através de toda a criação, o tempo todo. Em uma de nossas viagens de férias, conhecemos as Cataratas do Iguaçu. Diante daquela maravilha da natureza, criação perfeita de Deus, o Espírito Santo falou comigo profundamente e me deu a música "Águas". Falei para a Sonia:

— Vamos voltar para o hotel correndo. Preciso de papel e caneta, porque Deus me deu uma música.

Sentei-me no quarto do hotel e escrevi quase sem parar:

Ao olhar-te cristalina, te pergunto de onde vens?
Tua força me assusta, tua beleza me emudece
Teu mover me traz canções.

Água pura que nasce de Deus
Do ventre do homem transborda
Trás em suas margens a cura
E a paz que conforta.

Água viva que é Jesus
Vinda do trono de Deus
Um turbilhão de virtudes
Pra todos que são seus.

Reconheço a mão do meu Deus em cada conquista. Sejam elas pequenas ou grandes. Em cada vitória fico agradecido. Alegro-me com a vida e com as pessoas; alegro-me com o mundo que Deus criou, apesar da sua degradação. Não me permito ser ingrato ou indiferente ante as manifestações diárias de cuidado do meu Criador.

O escritor e poeta G.K. Chesterton disse: "A questão não é que esse mundo é triste demais para ser amado ou alegre demais para não o ser; a questão é que quando se ama alguma coisa, a sua alegria é a razão para amá-la, e a sua tristeza é a razão para amá-la ainda mais." Um mundo com problemas, pessoas com problemas — temos motivos para amá-los.

Outro escritor, o norte-americano Stephen Covey, contou que estava no metrô de Nova York absorto em sua leitura quando, de repente, em uma estação o sossego acabou. Uma família formada pelo pai e seis crianças entraram no vagão e provocaram grande tumulto; elas não paravam de correr, gritar e brigar umas com as outras. Covey esperou que a confusão terminasse, mas aquele pai não fazia nada. Após um bom tempo, dirigiu-se ao homem e disse educadamente:

— O senhor não deveria falar com elas e pedir que se sentassem?

— Sei que eu deveria — respondeu o homem — mas acabamos de sair do hospital e a mãe deles morreu há uma hora; não sei o que fazer. (Extraído de *O impostor que vive em mim*, Brennan Manning, Editora Mundo Cristão).

É fácil julgar o mundo um lugar terrível e viver reclamando quando se desconhecesse a dor do outro.

Queridos, Deus ama os perdidos. Ele ama os infelizes, a natureza e até mesmo os eternamente insatisfeitos. Porém, somente quando paramos de reclamar, deixamos a ingratidão de lado e nos tornamos participantes desse amor é que conseguiremos ver claramente os milagres de cada dia. Chesterton também escreveu, em seu livro *Ortodoxia* (Editora Mundo Cristão): "O desespero não está em cansar-se do sofrimento, mas em cansar-se da alegria." A ingratidão pode levar a isso.

Uma igreja feita de milagres

Em nossa caminhada espiritual, a relação com Deus não existiu apenas nas horas de aperto. Falávamos com o Senhor o tempo todo, tanto eu quanto a Sonia. Orávamos pela nossa família, filhos, trabalho e ministério. Passamos a sonhar os sonhos de Deus e a desejar intensamente cumprir o envio de Jesus, o "ide e pregai o evangelho a toda criatura". Algo muito especial então começou a acontecer. O trabalho para Deus foi ocupando aos poucos todo o espaço de nossas vidas. Estava acima dos nossos desejos e ambições pessoais. Nossas experiências com milagres foram aumentando na mesma proporção.

Um exemplo foi no início do evangelismo por meio dos meios de comunicação eletrônicos. Foi um milagre tremendo. Nosso desejo era desenvolver ações evangelísticas que tivessem efetividade e alcance, o que só seria possível através dos meios de comunicação de massa. Perseguíamos esse sonho. Desejávamos ter uma rádio onde pudéssemos levar cada vez mais longe a mensagem de Jesus, sem os absurdos da religião. Isso parecia algo impossível. Para muitos ainda a TV e o rádio eram considerados como "coisa do diabo". Naquela época, não existia em São Paulo rádio cristã ou FM evangélica com uma programação de qualidade. Existiam apenas algumas rádios AM de igrejas, mas que somente transmitiam cultos. Nosso desejo era comunicar o Evangelho de maneira criativa, com qualidade e em um formato moderno. Queríamos que as pessoas ouvissem. Queríamos que conhecessem a Deus como nós o conhecíamos: Deus conosco, presente e maravilhoso, a cada dia e toda hora.

A sociedade havia criado um estereótipo sobre os "crentes" e tudo o que existia em termos de comunicação, infelizmente, reforçava essa ideia errada. A de que cristão evangélico era pobre, feio, ignorante e fanático. Por tudo aquilo que existia, e essa era minha grande preocupação, criou-se uma barreira quase intransponível, e meu objetivo era quebrar esse estereótipo. Queria mostrar que qualquer pessoa, fosse ela um médico, jornalista, professor universitário ou roqueiro, independentemente de sua condição social, acadêmica ou de suas preferências musicais, deveria se abrir para conhecer o amor de Deus. O Evangelho é para todos: pobres, ricos, jovens, idosos, cultos, incultos, certinhos ou errados... Todos!

Obviamente, os protestantes sempre estiveram presentes em quase todos os setores da sociedade. Em universidades, hospitais e altos cargos. Mas muitos não assumiam a sua fé. Tinham vergonha. Escondiam-se, o que não ajudou em nada na disseminação do Evangelho no país, mas só reforçou a propagação do estereótipo.

Eu desejava mostrar que Cristo não subverte a inteligência. Não anula personalidades e nem subtrai nada de ninguém, muito pelo contrário. Ele potencializa e vivifica nossas qualidades e potencialidades. Jesus é um diferencial de vida maravilhoso. Ser cristão não significa ser alienado. Trabalhamos essas verdades e essa mensagem até hoje. Infelizmente, ainda existem muitos preconceitos, falsos paradigmas e barreiras. A Marcha para Jesus foi um enorme avanço nesse sentido. Fizemos a primeira da América Latina em 1992. Mostramos nossa cara, saímos às ruas levando uma única bandeira, pregando apenas o que sempre nos interessou e foi nosso objetivo desde o início: falar para o mundo todo que Jesus Cristo é o Caminho, a Verdade e a Vida.

O início da nossa incursão pelos meios de comunicação aconteceu entre 1989 e 1990. Gravamos uma fita cassete com um programa "demo" de rádio. Gravamos só rock, algo totalmente desassociado do estereótipo evangélico. Olhamos no *dial* e decidimos bater na porta da antiga Rádio Imprensa. Preparamos uma apresentação sobre o que era o conceito gospel, marcamos a reunião e fomos com a expectativa de alugar uma hora para fazer um programa diário. A reunião foi conduzida por uma diretora que estava extremamente fechada e dura. Quando se falava qualquer coisa acerca do mundo evangélico, as pessoas tinham um preconceito absurdo.

Começamos a conversar, mostramos para ela o que poderíamos fazer, a nossa intenção, o conceito, o potencial de crescimento. E Deus nos deu graça. De repente, a sorte mudou e saímos de lá com 15 horas da rádio em nossas mãos. Uma coisa sobrenatural, primeiro porque a gente não tinha estrutura — nunca tínhamos feito rádio e não sabíamos o que fazer —, segundo porque fomos buscar uma hora e ganhamos 15. Deus! Deus no comando, dando além do que pedimos ou sequer imaginamos.

Quando Deus abre uma porta, a gente entra. Trabalhamos dia e noite e colocamos a rádio no ar. Entrava às 9 horas, ficava o dia todo, e voltava à noite. A rádio chegou a ficar entre as cinco mais ouvidas de São Paulo. Estabelecemos um pioneirismo e um padrão de qualidade diferenciado porque trabalhávamos muito com músicas importadas, levando a Palavra de Deus de forma contextualizada e criativa, o que resultou em um grande fenômeno de audiência.

Lançamos o programa *La femme*, o embrião do que é hoje o *De Bem Com a Vida*, apresentado pela bispa Sonia. Ela, que é nutricionista e tinha uma butique, teve que encarar o microfone de uma rádio. Foi uma loucura. Passamos alguns apertos, mas juntos aprendemos a fazer o que achávamos que não poderíamos ou não sabíamos e até nem imaginávamos como, por exemplo, assumir a programação de uma rádio FM, entre tantas outras. Tudo foi dando certo. A maneira como Deus abriu as portas foi um grandessíssimo milagre. Assim foi o início do *boom* do gospel no Brasil. Uma explosão que não imaginávamos. Tornamo-nos os pais do gospel no Brasil. Acho que quando Abraão começou a andar pela fé, não imaginava que seria conhecido por gerações, enquanto a humanidade existir, como "pai da fé"; assim também conosco quando trouxemos e introduzimos a música gospel no país.

Naquela época, se alguém quisesse escutar música cristã tinha que recorrer às fitas cassetes ou LPs. A partir dessa programação que assumimos na Rádio Imprensa — e que passou a se chamar Imprensa Gospel —, as pessoas ligavam seus rádios no carro, em casa, onde fosse, e ouviam música cristã de todos os ritmos, em português, em inglês. Ficavam impactadas e ligavam emocionadas para a rádio, contando os milagres que estavam vivendo, as mudanças que a rádio estava provocando em suas vidas, casas, famílias. Uma verdadeira revolução!

E esse milagre, que foi a Rádio Imprensa, produziu milhares de testemunhos de vidas impactadas pelo poder de Deus. Os frutos existem até hoje. Recentemente, em nosso programa atual chamado *Renascer em Revista*, que vai ao ar diariamente pela FM 90,1 e pela TV Gospel, uma mulher deu seu testemunho comovente. Ela esteve por 24 anos presa à feitiçaria, um envolvimento tão grande que a enlouquecia. O marido estava desempregado há dois anos, e a família, destruída. Um dia, trocando de canal, ela sintonizou na TV Gospel. A Sonia estava pregando e ela parou para ouvir. Tempos depois, uma amiga a convidou para ir à Marcha para Jesus. Ela foi, entregou sua vida a Cristo e teve a sorte completamente mudada, sua família transformada. Testemunhos como esse recebemos às dezenas, centenas, diariamente

A rádio, um grande milagre, gerou e gera até hoje outros grandes milagres. Dentre eles — e o mais especial de todos para nós —, deu-nos um filho. Isso mesmo. A Sonia estava no ar e uma de suas ouvintes era uma moça casada, com dois filhos e que estava grávida. Ela fazia parte de uma igreja muito religiosa e, por razões que não vêm ao caso, estava sendo ameaçada de ser afastada do grupo de louvor do qual fazia parte. Quando se viu grávida, sentiu-se ainda mais pressionada e escondeu até quando foi possível.

Ao ouvir a Sonia na rádio, teve certeza: "Essa mulher é a mãe desse bebê." Saiu em busca de uma forma de nos contatar e, ao nos encontrar, reforçou: "Vocês são os pais dessa criança." Ela e o marido estavam muito convictos da decisão, e nós fomos orar, buscando uma direção de Deus. Sempre tivemos desejo de, além de gerar filhos, adotar, até mesmo pela afinidade que sempre tivemos com crianças, mas tratava-se de uma decisão muito séria envolvendo duas famílias.

Tanto eu quanto a Sonia trabalhávamos em média 18 horas por dia sem conhecer feriado ou finais de semana. Ainda assim, passamos a dar todo o acompanhamento àquela família. Providenciamos hospital e fizemos de tudo para que eles pudessem assumir o bebê, mas os pais biológicos continuavam declarando que ele era nosso. Quando deu a luz, ela disse: "Esse filho é da bispa." Assim, após orarmos e entendermos que fizemos de tudo para ajudar a família, e diante da posição irredutível por parte deles, levamos nosso filho para casa.

Foi um amor tão grande, algo tão impressionante de Deus que só confirmou nossa decisão. O Felippe e a Fernanda também se apaixonaram pelo Gabriel Asaph, nome que demos a ele para que pudesse ser aquele que louva, um ministro de louvor. Ele foi adotado legalmente e foi uma grande, grande bênção em nossas vidas. Hoje, é um *rapper* e tem sido nossa alegria. Só posso dizer que foi algo de Deus, com certeza. Uma história linda de amor que nos modifica, alegra, transforma e, todas as vezes, ajuda-nos a entender a grandiosidade do plano de Deus para uma vida. Gabriel, um grande, grande milagre. Todos os dias são assim. Dezenas de testemunhos de milagres. Casamentos restaurados, curas sobrenaturais e mais pessoas conhecendo e vivendo debaixo dos cuidados do amor de Deus. São 23 anos no ar e, graças ao milagre de Deus, nosso objetivo vem sendo alcançado. Uma vida salva vale mais que o mundo inteiro.

Entrando na TV

Após nossa experiência vitoriosa no rádio, decidimos partir para a televisão. Alugamos algumas horas na antiga TV Manchete. Sonia e eu apresentávamos o programa *De Bem Com a Vida*, aos sábados pela manhã, e o *Clip Gospel*, no começo de madrugada. As pessoas nem se davam conta de que se tratava de um programa evangélico. Muitos músicos assistiam e curtiam. Colocávamos clips de artistas do gospel internacional e a repercussão era sensacional. Também encerrávamos diariamente a programação da Manchete com uma pequena palavra que a Sonia ministrava — o que chamou a atenção inclusive da mídia secular, tal o efeito maravilhoso que produzia nas pessoas. Começamos a perceber ainda mais o poder e alcance daquele meio de comunicação.

Se tivéssemos feito tudo isso com dinheiro, seria fácil. Mas fazíamos com fé. Quantas vezes colocamos valores do nosso próprio salário. Era um preço alto a ser pago, em todos os sentidos. Vivíamos sempre com a água batendo no queixo, como dizem.

Por exemplo, quando entramos na Rádio Imprensa, contávamos com um grupo de pessoas que amava a Jesus, acreditava naquele projeto evangelístico e podia contribuir. Reunimos essas pessoas e dividíamos as despesas em cotas iguais. Quando chegou o terceiro mês de programação, a maioria não pode mais continuar e queria que entregássemos a rádio. Eram pessoas bem-intencionadas, mas estava realmente pesado para eles. Naquele dia tomei uma atitude de fé e disse:

— Eu não creio que Deus nos coloque em projetos falidos. Esse projeto é de Deus.

Assumimos integralmente as despesas, simplesmente porque tínhamos convicção do nosso chamado e de nossa determinação para realizar aquilo que Deus preparou para nós. De outro modo, também teríamos desistido. E pelos milagres de cada dia a rádio permaneceu no ar.

Já nessa época, o Katsbarnea, um conjunto de rock gospel nacional que começou na minha casa com 12 jovens libertos das drogas, estava formado. Essa foi outra história muito louca que eu não planejei mesmo. Nunca pensei em hospedar 12 rapazes, alimentá-los, formá-los e ajudá-los a se libertar dos vícios, ou em transformar minha própria casa no primeiro centro de recuperação para viciados em drogas da Renascer. Foi uma coisa completamente dirigida por Deus.

O primeiro desses 12 foi o Simion. Eu trabalhava na área de marketing da Xerox e tinha contratado a Celi Campelo para fazer uma festa dos anos 1960. Uma semana antes ela cancelou sua participação e ficamos sem ninguém para tocar no evento. Foi quando me falaram de um músico muito bom. Marcamos uma reunião e o Simion apareceu na empresa. Chegou de óculos escuros, superchapado. Eu ouvi uns trabalhos dele e gostei. Perguntei sobre o cachê. Era infinitamente mais barato que o da Celi Campelo e fechamos negócio.

Fizemos a festa. Por volta das três horas da madrugada, o Simion já tinha acabado de tocar e começamos a conversar. Desde que o conheci, fiquei incomodado e sabia que, mais cedo ou mais tarde, falaria sobre Jesus Cristo com ele. A Celi Campelo não havia desistido à toa daquela festa. Havia um propósito de Deus em tudo aquilo. Eu, é claro, aproveitei aquele fim de festa e conversamos sobre fé, música e, por fim, convidei-o para ir até o prédio da Igreja Árabe, onde nos reuníamos, e que fica até hoje na rua Vergueiro, em São Paulo.

O Simion dizia que não gostava de igreja, mas um dia acabou aparecendo. Ele vivia um período conturbado: tinha sido chamado para fazer uma turnê pela Europa, mas fora enganado pelo empresário e a vida dele virara de pernas para o ar. Quando retornou ao Brasil, estava tão decepcionado que foi morar com os mendigos na praça da Sé. Fui lá buscá-lo e levei-o para morar na edícula da minha casa.

Com o tempo ele passou a ir à igreja conosco. Ficava observando os músicos que tocavam nas reuniões que, obviamente, não eram profissionais, e dizia:

— Não dá para tocar com esses caras. Eles são muito ruins.

A Sonia respondia:

— Ok! Então, vá procurar a sua banda. — e ele foi.

Andava por bares onde se podia ouvir música ao vivo pelas noites da cidade. Um dia encontrou o Paulinho Makuko, um ótimo percussionista, sua esposa, Cláudia e seu filhinho de dois anos, o Marrash. Ele, completamente viciado, e ela, punk. Tempos depois foram passar um Natal em nossa casa e não saíram mais. Foi tudo sempre bem natural. Era aquilo em que acreditávamos. Que Deus tinha uma obra restauradora para fazer na vida de cada um. Pouco a pouco foram chegando outros, sempre ligados à música e com histórico de vício. Um dia percebemos que havia 12 "malucos" dentro da nossa casa, mas, por tudo o que estava acontecendo na vida deles, entendemos que era a vontade de Deus. Sonia e eu tínhamos o mesmo sentimento. Aceitávamos pagar o preço. Sonia, nossos dois filhos mais velhos — ainda não tínhamos o Gabriel — e eu passamos a viver em nosso quarto e cedemos os outros dois para as moças e a edícula para os rapazes e, efetivamente, eles foram libertos.

Com todos esses jovens em casa, uma preocupação era constante: formá-los na Palavra de Deus. Quase que diariamente nos reuníamos informalmente para ministrá-los, ler a Bíblia, orar. Muitas e muitas vezes, passei madrugadas inteiras ensinando-lhes a Palavra de Deus, orando com eles e, ao amanhecer, tomava um banho e ia trabalhar. Acabamos definindo as segundas-feiras como dia oficial das nossas reuniões de evangelismo. Sentávamos na sala de casa, que ficava na rua Onix, 46. Ali o grupo tocava violão e cantava. Convidávamos as pessoas, os jovens da redondeza, através de folhetos entregues pessoalmente. Quando fomos para a Igreja Árabe, decidimos continuar com essas reuniões às segundas-feiras, sempre com forte apelo musical. A qualidade melhorou e novos músicos chegaram. Começamos a compor e aconteceu a primeira formação do Katsbarnea.

As reuniões já estavam lotadas e não parava de aparecer mais jovens. Decidimos fazer um grande evangelismo no Ginásio Poliesportivo do Ibirapuera, em São Paulo. Isso demandava investimentos e tínhamos, como sempre, uma direção de Deus e fé. Gravamos uma fita cassete chamada "O som que te faz girar". Não sabíamos se teria aceitação ou o que aconteceria. Sobrenaturalmente, portas foram se abrindo. Orávamos e saíamos à procura de patrocinadores e veículos de divulgação, pois o show era gratuito. A entrada era um quilo de alimento não perecível, que depois distribuíamos às famílias carentes.

Foi maravilhoso. O Katsbarnea tocou trazendo inovação à música cristã. Eles também testemunhavam, contando sobre a libertação das drogas e a transformação de suas vidas. Eu preguei e centenas e centenas de jovens vieram à frente através do "corredor da vida", um corredor que se abria no meio da multidão para que aqueles que quisessem ter suas vidas transformadas pudessem passar, ir até perto do palco, desfazer-se das drogas — que muitas vezes estavam portando no momento — e receber uma oração e iniciar uma nova vida com Jesus.

Os resultados de cada uma das reuniões de segunda-feira e dos shows de evangelismo como este foram surpreendentes e extrapolavam tudo o que poderíamos desejar e até sonhar. Até hoje, por onde vamos, vez ou outra, encontramos pessoas que testemunham o quanto esses eventos mudaram suas vidas.

Quando a igreja se mudou para a avenida Lins de Vasconcelos, 1.108, que foi outro grande milagre, as reuniões das segundas-feiras continuaram. A princípio aconteciam apenas no saguão do prédio. Com o tempo aquele espaço não comportava mais tanta gente e subimos para a galeria, porém, ali também ficou pequeno. As pessoas apareciam de forma espontânea, só no "boca a boca", e na direção de Deus. Não tínhamos ainda mídia e nem fazíamos qualquer tipo de divulgação em larga escala.

A partir de nossa entrada na Rádio Imprensa e do momento em que começamos a anunciar o endereço da igreja, as reuniões das segundas-feiras à noite na Lins de Vasconcelos ficaram superconhecidas em toda a cidade. Apareciam pessoas de todas as religiões e credos; muitos músicos, drogados, roqueiros, sambistas, cabeludos, jovens e famílias inteiras. Era algo alternativo que explodiu, definitivamente. Então, passamos a ocupar a parte principal do prédio da Lins de Vasconcelos — que anteriormente abrigava um cinema.

Construímos uma plataforma bem alta, que funcionava como palco, arrancamos o carpete velho e deixamos o piso no cimento bruto, no contrapiso. A cada semana, bandas diferentes se apresentavam ali, alternando vários estilos, mas nenhum ritmo era proibido; o rock, no entanto, acabou prevalecendo.

Quem passava na porta, dificilmente imaginaria que se tratava de uma igreja. O valor da entrada era o mesmo: um quilo de alimento não perecível. O ambiente era pouco iluminado, luzes piscando, estroboscópio e rock pesado. O que queríamos era atrair pessoas marginalizadas pela religião ou pela sociedade para que enxergassem o amor e a aceitação de Cristo — e estava dando certo. Foi puro milagre de Deus para tudo isso acontecer.

Em cada uma dessas reuniões, é claro, havia o momento da pregação, em que falávamos sobre o amor e o perdão de Deus. Nossa tentativa era sempre mostrar como Deus não tinha qualquer preconceito ou estereótipo. Deus aceitava a cada um como estava para então iniciar sua obra transformadora. Nesse mover, os viciados que apareciam eram curados. Tudo era muito espontâneo e livre, sem qualquer resquício de religiosidade. Uma grande conquista.

Este meu filho estava morto e reviveu

Em uma dessas segundas-feiras na igreja, desci para cumprimentar as pessoas que passaram pelo "Corredor da Vida". Coloquei a mão nas costas de um camarada. Ele olhou para mim com raiva e esbravejou:

— Não coloque a mão em mim, porque eu estou armado. Eu vim aqui para te matar.

Eu o convidei para me acompanhar até uma das salas na parte debaixo da igreja. Ele trazia uma pistola semiautomática. Comecei a ministrá-lo. Ele se quebrantou e chorou muito. Foi algo tremendo. Ele estava perdido, precisando urgentemente de Deus. Era a ovelha perdida, o filho sobre o qual Jesus fala em Lucas 15:24: "[porque] este meu filho estava morto e reviveu, estava perdido e foi achado."

Ele era dono de uma boca de fumo e tinha três homicídios nas costas. Depois desse dia, converteu-se. Não só ele, mas toda sua família. Abandonou as drogas e mudou de vida completamente. Já fazia mais de um ano que estava na Igreja quando teve que enfrentar o julgamento. Fiquei ao seu lado como testemunha e Deus me deu graça, porque o juiz disse:

— Fale o que o senhor quiser.

Esse tipo de convite para mim é um perigo.

Aproveitei e fiz uma pregação de quase trinta minutos. Falei sobre a história de Zaqueu, sobre o ladrão que foi crucificado ao lado de Jesus na cruz e como o poder do amor de Deus é capaz de transformar uma pessoa que era um criminoso em uma nova criatura. Quando terminei os jurados estavam emocionados. O Senhor esteve ao lado daquele homem em todo esse processo e ele pagou, em paz, o que devia à justiça dos homens, pois Jesus já havia acertado as contas com o Pai em seu lugar. Foi uma experiência muito forte e um sinal inquestionável, entre milhares de outros, de que aquela obra não era nossa, mas de Deus. Esse tipo de experiência nos dava forças para continuar, apesar das críticas e acusações dos religiosos.

As drogas sempre foram uma preocupação constante para mim. Vi o estrago que o vício causou na vida dos meus amigos de infância e a destruição crescente na vida dos jovens. Por essa razão, essas pessoas eram nosso maior foco. Cria que somente com a ajuda de Deus uma pessoa totalmente dependente do álcool, da cocaína, do crack, ou de qualquer droga teria condições de se reerguer. Elas chegaram até nós. Acho que o amor e o inconformismo que sentíamos nos habilitaram para falar com eles. Até nas letras das músicas procuramos falar uma linguagem que fizesse sentido para os "malucos", como foi em "Viagem da oração", "Johny, Johny", "Revolução", entre tantas outras do CD *Inesquecível*. Organizava evangelismo em escolas, em cursinhos, em shows, e pregava sempre. Eu tinha uma verdadeira obsessão em ver as vidas restauradas e livres pelo conhecimento de Jesus Cristo. Realmente vi, tenho visto e quero continuar a ver.

Gratidão

Essa pequena parte das grandes aventuras que vivemos no início do ministério foram regadas por muita oração, clamor e choro. Garanto que não teríamos chegado até aqui se não fossem pelos milagres de cada dia. Deus sempre esteve ao nosso lado e, a despeito dos nossos desejos não realizados, somos agradecidos pelos muitos atendidos e pelo tanto que não pedimos e recebemos, e podemos ver o seu amor e a sua mão nos protegendo e nos sustentando. Temos incontáveis motivos para agradecê-lo.

A gratidão é uma virtude que, verdadeiramente, precisa fazer parte do seu caráter. Por exemplo, quando a Sonia foi para o hospital ter a nossa segunda filha, a Fernanda, eu tinha que pagar o anestesista no dia seguinte. A Fê nasceu no dia 5 de maio, mas eu só receberia meu salário no dia 10. Eu, que nunca tinha pedido dinheiro emprestado na minha vida, naquela ocasião tive que recorrer a um amigo. Ele me emprestou o valor e, depois de uns cinco dias, devolvi tudo direitinho. Já se passaram trinta anos desde então. Mas não me esqueço. Sempre que ele precisou, o ajudei. Não tenho obrigação, mas tenho gratidão porque ele me atendeu em uma hora de necessidade. Faz parte da lealdade e da integridade. Faz parte desse caráter construído sobre valores cristãos. A ingratidão faz com que qualquer tipo de relacionamento torne-se insustentável, inclusive com Deus.

E como podemos demonstrar nossa gratidão a Deus? Do ponto de vista espiritual, Paulo escreveu aos Tessalonicenses sobre o assunto: "Em tudo, dai graças, porque esta é a vontade de Deus em Cristo Jesus para convosco" (1Tessalonicenses 5:18).

Paulo falava de uma amplitude de consciência, a mesma que Davi demonstrou quando disse: "Tudo vem de ti, e nós apenas te demos o que vem das tuas mãos" (1Crônicas 29:14).

Sou grato a Deus por todas as coisas porque, no meu caráter espiritual, entendo que tudo que tenho recebi de Deus.

A pessoa só pode ser agradecida quando é humilde. A arrogância e a prepotência fazem com que as pessoas nunca se sintam ajudadas ou dependentes de algo, nem de alguém. A consequência é que não têm nada a agradecer. Quando você reconhece as obras e o favor de Deus, passa a compreender os livramentos visíveis e os invisíveis. Percebe as pessoas que ele coloca no seu caminho e dá graças por isso. A gratidão dá força e alegria ao relacionamento, estimulando-o a ser ainda mais gratificante.

Jesus curou dez leprosos (Lucas 17:12-19). Nove eram judeus e um era samaritano. Somente o samaritano, que era discriminado pelos judeus, voltou para agradecer. Os demais fizeram da cura uma pendência espiritual muito grande. Não tiveram a coragem de reconhecer o grande milagre que receberam e voltar para agradecer àquele que Deus usou para curá-los. Infelizmente, isso é comum. No entanto, a gratidão agrada a Deus, tenha certeza. Jesus o abençoou com um milagre maior ainda, que foi a salvação eterna, que também se traduz, aqui na terra, em ser salvo completamente da lepra em todas as suas formas.

A Bíblia diz que Davi era um homem segundo o coração de Deus. Logo ele, que errou, adulterou, matou. Porém, era um homem que tinha uma consciência de quem era e de onde saiu. O reconhecimento da sua caminhada tem que gerar gratidão no seu interior. Quando você não tem esse caráter espiritual ou não consegue avaliar o que tem e o que recebeu, termina como os leprosos que enxergavam mais o que não tinham do que o grande milagre que receberam.

É comum a ingratidão nas pessoas que foram preservadas das calamidades e malignidades do mundo. Por exemplo, as que nasceram em famílias cristãs bem-estruturadas e nunca passaram por experiências difíceis, agruras como libertação do vício em drogas. Essas pessoas têm dificuldade de enxergar, de reconhecer e de serem gratas por todos os livramentos que viveram por não serem contaminadas pelas trevas.

Infelizmente, é quase uma regra geral. Note os filhos de pessoas muito ricas. Alguém que nunca enfrentou necessidade alguma. Muitos não são gratos aos pais e muito menos a Deus pela vida que levam.

Espiritualmente é assim também. Foi o que aconteceu ao filho pródigo da parábola bíblica. Ele tinha tudo na casa de seu pai, mas não era grato pelo que havia recebido gratuitamente. Quis sua herança e foi embora. Tempos depois, após ter sido enganado e roubado, e perdido tudo, até ir parar em um chiqueiro, desejando a comida dos porcos, tal a sua miséria, reconheceu seu erro e voltou. Pedindo perdão ao pai e uma nova oportunidade. Aceitaria, agora, ser apenas um de seus empregados; não merecia mais do que isso. Esse é um exemplo de onde a ingratidão pode nos levar. Não espere perder para reconhecer. Como está escrito em Provérbios 27:7: "A alma farta pisa o favo de mel, mas para a alma faminta todo amargo é doce."

Aprenda a reconhecer Deus em seus caminhos. Ele está cuidando de você. Seja grato pelos grandes e pelos pequenos milagres. Comemore mais as vitórias e amargue menos as derrotas. Se seu nome já está escrito no Livro da Vida, não encare a vida com a perspectiva de um perdedor, insatisfeito ou incrédulo.

Um dia viajei de Curitiba para São Paulo. O avião era pequeno e ao meu lado ia uma moça com quem trabalhava. No meio do caminho, começou um temporal. Era uma chuva violenta. O piloto não sabia se voltava ou continuava. O quadro era de dar medo mesmo. Eu orei no meu lugar. Pedi que Deus nos guardasse e enviasse seus anjos para nos conduzir em meio à tempestade. Percebi que minha colega de trabalho estava apavorada e que, em determinado momento, tirou um papel da bolsa com uma imagem impressa. Ficou apertando-a entre as mãos com toda a força. Comecei a ministrá-la:

— Você precisa ter um Deus que te segure e não um que você tenha que segurá-lo.

Se você tiver consciência do poder, do amor e dos cuidados do Pai para com a sua vida, se tiver um coração grato e cheio de fé, todo dia haverá suprimento. Você viverá cotidianamente livramentos e enxergará a interferência, o milagre de Deus para você. O milagre nosso de cada dia.

Depoimento

EU ESCOLHO A VIDA

Era final do ano 2000 quando comecei a sentir muita dor de estômago. Nessa época, eu trabalhava como secretária-executiva de um diretor da BM&F — Bolsa Mercantil & Futuro. Como todo final de ano era sempre uma loucura, imaginei que fosse estresse ou, no máximo, uma gastrite. Jamais imaginaria que pudesse ser algo mais grave do que isso. No início do ano seguinte, fui ao médico. Ele me pediu vários exames e, após receber os resultados, disse que eu estava com o começo de uma úlcera no estômago. Receitou alguns remédios, disse para fazer exercícios físicos e tomar bastante líquido. Teve ainda o cuidado de tranquilizar-me dizendo que não seria nada mais grave do que isso.

Os remédios começaram a me fazer muito mal. Não demorou muito e comecei a vomitar sangue. Voltei ao consultório e o médico pediu outros exames, dessa vez mais detalhados. Fiz todos no Hospital Sírio Libanês e, quando abri o laudo do diagnóstico, perdi o chão. Resultado: linfoma maligno. Eu estava no trabalho e não sabia o que fazer. A partir daí, começou toda a batalha.

O médico chamou-me e disse que o caso era muito grave, pois já havia muitos focos de linfoma praticamente no estômago todo. Eu precisaria passar por uma cirurgia urgente. Nessa época, eu já frequentava a Igreja Renascer há dez anos. Era diaconisa e estava bastante envolvida no trabalho ministerial. Orava pelas pessoas enfermas e elas eram curadas. Agora quem estava com um diagnóstico de morte e precisava de um milagre era eu.

As dores aumentavam diariamente. Procurei um cirurgião já sabendo que meu estado era grave. Quando ele olhou os exames de tomografia, falou que o caso era gravíssimo. Os focos de tumores eram muitos. Havia duas opções: operava com ele ou procurava outro médico para uma segunda opinião.

Minha opção foi pela cirurgia porque entendi a urgência da situação. Fui para o centro cirúrgico e a partir daí é que começa o testemunho de fé e ação de cura. A Igreja inteira se moveu em oração pela minha vida. O apóstolo Estevam orava e clamava no rádio pela minha cura. Do Hospital Nove de Julho, onde estava internada, acompanhava todos os programas dele pelo rádio, e o apóstolo sempre profetizava a cura sobre a minha vida. Ele sempre dizia que essa doença não era para morte, mas sim para testemunho e ressurreição.

Fiz a cirurgia chamada gastrectomia total. Nessa operação todo o estômago é retirado e o esôfago é ligado diretamente ao intestino delgado. Além disso, perdi o baço, a vesícula biliar e um pedaço do esôfago. Conclusão: o médico que me operou não acreditava que eu fosse sobreviver. Ele dizia que eu era um milagre vivo, pois não acreditava que fosse suportar uma cirurgia desse porte. Perdi muito sangue e precisei de transfusões às pressas. Todo estômago estava infectado pela doença e eu não tinha nenhuma chance de sobreviver.

Um dia no hospital, eu estava triste, perguntado para Deus o porquê de tudo aquilo. Queria entender a razão de tanta dor. Eu estava muito debilitada e falava com o Senhor. Ao mesmo tempo, ouvia o culto pelo rádio. Foi nessa hora que a bispa Sonia disse assim:

— Você que está questionando a Deus sobre o porquê dessa enfermidade e toda essa situação de vale da sombra da morte, o Senhor manda dizer que há um memorial seu diante dele. Clame por esse memorial, pois essa enfermidade não é para morte.

Aquela mensagem confirmava o que o apóstolo Estevam já havia profetizado. Que tudo aquilo, por mais assustador, por pior que fosse, não poderia me matar. Nessa hora, eu senti que a cura estava selada. Senti aquela paz descrita na epístola aos filipenses (1:9), a paz que excede todo o nosso entendimento.

Ao mesmo tempo que o médico dizia que o quadro pós-cirúrgico estava muito complicado, eu sabia que estava curada. Com as orações que o apóstolo fazia, com aquela palavra da bispa e a intercessão de toda a Igreja, minha fé havia se fortalecido e era inabalável. Eu ainda não podia ver com os meus olhos, mas tinha certeza de que estava curada. Naquele dia, eu soube que, ainda que o hospital desmoronasse, eu sairia de lá viva. Era a palavra que estava sobre a minha vida. Sabia que tinha sobrevivido e que contaria isso, esse milagre de ressurreição, por onde quer que fosse.

Foram 22 dias de internação. Perdi 33kg e a recuperação foi muito complicada. Saí do hospital parecendo uma caveira; era pele e osso. Ainda teria que enfrentar, depois disso, a quimioterapia, mas eu continuava com as minhas orações e o apóstolo orava todos os dias no rádio. Os bispos me ligando, a Igreja em peso orando; era o Corpo de Cristo sarando o meu corpo.

Só posso agradecer a Deus pela minha Igreja. Foi por meio dela que pude contar com a unidade, com o exército de Deus aqui na terra. Era tanta gente orando por mim. Pessoas que me mandavam bilhetes de incentivo foram anjos de Deus na terra intercedendo. Dessa maneira, atravessei esse difícil caminho. Após o término do tratamento, que durou meses, fiz novos exames. O médico já não encontrou mais nenhum foco de câncer e me deu outra boa notícia. Aquela malignidade não havia se espalhado pelo meu corpo.

O nome exato do horrível diagnóstico que tive que enfrentar foi linfoma não Hodgkin, uma espécie de câncer agressivo. Graças ao poder do Deus que cura, esse mal não se espalhou, não houve metástase. Hoje estou aqui para contar que sou uma nova mulher. Estou curada e restaurada pelo poder de Deus, manifesto por meio das orações do corpo de Cristo aqui na terra, que é a Igreja do Senhor.

Deus verdadeiramente salvou-me, curou-me e transformou-me. Atualmente, sou pastora, líder do ministério de cura e libertação no Renascer Hall, em São Paulo, e o Senhor tem me usado para levar cura a várias pessoas. Essa é minha habilitação. Há casos de pessoas que nem me conheciam e estavam no hospital, ouviram meu testemunho pela Rádio Gospel FM 91,3 e chamaram-me para visitá-las. Então, de lá pra cá, nesses 12 anos, não parei de contar o que Deus fez em minha vida. Sempre digo que realmente há um Deus poderoso, capaz de curar todas as nossas enfermidades. Que nos sara e nos redime da cova. Eu fui retirada da cova, dessa cova de morte. O meu coração hoje é cheio de gratidão. Primeiramente a Jesus Cristo, depois à Igreja Renascer, ao apóstolo e à bispa, que foram pessoas usadas por Deus para trazer ressurreição ao meu corpo. Sou grata porque o Senhor me livrou daquilo que seria mortal.

Antes da cirurgia, o médico contou-me que eu tinha de três a seis meses de vida. Que ao me abrir, dependendo de como estivesse, não iria nem mexer e me daria alta para morrer em casa. Eu me posicionei, não aceitei essa palavra. A minha família toda estava posicionada e recebeu os diagnósticos certa de que Deus iria operar o seu milagre.

Mas os obstáculos não foram pequenos. Veja como a religiosidade tenta matar o milagre e anular o poder de Deus. Minha irmã — a quem sou extremamente grata, pois cuidou de mim durante todo o tempo da minha recuperação — resolveu fazer um culto de ação de graças ao Senhor na casa dela por eu estar viva. Como ela pertencia à outra igreja, convidou os irmãos, nossa família e um pastor que ela não conhecia, mas que havia sido indicado por uma amiga por ter ele o chamado "dom de revelação".

No final dessa celebração na casa da minha irmã, esse pastor chamou-me de lado e disse:

— Ouça, irmã! Eu vejo que a sua família está toda salva e isso é uma bênção, mas o Senhor está me dizendo que ele vai recolher a irmã e que você pode partir em paz, pois sua família está salva.

Quando ele falou aquilo, eu lembrei do apóstolo profetizando que a doença não era para a morte e a bispa Sonia dizendo que eu tinha um memorial diante de Deus. Então, eu repreendi aquela sentença de morte e orei:

— Senhor, se eu tiver que escolher, escolho a palavra de vida e a palavra dos teus servos, apóstolo e bispa, porque eles são autoridade na minha vida.

Eu escolhi a palavra de ressurreição sobre o meu corpo e não aceitei a de morte. Hoje, vejo a importância de estarmos em uma igreja apostólica, porque ela se levanta para quebrar as sentenças da religiosidade que, muitas vezes, trazem choro e morte para dentro da nossa casa.

Apesar de estar muito fraca fisicamente, a palavra apostólica já havia me colocado em um patamar espiritual muito além do que se possa imaginar. Eu não via com meus olhos carnais, mas sabia o que iria acontecer, porque a fé é isso. É como está em Hebreus 11:1, é a certeza das coisas que se esperam, e a prova das coisas que se não veem. Eu estava segura no Senhor.

Mesmo assim, o espírito de religiosidade não descansou e tentou se infiltrar de qualquer maneira. No dia seguinte, aquele mesmo pastor mandou, logo pela manhã, a amiga da minha irmã ir até a casa dela com a seguinte mensagem:

— Deus manda você preparar o seu coração e o da sua família porque sua irmã será recolhida.

Foi um mensageiro da religiosidade enviado para levar desespero a todos na minha casa. Eu só soube disso depois e, por isso, não entendia o que estava acontecendo com minha irmã. Ela, que se mostrou guerreira e ficou comigo o tempo todo, de repente abateu-se e passou a chorar todos os dias. Todo aquele movimento infernal, na verdade, veio para tirar a paz do coração da minha querida irmã. Hoje, vejo realmente que o mover apostólico é o melhor.

É importante dizer que a Igreja me deu todo o apoio, desde o primeiro dia até o momento em que recebi a minha cura definitiva. A Igreja não me abandonou. O apóstolo, a bispa, os irmãos, os bispos, os pastores, os presbíteros nunca me deixaram sozinha durante minha luta. Sou grata a cada um deles; tenho uma dívida de amor com todos.

A cirurgia foi realizada no dia 5 de abril de 2001 e o Senhor lembrou-me de que, no dia 5 de abril de 2013, ele completou um ciclo apostólico de 12 anos de cura no meu corpo. Deus é fiel!

Ângela Maria Peppi Montosa
São Paulo – SP

Capítulo 9

Quando a alma adoece

Fiquei impactado e comovido ao tomar conhecimento de uma pesquisa que foi conduzida após a Segunda Guerra Mundial. Yoram Yovell, psicanalista israelense, trata desse assunto em seu livro *Um inimigo no meu quarto e outras histórias da psicanálise* (Editora Record). Ele conta que quando o conflito terminou, a Europa estava cheia de crianças sem pais, órfãos abandonados à própria sorte. Ninguém os queria, então, os Estados Unidos, através da Organização das Nações Unidas (ONU), passaram a investir na construção de orfanatos bem-equipados e profissionalmente conduzidos para abrigá-las. Apesar de toda a estrutura que não deixava faltar alimento, remédios, roupas e todos os cuidados médicos necessários, muitos bebês desenvolveram uma síndrome que incluía "apatia, sérias deficiências no desenvolvimento e maior propensão a doenças e contágios. Em seus estágios avançados, podia levar à anorexia e, por fim, à morte".

A ONU enviou o psicanalista austríaco René Spitz para conduzir uma investigação. O médico comparou as crianças dos orfanatos que sofriam dessa síndrome — denominada por ele de hospitalismo — com as de uma creche que ficava ao lado de uma penitenciária feminina, que abrigava os filhos das detentas. As condições das crianças dessa creche e dos orfanatos eram muito parecidas, exceto pelo fato de que as mães das primeiras podiam deixar a prisão por um período determinado para visitar os filhos. Elas brincavam, abraçavam e os beijavam. Já os bebês dos orfanatos tinham as fraldas trocadas e eram alimentados, medicados por enfermeiras diferentes a cada dia — esse era o máximo de contato que tinham com outro ser humano.

Nas duas instituições, os berços tinham grades, mas no caso dos orfanatos eram também cercados com lençóis, o que impedia que as crianças vissem umas às outras. Em boa parte do dia esses bebês podiam apenas olhar para o teto; o que não acontecia na creche ao lado da penitenciária. Yovell escreveu que:

"ao final do primeiro ano, os órfãos começaram a apresentar um atraso no seu desenvolvimento. Com dois a três anos, não falavam, não andavam e muitos desenvolveram uma espécie de depressão: eram tristes, não sorriam e apresentavam a tendência de se fechar mesmo na presença de outras crianças."

A pesquisa concluiu que:

"toda criança tem fome de relacionamento, um relacionamento humano quente que um adulto amoroso deve lhe fornecer nos primeiros anos de sua vida. Sem isso, a criança pode vir a morrer. Mesmo que sobreviva, pode sofrer danos graves e irreversíveis em sua saúde física e mental."

O HOMEM FOI CRIADO PARA SER AMADO

A ciência provou o que já sabíamos: o homem foi criado para se relacionar. Em primeiro lugar com Deus, e depois, com seus semelhantes. Para ser amado. Por causa do propósito dessa criação, o amor, a aceitação e o acolhimento são tão essenciais quanto a alimentação. O ser humano ressente-se tanto da falta desses sentimentos como da comida, mas não pode comprar o alimento para a alma no supermercado. Assim, na maioria das vezes, por não conseguir resolver suas intrincadas necessidades emocionais e afetivas — a primeira delas é a presença do próprio Deus —, menospreza-as, reduzindo-as a um plano inferior, como se o desejo de ser amado e não ficar só fosse uma fraqueza. Nessa ânsia de negar sua essência ou na incapacidade de supri-la, adoece no corpo e na alma.

Talvez, agora, após tomar conhecimento desses dados comprovados, você consiga acreditar que as doenças psicossomáticas existem. Muitas pessoas, na verdade, não têm um mal físico, mas uma profunda ferida na alma que pode ter começado ainda bem cedo, na infância, ou mesmo antes, na sua vida intrauterina. Esse mal pode ter surgido também durante a vida adulta, após o fim de um relacionamento, uma separação, um trauma etc.

Com base nos milhares de aconselhamentos que já realizamos ou pelo que observamos em nossas igrejas, podemos afirmar que a maioria das pessoas cresceu sem o devido suprimento de afeição e aceitação para se desenvolver na plenitude, perdendo saúde física e mental. Isso gera homens e mulheres entristecidos, limitados, suscetíveis a muitos males. Pior ainda: essas mesmas pessoas não possuem conhecimento espiritual que lhes permita libertar-se desse círculo de morte. E, assim, esse o é transmitido às próximas gerações indefinidamente.

Willian P. Young, em seu livro *A cabana* (Editora Sextante), trata desse assunto. Ele escreve como se fosse uma explicação do próprio Deus ao homem:

"A maioria dos pássaros foi criada para voar. Para eles, ficar no solo é uma limitação de sua capacidade de voar, e não o contrário. Você, por outro lado, foi criado para ser amado. (...) Viver sem ser amado é como cortar as asas de um pássaro e tirar sua capacidade de voar. Não é algo que eu queira para você. (...) A dor tem a capacidade de cortar nossas asas e nos impedir de voar. E, se essa situação persistir por muito tempo, você quase pode esquecer que foi criado originalmente para voar."

A dor da rejeição — que do nosso ponto de vista é a palavra que melhor expressa a falta de amor — pode cortar nossas asas e tirar nossa liberdade de viver grandes experiências com Deus. Arrisco dizer que todas as outras curas físicas, financeiras, matrimoniais, entre outras, decorrem de uma cura na alma — o que já é um grande milagre.

Psicólogos e psicanalistas podem ajudar o homem a ter consciência de seus atos repetitivos que são consequência de deformações internas e ajudá-los a desconstruir muitas ideias tortas, mas nem eles nem nenhuma droga têm o poder de fazer um ser humano que foi rejeitado ou abusado desde criança se sentir amado ou fazê-lo acreditar no amor. Ele cresce, muitas vezes, desprovido da capacidade de amar alguém e de se amar. Isso é muito triste, mas eu creio profundamente que Jesus Cristo veio para corrigir esse tipo de distorção.

Imagine uma criança que foi abusada física e emocionalmente durante boa parte de sua infância por pessoas que deveriam lhe proteger. Como ela cresce? E quem assiste aos pais se agredindo constantemente? Ou as que são chamadas de burras o tempo todo? E as que foram abandonadas? Nascem precisando de amor e acolhimento, mas recebem rejeição e traumas. Que tipo de adulto serão?

Talvez seu caso não seja nenhum desses e você nem se lembre do que aconteceu no passado ou tente esquecer, mas posso dizer que todo mundo tem ou teve enfermidades na alma em maior ou menor grau, e isso é a causa de tantos males.

Muitos repetem um comportamento destrutivo — só saem com homens casados, ou sempre perdem o emprego, ou nunca acabam o que começam — e sempre prometem para si mesmos que da próxima vez será diferente, mas quando percebem estão repetindo o mesmo comportamento.

Mas como se processa a cura da alma? Como ser saudável emocionalmente se a pessoa foi rejeitada, abusada, traumatizada? O que fazer se tudo está errado desde o nascimento?

Nascer de novo? Sim, exatamente. Acredite! Jesus não estava discursando teologicamente quando disse para Nicodemos (João 3) que, se alguém não nascesse de novo, não poderia ver o reino de Deus, que é amor, justiça, paz e alegria; "não é comida, nem bebida" (Romanos 14:17).

Através da fé em Jesus Cristo e do Espírito Santo de Deus podemos viver um novo nascimento espiritual e, então, ser gerados, crescer e viver já conhecendo o amor e o acolhimento de Deus tão necessário para o desenvolvimento satisfatório do ser humano. A Bíblia está cheia de declarações desse amor — "Com amor eterno eu te amei; por isso, com benignidade te atraí" (Jeremias 31:3) — e essas são as verdades que importam e devem permear a nova vida daquele que tem uma aliança com Jesus. É claro que tudo é um processo. É como se fosse uma grande gestação. Só em saber que se é amado por Deus, a fonte de todo o amor, o homem tem condições de superar anos de deformações e prisões emocionais. No entanto, sem a ajuda de Cristo, o ser humano não consegue adotar novas atitudes e se reprogramar, pois não tem fundamento e nem esperança. Não há um objetivo maior que suas próprias paixões e seus desejos. O cristianismo, sim, traz-lhe um objetivo maior.

Se você foi rejeitado ou abandonado, se sua própria família não o acolheu, veja o que Deus diz: "Acaso, pode uma mulher esquecer-se do filho que ainda mama, de sorte que não se compadeça do filho do seu ventre? Mas ainda que esta viesse a se esquecer dele, eu, todavia, não me esquecerei de ti" (Isaías 49:15). Quando uma mulher ainda amamenta e chega a hora do bebê mamar, o leite começa a vazar do seio materno. Assim, mesmo que esteja longe, que tenha desprezado e até jogado seu filho no lixo, como tem acontecido ultimamente, aquela mulher lembra-se que carregou um filho em seu ventre. O Deus de todo o amor garante que ainda que essa mulher se esqueça, ele nunca se esquecerá de você. Isso prova a cada um de nós que por pior que tenha sido a nossa vida, por mais machucado que você esteja, o amor e a misericórdia de Deus podem curar feridas profundas na alma. A partir de hoje, você não precisa mais se sentir rejeitado ou mal-amado, pois sabe agora que Deus tem amor eterno para lhe oferecer.

Que tremendo!

Para viver esse milagre e nascer de novo, basta falar com Deus. Pedir que ele lhe dê esse novo nascimento. Jesus disse em Apocalipse 3:20: "Eis que estou à porta e bato; se alguém ouvir a minha voz e abrir a porta, entrarei em sua casa e cearei com ele, e ele comigo." O Senhor Jesus está sempre querendo entrar em sua vida e colocar a casa em ordem. Você pode orar assim: "Jesus Cristo, eu preciso que o Senhor me salve de mim mesmo. Dessa vida miserável que estou levando. Da morte e da infelicidade eterna. Salve-me do ódio, da mágoa e do desamor. Quero nascer de novo. Dessa vez, da maneira certa. Sendo acolhido e amado. Preciso sentir seu amor. Pode entrar e fazer da minha vida templo do seu Santo Espírito. Eu quero renascer em Cristo."

Certamente essa será a oração mais importante da sua vida.

O PODER DO PERDÃO

Minha vida precisa refletir o novo nascimento, isto é, desenvolver a consciência de que não sou um rejeitado ou bastardo, mas que tenho Pai, salvador e Deus que me ama e me aceita. Esse processo é completo e complexo e leva o homem por caminhos de restauração e reconciliação em várias etapas e fases igualmente importantes. Acredito que não exista nada que denote mais o novo nascimento do que o perdão. Ele é a mais poderosa arma de cura interior e funciona como chave para muitos milagres.

Em primeiro lugar, o homem só existe por causa do perdão de Deus, que se estendeu até nós por meio de Jesus. Não dá para ser uma pessoa curada e não ter a capacidade de perdoar.

O verdadeiro cristão, aliás, não tem essa opção. A ação do Espírito Santo impele-nos ao perdão e sempre nos mostrará o caminho da reconciliação. Ao contrário, a falta de perdão é algo terrível e traz doenças sérias. A maioria das pessoas que desenvolve tumores, úlceras, artrites, gastrites e outros males semelhantes não conseguiu se livrar das mágoas profundas. Muitas pessoas que estão nas UTIs carregam uma carga tão terrível de amargura que não têm mais vontade de viver.

Quando a pessoa não perdoa, adquire esses males. Acontece da mesma forma quando não se sente perdoada, porque está sob acusação e, consequentemente, já autocondenou-se.

A coerência cristã é a de que o perdão traz libertação antes de qualquer coisa. Traz cura para o meu corpo e minha alma. Tem muito mais a ver comigo do que com o outro que me fez mal. Quando eu libero perdão para o meu ofensor, um mecanismo que despejava um veneno diário dentro de mim é extinto; a raiz de amargura é arrancada.

Jesus, como sempre fazia, ensinava com atitudes práticas. Ele foi traído por Judas, abandonado por aqueles que andaram com ele por quase três anos e assassinado brutalmente pelas autoridades locais. Ele tinha motivos para se sentir magoado. Apesar de tudo, ele disse: "Pai, perdoa-lhes, porque não sabem o que fazem" (Lucas 23:34).

As dores surgem muitas vezes diante de traições, decepções em relacionamentos, rejeições e a maldade. Como exemplo, nada mais cruel que o julgamento humano. A religiosidade é perita nisso e a todos julga o tempo inteiro. Até mesmo as crianças são estimuladas a se rotularem. Em muitos episódios da minha vida fiquei decepcionado e magoado por ter sido julgado, caluniado e traído. Graças a Deus, a mágoa na minha vida tem prazo de validade. Sempre perdoo. Mesmo porque não admito a possibilidade de não perdoar. Eu creio no Evangelho de Jesus Cristo. Como é que vou pregar defendendo o perdão ou a misericórdia se eu mesmo não puder perdoar?

Sempre ensino que Deus dá-nos uma segunda chance e acredito que as pessoas merecem a oportunidade de um recomeço.

O OLHAR DE AMOR QUE TRAZ CURA

Uma das cenas mais comoventes da vida de Jesus com seus discípulos aconteceu em meio à traição, abandono e muita dor. O Filho de Deus sabia que enfrentaria uma grande prova. Foram três anos se preparando. Sabia que era o propósito de Deus, sua missão, e não culparia ninguém, muito menos seus amigos com quem andou todo o tempo. Ele amava muito Pedro, apesar de seu gênio forte e impulsivo, e tentou avisá-lo na última vez que jantaram juntos, durante a Páscoa, no episódio da Santa Ceia:

— Pedro, começa hoje um tempo difícil para todos nós! Satanás já pediu para te peneirar. Você vai fraquejar, vai me negar três vezes e depois vai viver dias de culpa. Vai achar que não tem mais jeito para você e se sentir indigno. Já estou te avisando para evitar que desista, adoeça e morra por dentro. (Mateus 26:31-34)

Mas Pedro não deu muita atenção aos avisos do mestre e ainda se vangloriou:

— Mestre, estou disposto a ir contigo até à morte. (Mateus 26:35)

Pedro, que encarna tão bem a humanidade de cada um de nós, amava muito Jesus. Seu jeito era bruto e primitivo, porém, admirava-o e queria agradar-lhe e obedecer-lhe em tudo. Nunca pensou que os anos compartilhados com Cristo acabariam daquele jeito: seu mestre preso, torturado e humilhado, surrado de forma tão brutal e sentenciado à morte.

No momento mais crucial da vida de Jesus, quando mais precisava de ajuda, Pedro negou-o. Não uma, mas três vezes. Jesus sabia que isso aconteceria, mas ver essa debandada de seus discípulos no meio da dor dos açoites, de sua carne sendo trilhada pelos ponteiros de metal dos chicotes e os terrores da morte na cruz causaram-lhe certa comoção. O peso da cruz, no entanto, não foi maior do que o da culpa que recaiu sobre Pedro.

— Meu Deus! Eu traí o meu Senhor e meu Salvador. Não sou digno de continuar vivendo — deve ter pensado o discípulo.

Pedro foi tragado por uma espiral de acusação e culpa. Naquele momento, não se lembrava de nada que Jesus havia dito durante toda a sua caminhada com eles. Nem mesmo da conversa durante a Santa Ceia. Sua única vontade era ser punido, chicoteado; merecia morrer. Que vida lhe sobraria? Nunca mais conseguiria se olhar no espelho. Assim é a vida daquele que não se perdoa. É uma vida de tormentos e sem alegria. Muitas doenças aparecem justamente porque a sentença da acusação é a morte.

Foi nesse estágio de autopunição que aconteceu algo impressionante na vida de Pedro. É a maior lição do cristianismo. Jesus, já preso e torturado, volta-se para Pedro e olha dentro dos olhos do fraco discípulo. "Voltando o Senhor fixou os olhos em Pedro, Pedro se lembrou da palavra do Senhor, como lhe dissera: Hoje, três vezes me negarás, antes de cantar o galo." (Lucas 22:61-62) Eles têm a oportunidade de se entreolharem em um momento espiritualmente tremendo. O Cordeiro de Deus que tira o pecado do mundo, amarrado, olha dentro dos olhos do pecador como se estivesse declarando espiritual e profeticamente sobre Pedro: "Eu te perdoo e morro por você porque eu te amo. Perdoo todos os 'Pedros'. Os precipitados, iracundos, violentos, imaturos, traidores, infiéis, prostitutos, desonestos, incrédulos e os que negaram a mim e a meu Pai. Perdoo a todos os pecadores e, espontaneamente, dou a minha vida para que eles não morram eternamente. Para que tenham a chance de ter vida através de mim."

Que momento glorioso!

Da mesma maneira, no dia em que você pecar e se deparar com suas misérias interiores, o Senhor Jesus olhará dentro dos seus olhos. Você então encontrará graça, misericórdia e esperança. Vai ouvir Cristo dizendo:

— Eu estou olhando para o seu futuro e você não vai morrer. Não será roubado! Eu te dou uma nova chance.

Quando Jesus Cristo olha para os nossos erros ou falhas e encara nossas limitações, é para transformar-nos. É impressionante notar que Jesus não acusou Pedro. Não disse uma palavra sequer. O que Pedro precisava era do olhar curador, libertador e encorajador. Aquele olhar mudou a história da sua vida e mostrou-lhe o caminho para a sua cura. Pedro chorou muito, porém não mais sobre o peso da acusação e sim do arrependimento. O amor de Cristo constrange-nos a isso.

O olhar de Jesus para Pedro dizia o seguinte: "Pedro, você está olhando para Jesus Cristo. A sua carne pode estar falando que você foi abandonado, que está sozinho... Você está chorando desesperadamente porque acha que não há mais ligação com Deus. Mas eu não vou te deixar caído nesse erro. Se te chamei lá da Galileia e te trouxe até aqui, foi com um propósito. Olha nos meus olhos!"

A Igreja precisa reconhecer isso. Os filhos de Deus precisam entender que o pecado não pode afastá-los do amor de Jesus. Você tem que deixar de ser como Adão, que se escondeu depois de pecar. Ao contrário, quando errar, corra para as misericórdias de Deus.

Billy Graham, o mais famoso evangelista e apóstolo do nosso tempo, narra em seu livro, *Como nascer de novo* (Editora Betânia), uma cena da vida de John Duncan, conhecido pregador e teólogo escocês. Em um dia de celebração de Santa Ceia, Duncan testemunhou quando uma jovem de 16 anos recusou-se a receber o pão e o cálice. Ao ser servida por um presbítero, ela virou o rosto para o lado e fez um sinal para que ele afastasse-se. John Duncan, então, tocou-lhe o ombro e disse:

— Tome-o, mocinha. É para pecadores.

O pecado não pode conduzir nossos passos. Nem devemos fixar os olhos nos erros do passado, na enfermidade ou no problema financeiro, enfim, naquilo que o diabo quer que olhemos. Precisamos fixar os nossos olhos em Jesus. Enquanto estivermos vendo a glória do Cordeiro Jesus, andaremos sobre as águas. Os problemas e as lutas não poderão nos deter. Ainda que tenhamos chegado ao cúmulo de negar a Jesus, ele vai olhar para nós com um olhar de quem acredita, daquele que deseja e quer nos libertar. E quando ele nos olha significa que está terminando o tempo das doenças da alma, da imaturidade, da arrogância e da infantilidade. O Senhor olha para cada um de nós para mudar nossa sorte e assim deixamos de ser tal como meninos rejeitados, traumatizados, complexados ou inconsequentes. Os olhos do Senhor não estão sobre os santarrões, ricos, famosos e aqueles que se denominam os donos da religião. Seu olhar sempre se volta para os pecadores.

Graham, na mesma obra, conta parte da história do capelão Henry Gerecke, chamado para dar assistência espiritual ao alto comando nazista durante o julgamento de Nuremberg, na Alemanha. Ele escreve:

"A guerra havia terminado e os alemães foram derrotados e presos. Muitos dos antigos líderes nazistas, que haviam cometidos crimes terríveis durante a guerra, foram levados a julgamento. O capelão testemunhou a conversão sincera de alguns desses homens, mas foi muito impactado pela transformação de um dos principais generais de Hitler. Ele diz que quando viu o homem lendo a Bíblia com dedicação, pensou que estivesse fingindo. Porém, com o passar do tempo, viu que o sentimento daquele militar era genuíno. Foi quando anotou: "Quanto mais eu o ouvia, mais sentia que era possível que estivesse sendo sincero. Ele admitiu seus erros e fazia questão de afirmar que se sentia feliz de que a própria nação, que talvez o condenasse à morte, se preocupasse com seu destino eterno a ponto de fornecer-lhe orientação espiritual. E com a Bíblia na mão, ele dizia: 'Sei, por este livro, que Deus pode salvar um pecador como eu.'"

Só o amor de Deus, demonstrado através do perdão, pode provocar transformações tão profundas. "Onde abundou o pecado, superabundou a graça" (Romanos 5:20). O suprimento das misericórdias divinas não termina jamais. Preste atenção no que Deus nos diz através do profeta Isaías sobre sua aliança conosco: "Inclinai os ouvidos e vinde a mim; ouvi, e a vossa alma viverá; porque convosco farei uma aliança perpétua, que consiste nas fiéis misericórdias prometidas a Davi" (Isaías 55:3).

Quem não perdoa vive atormentado

Ao ser perdoado de forma tão maravilhosa, profunda e até constrangedora por Deus, sou impelido a perdoar aqueles que me ofenderam. É exatamente nesse passo que muitas pessoas ficam paralisadas e suas vidas não avançam: a dificuldade de perdoar. O perdão, entretanto, é a chave que abre portas para curas físicas e emocionais. Ele tira o homem das mãos dos atormentadores. Quem não perdoa não tem paz e fica como que preso ao seu agressor enquanto durar a mágoa e o desejo de vingança.

É possível explicar melhor sobre os atormentadores com base na Bíblia. Jesus, em Mateus 18, aparece ensinando os discípulos sobre os valores do reino dos céus. Ele disse, por exemplo, que se eles não se convertessem e não tivessem o sentimento puro como de uma criança não entrariam no reino de Deus. Pedro, então, pergunta até quantas vezes ele deveria perdoar uma pessoa. Jesus responde que sempre que fosse necessário. Para que Pedro entendesse, exemplificou com uma parábola:

> "O reino dos céus é semelhante a um rei que resolveu ajustar contas com os seus servos. E, passando a fazê-lo, trouxeram-lhe um que lhe devia dez mil talentos. Não tendo ele, porém, com que pagar, ordenou o senhor que fosse vendido ele, a mulher, os filhos e tudo quanto possuía e que a dívida fosse

paga. Então, o servo, prostrando-se reverente, rogou: Sê paciente comigo, e tudo te pagarei. E o senhor daquele servo, compadecendo-se, mandou-o embora e perdoou-lhe a dívida. Saindo, porém, aquele servo, encontrou um dos seus conservos que lhe devia cem denários; e, agarrando-o, o sufocava, dizendo: Paga-me o que me deves. Então, o seu conservo, caindo-lhe aos pés, lhe implorava: Sê paciente comigo, e te pagarei. Ele, entretanto, não quis; antes, indo-se, o lançou na prisão, até que saldasse a dívida. Vendo os seus companheiros o que se havia passado, entristeceram-se muito e foram relatar ao seu senhor tudo que acontecera. Então, o seu senhor, chamando-o, lhe disse: Servo malvado, perdoei-te aquela dívida toda porque me suplicaste; não devias tu, igualmente, compadecer-te do teu conservo, como também eu me compadeci de ti? E, indignando-se, o seu senhor o entregou aos verdugos, até que lhe pagasse toda a dívida. Assim também meu Pai celeste vos fará, se do íntimo não perdoardes cada um a seu irmão" (Mateus 18:23-35).

Nossa dívida era gigantesca e, mesmo assim, foi perdoada por Jesus. Ele espera que façamos o mesmo, perdoando a quem nos ofender. É o que nos ensina a oração do Senhor. É uma ordem divina, não uma escolha. Não deve depender de um sentimento ou de uma vontade. Deve ser uma decisão tomada conscientemente com o propósito de obedecer a Deus e praticar as leis do seu reino. É muito interessante, por exemplo, observar o texto de Levítico 19:18, em que Deus diz: "Não te vingarás, nem guardarás ira contra os filhos do teu povo; mas amarás o teu próximo como a ti mesmo. Eu sou o Senhor." O livro de Levítico é o livro da lei. Não se vingar, não guardar rancor e amar o próximo são leis. Não dependem da nossa concordância. Trata-se de uma ordem expressa e direta de Deus. Infelizmente, não é assim que acontece. Esperamos muitas vezes sentir vontade para depois obedecer a Deus. Esse é um conceito que tem que acabar em sua vida. Primeiro devemos ser obedientes e depois os sentimentos serão transformados.

Perdoar não é uma opção ao cristão verdadeiro. Jesus disse na oração do Senhor que se quisermos ser perdoados, temos que perdoar. Ponto final. Não se trata de perdoar quando você concordar ou não estiver mais magoado. Não é uma questão de vontade; seus sentimentos não o levarão ao perdão. Sua ação deve ser movida pela obediência à Palavra de Deus. Feito isso e agindo como quem perdoou, o sentimento muda. Precisamos aprender a tomar algumas iniciativas para que depois elas se transformem em sentimento. O desdobramento sempre será positivo.

Conheço pessoas que carregam raiva e ressentimento contra outras há anos. São filhos que não falam com seus pais; irmãos irreconciliáveis; amizades de décadas que se esvaem por mágoas e orgulhos. Essas mesmas pessoas nos procuram pedindo oração e buscando um milagre, uma cura. Elas não encontram porque não querem perdoar os seus ofensores. Infelizmente, alguns acreditam que estão certos ao se fecharem em suas fortalezas de mágoas.

Quem não perdoa não consegue ser feliz e saudável mentalmente. O apóstolo Paulo disse que Cristo, por meio de seu sacrifício na cruz, nos deu o ministério da reconciliação.

> "Tudo provém de Deus, que nos reconciliou consigo mesmo por meio de Cristo e nos deu o ministério da reconciliação, a saber, que Deus estava em Cristo reconciliando consigo o mundo, não imputando aos homens as suas transgressões, e nos confiou a palavra da reconciliação." — 2Coríntios 5:18-19

Reconciliar-nos conosco mesmo, com Deus e com o que temos — o que Deus nos deu.

Você tem que ter seu coração totalmente limpo de mágoas por meio do perdão. Agindo assim, vencerá as doenças psicossomáticas. A reconciliação nos faz bem. É fundamental para a saúde mental e espiritual.

Não perdoar pode ter origem no orgulho, na falta de humildade ou de obediência. Porém, pode ser também um problema de expectativa errada. Você esperou tanto de alguém, esperou uma porção que o outro nunca teve para dar, e, quando isso não aconteceu, frustrou-se e magoou-se. Agora já não consegue perdoar. Note que a responsabilidade não é do outro e sim sua. Foi você que o transformou quase em um deus. Isso não é incomum. Há pessoas que nutrem grandes expectativas em relação aos cônjuges ou filhos, colocando-os no lugar de Deus. Só que eles não são perfeitos. São deuses com pés de barro e, sem dúvida, cairão cedo ou tarde. A decepção pode ser profunda.

Faça uma experiência. Libere, em oração, o perdão agora mesmo para as pessoas que o feriram. Diga: "Pai, em obediência à sua palavra, eu perdoo essa pessoa. Leve embora os atormentadores e ajude-me a ficar livre e curado de mágoas e ressentimentos. Em nome de Jesus." Após essa oração, passe a agir como quem perdoou mesmo. Se não falava, volte a falar. Se não ajudava, volte a ajudar. Ao contrário do que pode parecer, perdoar não é sinal de fraqueza.

Por fim, quero dizer-lhe algo muito sério: não há nada que uma pessoa possa tomar, roubar ou fazer contra você que seja maior do que a graça de Deus. Quando você experimenta a graça não tem porque não perdoar. As perdas se tornam insignificantes e outras coisas maravilhosas começam a chegar e a inundar sua vida. Quem não consegue perdoar é porque não tem fé. Quem não perdoa, posso dizer, não crê em Deus. Jesus já pagou toda a conta. Ele, que não fez nada de errado, pagou e continua pagando essa dívida.

Não adie mais. Busque cura para sua alma; busque ter um coração perdoador e maleável para Deus trabalhar. Sem isso, posso garantir, será difícil alcançar os milagres que vem buscando.

Depoimento

MINHA DOENÇA ERA NA ALMA

A cura sobrenatural da minha mãe, que sofria de câncer, me levou à igreja aos 11 anos. Seu testemunho nos fez compreender o amor de Deus, mesmo eu sendo ainda tão jovem. Entreguei sinceramente minha vida ao Senhor naquela ocasião. A família do meu pai, no entanto, era marcada pela loucura. Uma de suas irmãs foi internada aos 18 anos em um sanatório. Passou a vida sendo tratada como louca, com fortes medicamentos e eletrochoque. Antes de ser internada, ela era uma pessoa que tocava piano e muito inteligente.

Quando me converti, já conhecia o histórico de loucura na minha família. Eu, de meu lado, tinha uma tristeza no meu coração, algo que aparecia de tempos em tempos. Essa tristeza me deixava desligada e, em alguns momentos, entrava em depressão. Geralmente, a crise era desencadeada por alguma briga ou quando ouvia algo mais duro de alguém. Isso me deixava chateada. Foi assim na infância e adolescência. Eu me trancava no quarto e sentia desejo de morrer. Dizia que não queria mais viver. Não compreendia o que estava acontecendo comigo.

Eu estava sempre na igreja, mas as crises de tristeza não me abandonavam. Quando fiz 14 anos, Deus abriu-me uma porta maravilhosa: fui trabalhar como modelo. Entendi que aquela oportunidade era um cuidado de Deus. Isso porque, além de tudo, tinha complexos e sofria de baixa autoestima. Aqueles trabalhos me ajudaram um pouco. Obviamente, o que sentia nada tinha a ver com a realidade ou com a minha aparência. Era um sentimento de rejeição, mas não conseguia definir ou identificar a origem.

Aos 16 anos, sofri uma crise depressiva muito forte depois de descobrir que meu pai tinha outra família e outros filhos. Eu me fechei e não conversava. Só queria ficar sozinha. Nesses momentos, sentia uma vontade de morrer e pensava em fazer alguma coisa para acabar com a minha vida. Tinha a sensação e o desejo de ir dormir e não acordar mais. Minha oração era: "Não me deixa acordar mais! Eu não aguento esse sofrimento, esse sentimento ruim."

A partir de um contato mais estreito com a Palavra de Deus, comecei a entender que eu precisava ter um posicionamento espiritual para vencer aquelas crises. Isso ajudou muito a diminuir a frequência e a profundidade daquela tristeza que ia e vinha. Às vezes tinha uma recaída, principalmente em algumas situações de relacionamentos, como brigas ou rompimentos. Eu ficava depressiva, sofria e não comia. Já era magra e perdia ainda mais peso.

Pela Palavra, oração e meu posicionamento espiritual, o Senhor tirou-me daquela última e terrível crise aos 16 anos, mesmo eu não entendendo o que tinha.

Assim foi a minha vida até conhecer o meu marido, o Abbud. O amor dele trouxe muitas coisas boas para essa imagem negativa que tinha de mim mesma. Ele me ajudou muito e a nossa história de amor é maravilhosa. Porém, naquela época, ele viajava sempre a trabalho e, como já tinha deixado de trabalhar como modelo, passei a ficar muito tempo sozinha em casa. Eu me lembrava da vida da minha mãe e como ela sofreu com meu pai, que sempre foi um homem muito ausente.

Quando nos casamos, passamos a frequentar a igreja onde o Abbud congregava desde criança. Era diferente da minha e eu não tinha contato com muita gente. Não exercia nenhum ministério. Fui esfriando espiritualmente e tornei-me uma pessoa muito materialista e carnal. Cobrava muito meu marido e desenvolvi uma agressividade que não tinha antes. No passado, a depressão me fazia chorar e ficar fragilizada. Isso mudou, e tornei-me uma pessoa agressiva. Na verdade, não queria mais carregar aquele rótulo de coitada.

Além disso, tornei-me indiferente. Nosso casamento entrou em crise. Eu cobrava meu marido e comparava a minha vida com a da minha mãe. Não conseguia enxergar que eram realidades diferentes. Abbud era um homem trabalhador, carinhoso, esforçado e um homem de Deus. Já meu pai, músico, saía quase todas as noites. Tinha outra vida fora de casa.

Vivia um sonho de amor e mesmo assim tive uma crise depressiva pós-casamento. Foi muito triste. O Abbud não sabia mais o que fazer. Eu não conseguia me ajudar, apesar da fé e do amor que tinha por Jesus Cristo. Isso era outra coisa que me frustrava muito: não aceitava o fato de, sendo uma mulher de Deus, batizada nas águas e no Espírito Santo, viver tamanha inconstância. Essa era a minha situação quando conheci o apóstolo Estevam e a bispa Sonia durante uma reunião da Associação de Homens de Negócios do Evangelho Pleno (Adhonep). Eu me casei em 1987 e isso aconteceu em 1989.

O testemunho da bispa Sonia sobre a cura da depressão fez com que eu me aproximasse de sua história. Até aquele momento, eu não sabia que sofria de depressão. Fui me identificando com os sintomas que ela descrevia. Quando contou que chegou ao ponto de querer se matar e matar seus filhos, me vi ali.

A depressão era um tabu dentro das igrejas. Não se falava nisso. E eu tinha o agravante do histórico familiar, preocupava-me quando lembrava da loucura da minha tia. Eu negava e renegava qualquer maldição hereditária. Estava lutando contra algo que desconhecia. Pensava que aquela aflição poderia ser "o espinho na carne" sobre o qual o apóstolo Paulo fala em sua segunda carta aos Coríntios. Uma maneira para me manter na presença de Deus.

Quando a bispa Sonia contou sobre sua vida, pensei: "A história dessa mulher é igual a minha." Ela tinha um bom casamento, uma vida boa. É como se diz: fez tudo certo e deu tudo errado.

Era essa a sensação que me levava para depressão. Eu nunca tinha ouvido ninguém falar sobre essas coisas. Se alguém vivia isso, não falava por causa da religiosidade, para manter as aparências.

No momento em que identifiquei a depressão, comecei a me abrir para entender o que estava sentindo. Foi muito importante, porque eu olhava para a vida da bispa e do apóstolo e via um casal lindo, feliz. Não conseguia enxergar aquela mulher depressiva que ela descrevia. Não havia nenhum resquício, pelo contrário. Eu via uma mulher forte. Desejei viver aquela cura.

A primeira vez que o Abbud ouviu o apóstolo Estevam pregando, ele me disse:

— Se eu não estivesse na igreja em que nós estamos, estaria na igreja desse homem.

Meu marido se lembra daquela pregação até hoje. Foi sobre Habacuque, capítulo 3. O impacto na vida do Abbud foi muito forte, até porque ele também começou a ver uma mudança em mim.

Vivíamos em crise quando começamos a ouvir as ministrações do apóstolo e da bispa. Às vezes, ficava até um mês sem conversarmos, tudo por causa da agressividade que adquiri. Era a maneira de livrar-me do rótulo de "coitadinha" e, também, de chamar atenção.

O que eu precisava era de uma cura na alma. Meu marido não tinha culpa alguma. O que queria era que meu marido substituísse meu pai; que ele ocupasse aquela lacuna vazia no meu coração. Então, a tristeza e a agressividade eram manifestações de uma criança rejeitada querendo chamar a atenção do pai. Deus havia me dado o amor da minha vida, mas eu precisava ser curada na alma para desfrutar desse presente que era meu casamento.

Eu estava muito machucada. Sem ministério e sem vida, decidi ir ao culto da Renascer que, na época, acontecia ainda no porão da Igreja Árabe. Eu pedia a Deus um sinal. Quando cheguei, a primeira música que ouvi foi "Viagem de oração", cantada pelo Brother Simion. Depois da música, veio a palavra do apóstolo. Aquela mensagem penetrou em meu espírito. Reencontrei-me naquele momento. Compreendi que toda a minha vida sem rumo e destino precisava ter acontecido para que Deus me levasse ao que seria o meu chamado.

Naquela noite tive uma visão espiritual. Vi um banquete. Uma mesa farta das comidas mais gostosas. Eu me aproximava daquela mesa com fome. Queria me sentar, só que pensava: "Aqui não é o meu lugar." As pessoas que estavam sentadas comendo deixavam cair migalhas, e eu as pegava do chão e comia. Naquele momento, Deus me falou:

— Você não vai mais comer migalhas. Eu te coloco assentada nessa mesa.

Vi então uma cadeira vazia. Sentei e comecei a participar daquele banquete. Foi a primeira vez que fui à Renascer. Entendi, pela visão, e ouvi Deus falando ao meu coração que frequentaríamos aquela igreja. Mas isso ainda demoraria um ano para se concretizar.

Comecei a ser liberta pela Palavra que vinha do altar. Ninguém nunca me falou para fazer cura interior, mas a Palavra foi me curando. Em nossa igreja só tinha culto dois dias na semana. Nos outros dias da semana eu ia para a Renascer, e meu marido me acompanhava. Acabava o culto, e o apóstolo e a bispa nos chamavam. Íamos para a casa deles.

Assim, comecei a ter uma mudança de comportamento por meio da Palavra que eles ministravam. Eu dizia para mim mesma que iria praticar essa palavra. Comecei a orar, a jejuar, coisas que não fazia. Passei a ter um posicionamento de oração de luta: queria lutar pelo meu marido e perdoar. Essa foi a primeira etapa da minha cura. Fiquei livre da depressão por muito tempo. Durante esse processo maravilhoso, as coisas começaram a acontecer. Participávamos ativamente das reuniões às segundas-feiras, e assim envolvi-me na obra de uma maneira que aquela tristeza sumiu.

Quatro anos depois, estávamos muito felizes e firmes na igreja. Planejávamos um filho — já estávamos tentando há um ano, mas nada de engravidar. Durante um culto especial que chamamos "da virada", realizado na noite do dia 31 de dezembro de 1990 para a madrugada do primeiro dia de 1991, pedimos a Deus que nos desse sua herança. Na primeira semana de janeiro fiquei grávida da Gabriela. Foi uma felicidade. Uma grande alegria. Então, cerca de três meses depois, comecei a passar muito mal. Voltei a sentir aquela tristeza, só que, dessa vez, parecia muito mais profunda. Creio firmemente que a depressão já havia sido curada, só que Deus queria curar a origem. A raiz daquela tristeza precisava ser denunciada e arrancada.

O Senhor curou meu casamento e deu-me um ministério. Eu engravidei. Percebo que Deus preparou-me e deu-me entendimento. Ele falou ao meu coração: "Agora vou trazer à tona aquilo que estava encoberto."

Grávida e depressiva, desejei a morte novamente. Passei a rejeitar o momento que vivia. Era estranho, mas eu sentia uma ausência de Deus. Abria a janela do meu apartamento e enxergava tudo cinza. Imaginei que todos aqueles sintomas fizessem parte da gravidez. Seriam os hormônios?

Participei de ministrações de cura interior e tudo o mais que podia ser feito. Nada melhorava. Estava de volta à fase de não querer sair de casa. Passava os dias na cama, de pijama.

Mas minha paz logo chegaria. Era uma quinta-feira e, na igreja, haveria o culto de encerramento do jejum. Um dia especial para nós. Minha mãe foi até a minha casa e, praticamente, obrigou-me a ir com ela à igreja. Se fosse depender da minha vontade, não iria de jeito nenhum. Chegando lá, sentei na última cadeira e avisei que não iria subir para o louvor, porque não me sentia bem. Mas, dez minutos depois, a bispa Sonia chegou, colocou a mão no meu ombro e falou:

— Rô, vamos para o altar.

Não queria ir. Ela percebeu que estava acontecendo alguma coisa, mas eu não quis contar. Na verdade, não queria entender. Quando terminou o culto, fui logo embora. Cheguei em casa e fui orar:

— Senhor, se existe alguma coisa oculta, preciso que me mostre porque nada disso é normal. Eu sei que o Senhor já me curou.

Naquela mesma noite, Deus deu-me um sonho: eu entrava na casa da minha mãe e ela estava grávida e chorando muito. Tentava falar com ela, mas ela não ouvia. Só chorava e dizia: "Senhor, eu não posso ter esse filho. Estou muito triste."

Foi aí que tudo ficou claro: eu era aquele filho. Foi durante a minha gestação que minha mãe descobriu sobre a outra família do meu pai. Naqueles momentos ela desejou o fim do casamento, da própria vida, de tudo. Apesar disso, ela não fez nada contra o bebê e nem contra ela mesma, mas tudo o que viveu durante a minha gestação impactou a minha alma. O Senhor continuou falando no sonho: "Hoje, estou te curando. Estou tirando a morte de dentro de você."

Depois disso, conversei com minha mãe e contei sobre o sonho. Ela chorou muito e confirmou o que sonhei. Até a cor da poltrona onde ela estava sentada no sonho era a mesma. Uma poltrona de cor azul-marinho, na sala, onde ela gostava de ficar.

Foi uma grande revelação de Deus para minha cura e aconteceu no término de um jejum de quarenta dias, em 1991. Eu e minha mãe conversamos, choramos, ela me pediu perdão e disse que nunca imaginou ou relacionou as minhas crises depressivas com o que havia acontecido durante minha gestação. Contou-me que, quando estava grávida, sentia a mesma tristeza. Essa revelação de Deus libertou-me. Depois disso tudo, a Gabriela, minha filha, nasceu.

Percebi que sempre que estava para receber uma grande felicidade na minha vida, algo acontecia para me deixar triste. Acredito que a depressão vem da rejeição em algum momento da vida, seja após um divórcio, morte ou abusos. Acontece porque alguma coisa se rompeu dentro de nós. É uma morte no coração e pode atingir diferentes graus. Porém, creio que, para o Senhor, sempre há cura. Não importa em que estágio da depressão a pessoa estiver.

Tive ainda outra experiência linda. Depois do nascimento da Gabriela e enquanto eu a amamentava em plena madrugada, Deus falou comigo: "Você vai pedir perdão para sua filha. Vai quebrar essa maldição de tristeza e depressão."

Obedeci e pedi perdão para ela:

— Filhinha, me dá um sinal de que entendeu e me perdoou. — E ela abriu um sorriso.

Pela primeira vez eu vi suas covinhas; até hoje essa é uma marca linda da minha filha.

Com tudo isso, pude entender que as marcas da vida intrauterina de uma pessoa são muito fortes. Existem alguns interruptores que, se você apertar, vai detonar uma série de sintomas e trazer de volta toda a dor e os sentimentos do passado. Digo isso porque ainda precisei viver um terceiro momento antes da minha cura definitiva.

Depois do nascimento da Gabriela, veio a Giovana. A gestação foi tranquila, mas, após o seu nascimento, veio a depressão pós-parto. Isso coincidiu com um novo momento ministerial na minha vida e na do meu marido. O apóstolo nos enviou para implantar um Grupo de Comunhão e Desenvolvimento (GCD) em Alphaville. O GCD foi o embrião da igreja que temos hoje lá. Era sempre no nascedouro que o diabo tentava matar o plano de Deus na minha vida e aquele era o momento de nascer a minha vida ministerial como pastora. O inimigo tentou colocar em mim o sentimento de impotência e incapacidade.

O Abbud, então, chamou o apóstolo e a bispa. Eles foram nos visitar e me ministraram:

— Rosana, um dia Deus mandou um pastor do Rio de Janeiro na nossa casa para falar da obra que ele tinha para fazer em nossas vidas. Nós viemos aqui hoje para te dizer a mesma coisa. Você não vai ser roubada. Nós vencemos. Você vai vencer também.

Aquele dia foi um divisor de águas. Já faz 17 anos que isso ocorreu e eu nunca mais soube o que é depressão. Acredito que o processo da cura de Deus na minha vida incluiu o casamento, o nascimento da minha primeira filha e o nascimento do meu ministério. Era onde o diabo queria colocar a impotência. Nesses três momentos, a igreja interferiu por meio da vida do apóstolo Estevam e da bispa Sonia.

Esse não foi o fim da história. Havia um momento de fundamental importância para minha cura completa. Era perdoar meu pai. Eu tinha uma pendência com ele. Quando descobri sobre sua outra família, ainda na adolescência, tivemos uma briga séria. Disse que ele não seria mais meu pai e fiquei um ano sem falar com ele. Porém, o Senhor foi trabalhando dentro de mim até que chegou um dia em que o procurei para conversar.

— Pai, eu perdoo você. Não que concorde com o que fez, mas eu perdoo você.

Depois disso, nossa relação foi transformada. Alguns anos depois, quando já estávamos à frente da igreja de Alphaville, preguei durante um Dia dos Pais. Meu pai estava lá, pela primeira vez na igreja. Ele aceitou Jesus como Senhor de sua vida. Deus completou a obra. Eu desejava muito que ele se convertesse. Hoje tenho certeza de que ele morreu salvo.

Até seu último momento, cuidei dele. Fui a última pessoa a ser abraçada por ele. Se não tivesse perdoado meu pai, talvez ele não tivesse se convertido e eu estaria nas mãos dos atormentadores.

Por fim, Deus constituiu-me pastora e hoje sou uma bispa da Igreja Renascer. Sempre que tenho oportunidade de pregar sobre esse tema, destaco que o caminho da cura começa quando confessamos e reconhecemos que não estamos bem. Muitas pessoas estão dentro das igrejas passando por isso, mas não assumem por pura religiosidade e nunca serão curadas.

Uma vez, a bispa Sonia explicou e eu entendi: "A pessoa que sofre de depressão é semelhante ao viciado. Só que, em vez de drogas, ela fica dependente de pensamentos ruins."

O segundo passo, portanto, é dominar tais pensamentos. Você não pode deixar a autocomiseração, a autopiedade, ou a vitimização dominar. A bispa Sonia sempre me dizia:

— Rosana, não se alimente de pensamentos. Alimente-se da Palavra de Deus.

Na hora em que vinha um pensamento ruim, eu declarava:

— Isso é mentira. Essa não é a minha verdade. A verdade é a Palavra de Deus. Eu não aceito as mentiras de Satanás.

Dentro de mim existiam fortalezas criadas em função da minha história de vida, mas a Bíblia diz que as armas espirituais destroem fortalezas, que são resistências. Eu precisei usar as armas espirituais: oração, jejum, louvor e estudo da Palavra. É uma guerra espiritual e você tem que lutar e perseverar. Até vencer. Não desistir de alcançar a sua cura

A terceira e fundamental atitude é que você precisa estar em aliança com a igreja e com a Palavra. A maioria das pessoas não é curada instantaneamente, mas é um processo. Quando sentia a opressão aproximando-se, começava a orar. Em algumas épocas, tive que ir à igreja todos os dias para ouvir a Palavra. Isso ajudava a lembrar-me qual que era verdade, de fato, sobre a minha vida. Colocava louvor e preenchia a minha mente com a Palavra de Deus. Desse jeito, anulava os sofismas, que são mentiras que parecem verdade.

Os pensamentos dos depressivos vêm como verdades, mas são mentiras. Por exemplo, a verdade é que Deus nos ama, portanto, não somos rejeitados. É isso que importa.

Eu nunca tive uma doença física, exceto catapora. Não sei como é a dor física; até para ter as minhas filhas não tive dor. A minha doença era na alma. O problema é que para esse tipo de dor não há remédio, não existe uma aspirina ou um antibiótico. Nunca cheguei a tomar antidepressivos, porque não tinha consciência da depressão. Mas, mesmo que tivesse tomado, acredito que poderia ser parte da ajuda, mas não a cura e a resposta definitiva. Para esse tipo de dor, o único remédio é o amor do Pai, do Filho e do Espírito Santo.

Rosana Abbud
São Paulo – SP

Capítulo **10**

Como receber um diagnóstico

Não temerei as más notícias

Há diversas formas de reagir a uma má notícia. Eu já vi servos de Deus, cristãos de verdade, que ouviram dos médicos a pior notícia possível e posicionaram-se. Enfrentaram os tratamentos e viveram a cura. Outros, por sua vez, receberam um diagnóstico duro e correram para encomendar um terreno no cemitério ou fazer um auxílio-funeral. Passaram a viver na expectativa da morte e morreram. A maneira como você recebe as palavras, sentenças ou diagnósticos sobre a sua vida faz muita diferença no resultado final.

Sabe o que a Bíblia diz sobre as más notícias? Que aquele que teme a Deus e tem prazer em sua Palavra não precisa temer. Está no Salmo 112:7: "Não se atemoriza de más notícias; o seu coração é firme, confiante no Senhor."

Não se trata de pensamento positivo ou manipulação mental, mas da fé na Palavra de Deus.

Eu sei, é difícil ouvir palavras como "câncer", "transplante", "esterilidade" ou "morte". É terrível abrir um exame e ver escrito ali "carcinoma" ou "positivo para HIV". As notícias ruins não vêm apenas dos consultórios. Elas chegam por carta ou telefonema. Divórcio, falência ou ação de despejo. Nesses momentos há medo, tristeza e revolta. A fome vai embora, o mundo ao redor perde as cores e o brilho. O choro torna-se constante. Pode surgir uma frieza, uma dureza na alma. Todas essas são reações normais diante de um problema insolúvel. Mas existe outro caminho: o caminho da fé. Este é espiritual e foi trilhado por muitas pessoas na Palavra de Deus. E, ainda hoje, é percorrido por muitos. Não pretendemos dar a você uma fórmula mágica ou uma receita pronta. Quero falar sobre posicionamentos. Não como o de um super-herói, mas como quem reage pela fé.

Quero começar contando a história do rei Ezequias, que encontramos no Velho Testamento, no segundo livro de Reis, capítulos 18 a 20: "Fez ele o que era reto perante o Senhor, segundo tudo o que fizera Davi, seu pai" (2Reis 18:3).

Assim começa sua história. Depois de acabar com as idolatrias, de guardar os mandamentos, servindo e confiando no Senhor de maneira que, depois dele, não houve nenhum outro rei semelhante entre os governantes de Judá, Ezequias ficou mortalmente doente.

Um poema escrito por ele resume bem sua angústia. Ele diz: "Como a andorinha ou o grou, assim eu chilreava e gemia como a pomba" (Isaías 38:14). No auge da sua dor e desespero, recebeu a visita do grande profeta Isaías. Por um instante imaginou que receberia uma mensagem de conforto e esperança. Porém, as palavras do profeta serviram como vinagre sobre a ferida. De uma só vez Isaías disse:

— Põe em ordem a tua casa (38:1). Acabe com as pendências. Chame seus familiares e converse com cada um, porque você não vai sobreviver a essa enfermidade. Você vai morrer. Deus me mandou aqui para te dar esse recado — dito isso, o profeta virou as costas e saiu, deixando o rei sozinho com seus pensamentos.

O rei Ezequias ouviu a notícia que ninguém gostaria de ouvir. E não veio de um médico, amigo ou familiar. Veio do próprio Deus, por meio de uma fonte segura. Não era um engano. Isaías era um profeta acima de qualquer suspeita. O que fazer diante de um decreto do próprio Deus? O que fazer se essa era a vontade do Criador do universo?

Ezequias poderia ter chamado os seus assessores e começado a ditar direcionamentos e ordens, assinar resoluções, escrever o testamento, nomear seu sucessor ou planejar um funeral pomposo. Porém, só teve forças para virar seu rosto para a parede e orar. Não queria que seu fim fosse daquele jeito nem naquele tempo. Fez, então, uma oração doída. Curta, porém sincera:

— Lembra-te, Senhor, que andei diante de ti com fidelidade, com inteireza de coração e fiz o que era reto aos teus olhos. (Isaías 38:3)

As palavras acabaram e o restante da oração foi de um choro profundo e ressentido. Não há nenhum problema em chorar, entristecer-se, ou ficar em silêncio ao receber uma notícia terrível. Ezequias fez o que sabia. Falou com Deus de forma sincera e honesta. Sempre foi assim. Naquele momento, sozinho em seu quarto, deixou-se consolar pelas lembranças de um passado de realizações. Tinha um memorial diante de Deus. Trabalho, empenho, ofertas para que a casa de Deus e seus sacerdotes recuperassem a honra perdida. Apesar de as palavras do profeta ainda fervilharem em algum canto do seu cérebro, refugiou-se em um capítulo feliz de sua história quando procurou fazer toda a vontade de Deus. Não estava entendendo, então, por que deveria morrer. Por que ele mereceria aquilo?

Se retrocedermos um pouco na história de Ezequias, vamos aprender que ele testemunhou a loucura de seu pai, o rei Acaz, que afastou-se de Deus e foi buscar ajuda na Assíria e em seus deuses. O rei Acaz mandou fechar as portas do templo e construiu altares em todas as cidades de Judá para queimar incenso aos demônios. Ezequias fez o contrário. Uma de suas primeiras resoluções, assim que passou a governar, foi reabrir as portas do templo que Salomão havia construído e sobre o qual Deus havia dito que dali não se afastaria. Ele tinha uma consciência espiritual muito clara. Chamou os sacerdotes e os levitas, mandou limpar o templo, tirar a sujeira e restaurar o culto a Deus. Ele decretou:

— Estou resolvido a fazer aliança com o Senhor, Deus de Israel. O que o meu pai e meus antepassados fizeram foram absurdos. Eles viraram as costas para Deus e traíram os deveres do seu cargo. Essa nação só existe por causa da aliança de Deus com Abraão, mas nossos governantes não quiseram mais saber do Senhor. O templo está fechado, sujo, cheio de teias de aranhas, às escuras, como se fosse uma casa abandonada. Não é para menos que todas essas desgraças estejam acontecendo em Judá. Estamos vivendo uma derrota atrás da outra. Santificai-vos agora, ou seja, separem-se, limpem-se para buscar Deus como prioridade; e santificai a Casa do Senhor e vamos restabelecer o culto ao único e verdadeiro Deus.

A situação de abandono era tão séria que os levitas e sacerdotes passaram oito dias tirando lixo do templo e purificando o local. Assim que avisaram a Ezequias que estava tudo pronto, ele levantou-se de madrugada, reuniu os príncipes da cidade e subiu à Casa do Senhor. Mandou trazer sete novilhos, sete carneiros, sete cordeiros e sete bodes, como oferta pelo pecado do reino, do santuário. O rei também ordenou que se fizesse expiação de todo Israel, isto é, pelas 12 tribos. Naquela época a nação estava dividida: dez tribos mais ao norte, conhecidas como reino de Israel, se separaram de duas tribos mais ao sul, chamadas Judá. Ezequias era rei apenas em Judá, entretanto, tinha consciência de que todo aquele povo era propriedade exclusiva de Deus; uma nação sacerdotal, infelizmente desviada de seu propósito. Arrependeu-se e pediu perdão pelo pecado de todos os descendentes de Abraão. Também reestabeleceu o louvor durante o serviço no templo e, por fim, ordenou que retomassem as ofertas sacrificiais e as ofertas de gratidão.

O homem que fez todas essas coisas, aquele que tinha temor de Deus e demonstrou zelo pela casa do Senhor, estava prestes a morrer. Como ele recebeu o diagnóstico? Pela ótica da fé. Por que sei disso? Porque ele foi falar com Deus. Sua oração e seu choro sinceros tocaram o coração do Criador do universo, que mudou de ideia. Ainda que todo mundo vá morrer um dia, Ezequias queria viver, e seu desejo era legítimo. Veja o que a Bíblia fala sobre a morte de um filho de Deus em Salmo 116:15: "Preciosa é aos olhos do Senhor a morte dos seus santos."

Então ele deveria aceitar seu destino? Não. Ele deveria lutar pelo que queria. E foi o que fez.

Quando pediu ao Senhor que se lembrasse do que havia feito, falava de todo cuidado que teve com o templo, sacerdotes e levitas. Falava também sobre como direcionou o povo para a adoração e a santidade pessoal. Deus havia se esquecido? É claro que não. Porém, o próprio moribundo deveria ter essa consciência. Deveria ter um desejo sobre sua vida e seu futuro.

Enquanto Ezequias chorava e orava, antes que o profeta Isaías atravessasse os últimos portões do palácio, Deus ordenou:

— Volte lá onde está Ezequias e diga: Assim diz o Senhor, o Deus de Davi, seu pai: Ouvi a sua oração e vi as suas lágrimas. Você não vai morrer agora. Acrescentarei aos seus dias 15 anos. Também vou livrar Judá das mãos do rei da Assíria e defenderei Jerusalém. E para você não ter dúvidas, vou dar-lhe um sinal. Farei retroceder dez graus a sombra lançada pelo sol declinante no relógio de Acaz. (Isaías 38:5-8)

Assim aconteceu, e o sol retrocedeu os dez graus que já havia declinado. Um milagre que mexeu com o funcionamento de todo o sistema solar.

Ezequias pediu e recebeu. O propósito disso tudo talvez nunca saberemos. Porém, o próprio rei escreveu: "Foi para a minha paz que tive eu grande amargura" (Isaías 38:17). Tudo, então, valeu a pena.

Muitas vezes somos religiosos quando dizemos "Seja feita a sua vontade, Senhor"; falamos com tristeza, abatimento e até certa mágoa, como se a nossa vontade ofendesse a Deus. No fundo, acreditamos que para sermos aceitos temos que abrir mão do que pensamos ou sentimos. Não acredito que seja isso que Deus espera de nós. Como pai, ele sempre nos perguntará: "Mas o que você quer?" Estou convencido — há muito tempo — de que Deus se esforça para nos ensinar a ser verdadeiros e honestos em sua presença, mas insistimos em tentar seguir o script de "bom moço". Ele quer ter conosco uma relação de pai e filho, não uma relação de escravos com seu senhor. Nesse relacionamento não há espaço para hipocrisia. Deve prevalecer a verdade.

Quando receber uma sentença, um diagnóstico ou uma má notícia, por pior que seja, receba pela ótica da fé. Decida-se sobre o que quer e assuma isso diante de Deus em oração sincera e honesta. E pode desejar mesmo. Está escrito que nem olhos viram, nem ouvidos ouviram, nem jamais penetrou em coração humano o que Deus tem preparado para aqueles que o amam (1Coríntios 2:9). Ezequias não murmurou. Falou diretamente com Deus. Resultado: além de ganhar mais 15 anos de vida, trouxe grande bênção para todo o reino, pois Deus disse que o livraria das mãos do rei da Assíria. Essa incrível história encontra-se em 2Reis 19. Vou resumi-la nas próximas páginas.

Cartas do inferno

Os assírios eram inimigos terríveis. Eles empalavam seus adversários, ou seja, espetavam o condenado em uma estaca e o deixavam ali para morrer. Aqueles que eram tomados como escravos recebiam argolas no nariz, por onde eram puxados até o local do seu cativeiro. Os assírios já haviam invadido o reino de Israel, ao norte, e devastado a capital, Samaria, oito anos antes. O que lhes impediria de tomar a cidade de Davi, que ficava mais ao sul? Naqueles dias Ezequias temeu muito pelo destino de Jerusalém e de toda Judá.

O terrível exército assírio comandado por Senaqueribe se aproximou de Judá, espalhando o medo pela nação. Antes da sangrenta batalha, os assírios iniciaram uma guerra de nervos. Cartas eram enviadas com mensagens ameaçadoras e intimidantes; verdadeiras afrontas, não só contra Ezequias, mas contra o próprio Deus, o Senhor dos Exércitos. Em uma das mensagens, o rei da Assíria mandou dizer ao povo de Deus: "Não deixem que Ezequias enganem vocês, porque ele não poderá livrar Jerusalém das minhas mãos. Também não acreditem em Ezequias quando ele diz que vocês podem confiar em Deus, porque nem Deus poderá livrá-los das minhas mãos. Ezequias está enganando vocês quando diz: 'O Senhor nos livrará.' Acaso os deuses das outras nações puderam livrar, cada um a sua terra, das mãos do rei da Assíria? Quais foram os deuses que puderam livrar suas terras das minhas mãos para que o Senhor possa livrar Jerusalém das minhas mãos?"

Era, verdadeiramente, uma carta do inferno com palavras bem-escolhidas para levar temor e abalar a confiança do povo em Deus. Ezequias estava sob uma ameaça de morte. Apenas notícias ruins chegavam aos seus ouvidos.

Ezequias pegou a carta de Senaqueribe, rei da Assíria, e levou-a até o templo. E glórias a Deus porque havia um templo aberto. Havia uma casa de Deus para onde correr. O rei de Judá estava indignado com tamanha afronta e ao mesmo tempo convicto de que, se alguém podia fazer alguma coisa, esse alguém era Deus. As cartas, que mais pareciam escritas pelo diabo (e acho que foram mesmo), espalhavam insegurança, medo e pânico. Chegando ao templo, Ezequias se prostrou diante de Deus e orou:

— Senhor, olha esta carta! Veja as palavras de ameaças e afronta sobre o teu povo. Olha o que Senaqueribe está falando! Ele está comparando o Senhor aos deuses das nações vizinhas, que não passam de ídolos. Ele está espalhando aos quatro cantos que o Deus de Israel não vai livrar Jerusalém do poder da Assíria, e que eu, como rei, estou iludindo o povo dizendo que o SENHOR nos livrará das mãos dos nossos inimigos. SENHOR, inclina o ouvido e ouve; abre, SENHOR, os olhos e vê; ouve todas as palavras de Senaqueribe, as quais ele enviou para afrontar o Deus vivo. "Verdade é, SENHOR, que os reis da Assíria assolaram todas as nações e suas terras e lançaram no fogo os deuses deles, porque deuses não eram, senão obra de mãos de homens, madeira e pedra; por isso, os destruíram. Agora, pois, ó SENHOR, nosso Deus, livra-nos das suas mãos, para que todos os reinos da terra saibam que só tu és o SENHOR Deus." (2Reis 19:17-19)

Após essa oração no templo, seu coração se aquietou e, logo, o profeta Isaías enviou a resposta:

— Assim diz o SENHOR, o Deus de Israel: "Quanto ao que me pediste acerca de Senaqueribe, rei da Assíria, eu te ouvi. Ele não entrará em Jerusalém, nem lançará nela flecha alguma. Não virá perante ela com escudo, nem há de levantar tranqueiras contra ela. Pelo caminho por onde vier, por esse voltará; mas, nesta cidade, não entrará", diz o Senhor. "Porque eu defenderei esta cidade para a livrar, por amor de mim, e por amor de meu servo Davi." (2Reis 19:20, 32-34)

Imagine se, em vez de confiar em Deus e orar, Ezequias tivesse murmurado, rasgado suas vestes, buscado resposta em homens! Se tivesse ficado magoado, frustrado com Deus, ou entrasse em acusações sem fim em busca do que havia feito de errado para merecer aquilo, teria perdido esse grande e maravilhoso livramento e ainda teria os assírios no seu encalço por mais alguns anos.

Na verdade, aquelas cartas que traziam notícias tão terríveis e toda essa guerra vieram após grande manifestação de fidelidade a Deus por parte de Ezequias. Veja 2Crônicas 32:1: "Depois destas coisas e desta fidelidade, veio Senaqueribe, rei da Assíria." Talvez você esteja se perguntando: "Como assim?" Exatamente! Essas más notícias chegaram quando Ezequias já estava preparado em fidelidade a Deus para enfrentá-las e vencê-las. Tanto que vemos por meio de Ezequias a atitude, as palavras e as reações corretas, o que acabou por atrair a justiça de Deus e sua interferência. Por consequência, Ezequias e o povo que estava sob sua autoridade viveram uma vitória histórica, e diante de todas as nações não somente honraram ao Senhor como por ele foram honrados. Quando Deus resolve o problema, a solução é definitiva.

> "Naquela mesma noite, saiu o Anjo do Senhor e feriu, no arraial dos assírios, cento e oitenta e cinco mil; e, quando se levantaram os restantes pela manhã, eis que todos estes eram cadáveres. Retirou-se, pois, Senaqueribe, rei da Assíria, e se foi; voltou e ficou em Nínive. Sucedeu que, estando ele a adorar na casa de Nisroque, seu deus, Adrameleque e Sarezer, seus filhos, o feriram à espada." — 2Reis19:35-37

Assim morreu aquele arrogante rei que afrontou a Deus e a Ezequias.

Veja quantos livramentos! Aquela sentença de morte acabou transformando-se em uma bênção na vida do rei Ezequias, pois ele estava preparado. Ele aprendeu a recorrer a Deus e a lidar com a pressão das más notícias da maneira certa. Não ficou estressado ou desequilibrado. Confiou em Deus e em seu profeta. Então, quando teve que enfrentar uma luta maior contra os assírios, já estava habilitado. Às vezes, uma aparente má notícia ou um grande problema como um diagnóstico terrível é, na verdade, a chance de resolver muitos outros desafios em nossas vidas. Quando apresentamos e entregamos a Deus nossa ansiedade, inseguranças e medos, ele nos ouve. Como Pai, ele espera que dependamos dele.

Eu estou com medo, mas meus olhos estão postos em ti

Josafá, outro rei de Judá, foi um bom exemplo dessa dependência. Ele também viveu uma experiência sobrenatural depois de ouvir uma péssima notícia. Sempre tem uma "boca infernal" para torcer os fatos e piorar as informações. Veja como a Bíblia descreve:

> "Depois disto, os filhos de Moabe e os filhos de Amom, com alguns dos meunitas, vieram à peleja contra Josafá. Então, vieram alguns que avisaram a Josafá, dizendo: Grande multidão vem contra ti dalém do mar e da Síria; eis que já estão em Hazazom-Tamar, que é En-Gedi. Então, Josafá teve medo e se pôs a buscar ao Senhor; e apregoou jejum em todo o Judá." (2Crônicas 20:1-3)

É raro aparecer alguém para dizer algo positivo. Porém, os "arautos do Apocalipse", os portadores das más notícias, são sempre os primeiros a chegar. No caso de Josafá, os que foram avisar-lhe sobre os inimigos escolheram as palavras certas para deixá-lo apavorado. Pode até ter sido inconsciente, mas é assim que funciona quase sempre. A notícia do ataque iminente caiu como uma bomba e, é claro, produziu medo. Qual seria a reação de Josafá se tivessem dito algo mais ou menos assim:

— Josafá, o Senhor decidiu entregar três exércitos de uma vez em nossas mãos e vamos derrotar todos de uma tacada só. Já vamos deixar a festa preparada porque o despojo [saque permitido na guerra] será grande.

Mas nunca é assim. Parece que existe uma cultura do terrorismo, do alarmismo que trabalha em favor do mal e se utiliza de guerra psicológica. A notícia de uma "grande multidão" vindo contra Jerusalém pegou Josafá desprevenido. Essa é outra tática do diabo. Quando menos esperamos, vem o sobressalto. Quantas vezes você estava feliz na sua casa com sua família e, de repente, chega uma carta ou toca o telefone e estraga toda a alegria. O bom humor desaparece e uma sombra toma seu semblante. Em vez de permanecer na sombra do Altíssimo, como aconselha o Salmo 91:1, permanecemos na sombra do problema, da ameaça, do terror infundido pela má notícia.

O que desejamos é que ao final deste capítulo você aprenda a vencer essas situações e nunca mais seja roubado por esse tipo de circunstância. A palavra final sobre sua vida quem dá é o Senhor. E a Palavra de Deus sempre traz vida.

O que Josafá fez depois que teve medo? Ele entrou em jejum com todo o povo, orou, falou com Deus:

— Senhor, tem uma multidão vindo contra nós e eu estou com medo de verdade, porque em nós não há força para resistir e não sabemos o que fazer; porém, os nossos olhos estão postos em ti.

Que oração maravilhosa e verdadeira. Sempre que leio essa história, imagino Josafá como uma criança de cinco ou seis anos, olhando para um pai bem alto e forte e dizendo:

— Pai, eu estou com medo. Mas enquanto estiver vendo você, estará tudo bem.

Após a oração, o Espírito do Senhor veio no meio da congregação sobre um dos profetas, e disse:

— Rei Josafá e todos os moradores de Judá e Jerusalém, prestem atenção ao que Deus manda dizer a vocês: "Não fiquem com medo desta grande multidão. Essa guerra não é de vocês, mas de Deus. Neste encontro, vocês não terão de pelejar; apenas tomem posição, fiquem parados e vejam o salvamento que o Senhor vos dará. Não temam, nem se assustem; amanhã, saiam ao encontro dos seus inimigos em paz e com confiança, porque o Senhor é convosco."

Deus deu a direção completa. Nada de ficar com medo, porque ele estava no controle. Depois de orar, a luta já não era mais problema do rei Josafá. Que grande ensinamento! No dia da má notícia, entregue seus medos e preocupações a Deus em jejum e oração juntamente com a Igreja de Jesus Cristo, contra a qual as portas do inferno não prevalecem (Mateus 16:18); receba a palavra do profeta e ande de acordo com ela. Após entregar a Deus suas preocupações em oração, você não deve temer nem se assustar. Só precisa encarar o adversário, seja ele um problema ou um diagnóstico. Não fuja. Não deixe mais que as cartas do inferno, as ameaças, as palavras contrárias ou qualquer tipo de notícia lhe apavorem. Enfrente com coragem sabendo que você tem uma retaguarda, que é o Deus Todo Poderoso. Essa guerra não é mais sua.

A resposta de Deus levou Josafá e todo o povo a se prostrar em adoração. Os levitas pegaram seus instrumentos e louvaram o Deus de Israel, em voz alta, sobremaneira. Em vez de gemidos, pragas e murmurações, música, cânticos e louvores em adoração ao Senhor. Na manhã seguinte, dia do confronto, o rei e seu exército fizeram como Deus ordenara-lhes e saíram para enfrentar os adversários. Josafá já tinha uma palavra da parte de Deus que animou a todos:

— Ouvi-me, ó Judá e vós, moradores de Jerusalém! Crede no Senhor, vosso Deus, e vós estareis seguros; crede nos teus profetas e vós prosperareis.

Juntos decidiram colocar cantores marchando à frente do exército para que louvassem a Deus. Já sabiam que aquela conquista seria sobrenatural. Eles dependeriam muito mais de armas espirituais do que armas naturais. O tempo de oração e jejum os havia transformado. A oração modifica-nos e coloca-nos em condições de receber a Palavra e agir de acordo com ela. O exército marchava e cantava:

— Rendei graças ao Senhor, porque a sua misericórdia dura para sempre.

Note bem esse detalhe da Palavra. Assim que começaram a cantar e a louvar, Deus colocou emboscadas contra os filhos de Amom e de Moabe e os do monte Seir, e eles foram desbaratados. Os três exércitos que marchavam juntos para destruir o povo de Deus começaram a guerrear entre eles, e tal foi a guerra e confusão que se mataram até não restar ninguém. Quando Josafá e o povo chegaram para ver a "grande multidão" que vinha contra eles, encontraram apenas mortos e muita riqueza entre os cadáveres. O despojo era tão grande — claro, pois eram três reis com seus exércitos — que passaram três dias carregando as riquezas de volta para Jerusalém.

> "Ao quarto dia, se ajuntaram no vale de Bênção, onde louvaram o Senhor; por isso, chamaram àquele lugar vale da Bênção, até o dia de hoje. Então, voltaram todos os homens de Judá e de Jerusalém, e Josafá à frente deles, e tornaram para Jerusalém com alegria, porque o Senhor os alegrara com a vitória sobre seus inimigos. Vieram para Jerusalém com alaúdes, harpas e trombetas, para a casa do Senhor. Veio da parte de Deus o terror sobre todos os reinos daquelas terras, quando ouviram que o Senhor havia pelejado contra os inimigos de Israel. Assim, o reino de Josafá teve paz, porque Deus lhe dera repouso por todos os lados." — 2Crônicas 20:26-30

Não fique imaginando coisas

Ezequias chorou e orou debaixo dos lençóis por sua cura; Josafá correu para a casa de Deus e apresentou ao Pai as ameaças infernais e as más notícias que chegavam diariamente até ele. Nos dois casos, o que funcionou foi mesmo falar com Deus de uma maneira honesta, sincera, cheia de fé e com a intimidade de filho. Mas há uma história na Bíblia que mostra que o caminho do milagre tem que passar antes pela quebra do orgulho e da arrogância, pois a cura está na simples obediência a uma palavra profética singela. É possível que você não veja trovões nem relâmpagos, às vezes, nem o profeta, mas verá a glória de Deus manifestando-se na humildade e na obediência.

Naamã era o todo-poderoso general do exército da Síria. Ele era muito estimado pelo rei sírio porque conquistou muito para seu país, além de ter derrotado o exército de Israel algumas vezes. Apesar de todo poder e dinheiro, de sua coragem e das vitórias que colecionava nas batalhas, Naamã estava perdendo a guerra contra uma terrível enfermidade, provavelmente a lepra, que não tinha cura.

Já vi esse tipo de história se repetir muitas vezes. Não foram poucas as pessoas muito ricas pelas quais orei por estarem vivendo uma luta desigual contra uma enfermidade. A despeito de todo o dinheiro, os médicos e os tratamentos nada podiam fazer. Algumas delas procuram-nos depois de já ter corrido atrás de todos os outros deuses e seus profetas tão conhecidos; outras simplesmente achavam que mais uma oração não faria mal. Poucas, no entanto, creram verdadeiramente.

Uma das empregadas da mulher de Naamã era uma menina israelita que havia sido levada como escrava para a Síria. Ela, ao contrário, não tinha dinheiro algum nem era dona de seu próprio nariz. Tinha apenas a fé e conhecia o Deus de Israel. Ela disse para sua senhora:

— Ah! Se meu senhor, Naamã, fosse visitar o profeta que vive em Samaria, seria curado! — Ela estava falando de Eliseu.

A esposa não tardou a avisar o marido e Naamã foi se aconselhar com seu chefe, o rei. Imagino que a conversa tenha sido mais ou menos assim:

— Rei, essa doença na minha pele só piora, e chegará um momento em que nem poderei mais andar entre vocês, quanto mais ir à guerra. Já estou um pouco cansado das promessas de cura, mas minha esposa está insistindo para que eu vá falar com o profeta que mora em Samaria. Foi a nossa escrava hebreia quem disse que ele pode me curar.

— Então, você tem que tentar. Eu, você, todos nós já ouvimos muitas histórias sobre o Deus de Israel, não é? E se for verdade?

Naamã partiu para Samaria — capital de Israel na época — e, lá chegando, entregou uma carta do rei da Síria ao rei de Israel. A mensagem dizia algo assim:

— Estou enviando meu general para que você o cure.

O rei de Israel, ao ler a carta do rei da Síria, rasgou as próprias roupas em sinal de desespero e ficou lá murmurando:

— Eles estão loucos. Imagine! Um absurdo que eu possa curar alguém. Os sírios querem guerra.

Aquele soberano, por nenhum momento, lembrou-se do Deus de Israel e de seus profetas. Que lástima! O profeta Eliseu soube que o rei de Israel andava de um lado para outro com a roupa rasgada e arrancando os cabelos e disse:

— Ó, rei, fala para esse general procurar-me e ele vai saber que existe Deus poderoso em Israel.

Naamã recebeu o recado e foi até a casa de Eliseu com toda a sua comitiva. Ao chegar lá, Eliseu nem se deu ao trabalho de falar com ele e mandou seu ajudante dizer-lhe:

— Para ser curado, você deve ir até o rio Jordão e mergulhar sete vezes.

Além de ser curado da lepra, Naamã precisava ser curado do orgulho e da prepotência. Aquele aparente descaso do profeta Eliseu provocou-lhe ira e indignação. Imaginou que o profeta de Deus fosse uma espécie de curandeiro ou mágico, e seus preconceitos quase lhe roubaram a cura. Ele começou a reclamar:

— O que é isso? Ele nem me recebeu e ainda manda um subalterno dizer que, para eu ser curado, basta mergulhar setes vezes no rio Jordão? Temos rios muito melhores e com águas mais limpas em Damasco. Não vou me submeter a essa humilhação.

O orgulho rouba as pessoas. As ideias pré-concebidas sobre curas divinas e milagres também roubam as curas e as promessas de Deus. Naamã já tinha estabelecido em sua imaginação como deveria acontecer a cura, mas o Espírito Santo de Deus é como o vento e sopra onde, como e quando quer. Não tem regras prontas. As pessoas estão cheias de falsos paradigmas estabelecidos em suas mentes, bloqueios mentais terríveis que as impedem de viver as bênçãos e as manifestações do poder sobrenatural de Deus.

Vou dar um exemplo. Durante nossos cultos, em vários momentos da celebração, especialmente durante as orações e a ministração da Palavra, pedimos:

— Fique de pé, levante as mãos para o céu, feche os olhos e ore, profetize, fale para Deus o que você precisa!

Alguns permanecem de braços cruzados, sentados e de olhos abertos, como se aquele direcionamento não fizesse nenhuma diferença. Dá quase para ouvir os pensamentos: "Até parece que eu vou levantar os braços e fechar os olhos."; "Quem disse que isso vai resolver meus problemas?"

Você não pode agir com esse tipo de inflexibilidade, arrogância e preconceito ao receber uma palavra profética. Se for assim, pode dar adeus ao milagre. Deus resiste ao soberbo, mas dá graça aos humildes (Tiago 4:6).

Ao final, Naamã foi curado. Sabe como? Mergulhando sete vezes no rio Jordão como fora dito pelo profeta Eliseu. Como ele mudou de ideia? Seus empregados — que eram mais sensatos — convenceram-no, dizendo:

— General, se o profeta tivesse lhe pedido para fazer algo bem difícil que precisasse de muita coragem, o senhor não teria feito? Então, por que não tentar? O que custa ir lá e mergulhar no rio?

Mergulhou a contragosto, porém, ao sair pela sétima vez das águas do rio Jordão, sua pele ficou rejuvenescida como se fosse a de um bebê. Naamã ficou tão agradecido e tão impactado que, além de querer recompensar o profeta, converteu-se a Deus. Deixou para trás os falsos deuses da Síria e passou a seguir o Deus de Israel.

Não desista!

Outra forma de reagir a um problema é não desistir de buscar a solução. Não importa quão impossível pareça. Certa vez, quando Jesus passava pela cidade de Jericó, acompanhado de uma grande multidão, ouviu alguém chamando seu nome a plenos pulmões. Era Bartimeu, um homem cego (Marcos 10:46-52). Ele estava no lugar de sempre, sentado à beira do caminho perto da entrada da cidade, mas quando ouviu dizer que era Jesus quem passava por ali, tão perto, não teve dúvidas. Começou a clamar:

— Jesus, Filho de Davi, tem compaixão de mim!

Bartimeu, como a maioria dos cegos, era mendigo. Ao que tudo indica, ele nasceu perfeito, mas por algum motivo perdeu a visão. Entretanto, nunca perdeu o sonho de voltar a enxergar. Sua audição, seu olfato, seu tato eram apuradíssimos, mas nada substituía a visão. Quando sentia o cheiro delicioso de carne de carneiro assada, quando entrava no rio Jordão ou quando sentia o sol no seu rosto, seu maior desejo era ver o mundo ao seu redor novamente. Foram muitas as promessas. Consultou médicos e mágicos e fez simpatias. Ninguém pôde ajudá-lo. Agora, tinha ouvido histórias incríveis sobre Jesus e até conhecia outros cegos que haviam sido curados por ele. Todos lhe garantiram que Jesus era a saída para sua mudança de sorte. Quando alguém o avisou que o homem de Nazaré que fazia milagres estava passando à sua frente, desandou a gritar; precisava falar com Jesus, precisava chamar sua atenção. Ele não queria dinheiro, comida, roupa ou casa. Queria ver. Alguns religiosos, incrédulos e outros da multidão que seguiam a Jesus ficaram bravos e um pouco envergonhados com todo aquele escarcéu. Mandaram-no se calar. Não adiantava. Bartimeu gritava cada vez mais alto.

E Jesus o ouviu. Bartimeu conseguiu chamar a atenção do Filho de Deus que, desvencilhando-se da multidão, disse:

— Tragam esse homem aqui! Vou falar com ele.

Os discípulos foram até Bartimeu:

— Ei, você aí! Jesus que falar com você.

Bartimeu deu um pulo do seu lugar, jogou fora a capa de cego e foi apressado na direção de Jesus. Foi um encontro memorável: a luz e a escuridão. O Filho de Deus fez a pergunta que sempre faz a cada um de nós:

— O que você quer que eu faça?

— Mestre, que eu volte a enxergar.

— Vai! A sua fé te salvou.

E imediatamente tornou a ver, seguindo Jesus estrada fora.

Não parece óbvio que o desejo de qualquer pessoa cega é ver? Parece. Mas, de fato, o que se passa dentro de cada um de nós? Sabia que muitas pessoas desenvolvem uma aliança doentia com a enfermidade que carregam? Alguns, no fundo, nem querem ser curados; gostam daquela situação que exige cuidado e atenção dos outros. Além disso, não precisam fazer nada, podem se aposentar cedo e ninguém irá criticá-los ou julgá-los por isso. Afinal, está "muito doente".

Uma pessoa que não tinha atenção até adoecer recebe olhares e cuidados. Percebe que os doentes são tratados de maneira diferente. É o tema das conversas em família, das preocupações dos pais, dos filhos, dos cônjuges e dos amigos. Para quem viveu a dor da rejeição de alguma forma, esse pode ser um caminho — perigoso, é claro. É uma saída aparente. Nesse momento, a deformação emocional fala mais alto, pois ainda que a doença seja grave, o indivíduo prefere arriscar e permanecer doente a perder a "atenção" e o lugar de destaque que conquistou.

Quando Jesus perguntou a Bartimeu o que ele queria, a ideia era revelar as intenções do seu coração. Seu desejo seria atendido e traria uma série de consequências. A vida de mendicância, à beira do caminho, dependendo da pena e esmola dos outros, acabaria. Com os olhos abertos, ele teria que começar a trabalhar, aprender uma profissão, lutar pelo pão de cada dia. Enxergaria a sua aparência no espelho e talvez começasse até a se comparar com outros homens. Será que um dia ele acordaria com saudades da vida de cego? Não Bartimeu. Ele estava resolvido no seu interior.

Por ele não ter desistido e se entregado ao conformismo, por ter mantido a esperança viva da cura, Jesus reconheceu fé para operar o milagre. Recebeu por aquilo que acreditava e não pelo que ouvia dos médicos. Ter fé em Jesus Cristo como Filho de Deus é a melhor escolha que existe. A fé salva. A fé faz Jesus ouvir a nossa voz em meio à multidão. A fé nos dá autoridade para jogar fora a capa de cego e mendigo que colocaram em cima de nós, já definindo-nos injustamente sobre quem seremos ou o que seremos. A fé faz a voz do povo mudar. Em vez de falarem "cala a boca", dirão "Tem bom ânimo! Vai dar certo! Corre lá! Jesus escutou a sua voz. Você é o escolhido de Deus". E os que nos impediam e queriam ver-nos jogados à beira da estrada, pela nossa fé e clamor são transformados e abrem alas para passarmos. A fé abre os olhos da gente para ver Jesus bem na nossa frente, mostrando o caminho. A fé que nasce de Deus, fé em Jesus Cristo como Senhor e Salvador, faz-nos vencer o mundo e viver milagres. O milagre nosso de cada dia.

É claro que existe o aspecto racional. Eu, por exemplo, tomo remédio quando é necessário, afinal, Deus deu capacidade ao homem para criar os medicamentos, mas sei que a cura está no meu espírito. Recebo um diagnóstico, o médico diz o que tenho que fazer, compreendo e obedeço, mas acima daquilo que o médico estudou na faculdade de medicina, dos exames que ele tem em mãos; acima do poder dos remédios e do que é lógico, está a minha convicção de que meu Deus pode.

Se você não quiser que um diagnóstico acabe com sua vida, ele deve ser recebido pela ótica da fé e do poder de Deus. Não pela força da enfermidade. Não fique dizendo: eu tenho isso ou aquilo. Você não é um doente, desgraçado ou falido. Essas malignidades não lhe pertencem. Você não está desenganado. Ao contrário, você é o que a Palavra de Deus diz que você é. Não deixe que as más notícias guiem sua vida. Fixe os olhos naquele que é poderoso para fazer infinitamente mais do que pedimos ou pensamos e clame até que Jesus Cristo ouça seu clamor. Esses são os conselhos bíblicos.

Depoimento

CURADA DE OITO CÂNCERES

Deus me escolheu para viver esse milagre, algo sobrenatural. Passei pelo vale da sombra da morte, quebrando toda a hereditariedade. Meu pai morreu aos 47 anos, minha mãe aos 55, e alguns dos meus tios morreram da mesma enfermidade: câncer.

Aos três anos, conheci um Deus que cura. Minha mãe, a quem chamamos carinhosamente "Mama", era missionária, uma ministra do Evangelho apostólico, e nos ensinou o caminho em que deveríamos andar. Tinha marcas de milagres. Por exemplo, ela entrou em uma igreja evangélica com minha irmãzinha de quase dois anos nos braços, com uma cirurgia marcada para amputar as duas pernas, mas saiu de lá com minha irmã curada. Hoje, minha irmã é perfeitamente normal, mãe, professora e anda muito. Aprendi que um coração firmado, confiante no Senhor, não teme más notícias, pois Deus nos exalta em glória (Salmo 112:7-9). Conformar-se, então, nunca!

Em 2009, senti um minúsculo caroço na axila esquerda, do tamanho de um grão de mostarda. Como prevenção, busquei orientação médica e disseram ser algo normal, apenas uma retenção de líquido, talvez um poro que havia cicatrizado, retendo o suor por causa das depilações. No entanto, o caroço continuava crescendo. Sentia um incômodo nas axilas e nos seios. Por um ano insisti, procurando um diagnóstico, pois me incomodava muito.

Numa tarde, quando fui buscar minhas filhas na escola, me senti muito mal, quase não conseguia dirigir. Estava febril e o caroço, enorme, não me permitia abaixar os braços, então fui ao médico. Ao me examinarem, levaram um susto. Ainda assim, continuaram dizendo que era uma retenção de líquido.

No próprio consultório fiz uma cirurgia sem anestesia. Ao perfurarem o caroço, só saía sangue e pus. Fui encaminhada com urgência para o centro cirúrgico e, com anestesia geral, retiraram um caroço do tamanho de uma laranja. O resultado da biópsia foi câncer em estágio avançado. Fiz vários exames dificílimos e dolorosos, preparatórios para dar início às quimioterapias.

Nesse momento, chorei não mais que dois minutos, pois tinha a convicção de que Deus tinha um grande propósito, e por mais que eu me desesperasse, de nada adiantaria. Precisava cumprir o propósito que Deus tinha para minha vida.

Fiz o que a Bíblia diz e me revesti da armadura de Deus para enfrentar essa situação que seria dolorosa, longa e no vale da sombra da morte, porém sabia que viveria o terceiro dia da ressurreição em honra. Lutei com a força de Deus, venci todos os obstáculos e dificuldades, tornando-me inabalável, em nome de Jesus! A certeza do milagre me animava.

Deus me surpreendeu e me deu um sinal de cura. Junto com a má notícia, veio um milagre. Teria de realizar uma mastectomia, isto é, retirada das mamas, porém, inexplicavelmente aos olhos humanos, o resultado da nova tomografia mostrou que o câncer que estava no seio sumiu! Perguntei qual a possibilidade de voltar para os seios. A médica sorriu e me respondeu: "Nenhuma."

Senti o amor de Deus agindo em mim. E agindo Deus, ninguém pode impedir. Lembrei-me de Jó 3:25: "Aquilo que temo me sobrevém..." Assim, não tinha mais temor algum. Lancei fora todo o medo e, a partir daí, comecei a glorificar ao Senhor por me dar a oportunidade de fazer o tratamento de oito quimioterapias intensivas — a vermelha, considerada a mais forte... Eram nove medicamentos em cada aplicação a cada 21 dias.

Presenciei pacientes desesperados, blasfemando, dizendo que Deus não existia! Como instrumento nas mãos do Senhor, através da minha vida, sempre com um sorriso no rosto, eu dizia: "Jesus já me curou!" No mundo espiritual não existe acaso, então eu tinha de estar ali para cumprir a vontade dele. Quando pensamos que estamos fracos, é aí que estamos fortes. Deus me renovou a cada manhã. Se era para fazer cirurgia, iria fazer. Tinha de enfrentar exames dolorosos, e iria enfrentar. Já estava desenganada pela medicina; pedia a Deus que ajudasse a minha fé.

Sabia que, se necessário, Deus mudaria os planos por amor a mim, assim como fez com Abraão, provendo o cordeiro. Estava na cama, com dificuldades de me mover, quando minha filha Sarah correu e falou bem perto do meu ouvido:

— Mamãe, eu vi Jesus e ele me disse que te curou.

Susanne, a menor, disse:

— Eu também vi!

Suémilyn, a primogênita, teve um sonho, uma revelação de que Deus tinha cura para minha vida. O Senhor não me desamparou, falava comigo, estava o tempo todo ao meu lado, eu podia sentir. Como diz a bispa Sonia, assim como o índio se pinta quando vai para a guerra, nós nos pintamos de vitória no dia da batalha! E foi o que fiz.

Durante todo esse processo de vitória sobre a enfermidade e a morte, não ficava olhando para o vale de ossos secos (Ezequiel 37), profetizava e agradecia o tempo todo a minha cura, porque maior que oito cânceres, efeitos colaterais e impedimentos era Jesus na minha vida!

Meu marido fez um propósito em sermos ministrados pelo apóstolo Estevam Hernandes e pela bispa Sonia durante o ano de 2009, e isso fez muita diferença. E tudo ao meu redor concordava e trabalhava pela cura.

Minha filha Suémilyn, numa fé inabalável, foi marchar para Jesus em busca da minha cura completa. Em seu tênis só havia pedido de cura. A Marcha aconteceu no dia 3 de junho daquele ano. Como tinha feito quimioterapia um dia antes, marchamos em casa pela TV Gospel, em honra, traje a rigor com a camiseta da Marcha, inclusive eu, na cama. Estávamos em concordância: ligado na terra, foi ligado no céu. Ela, aos 16 anos e convicta, ficou até o fim da Marcha. Chegou em casa chorando, abraçou-me com cuidado e disse:

— Mamãe, você está curada! Eu sinto. Receba a unção da cura, em nome de Jesus!

E Jesus recebeu nossa oferta em amor. Depois ela se consagrou, fez um louvor em gratidão ao Senhor pela minha cura; tocava guitarra, louvava e as duas menores louvavam e dançavam como oferta ao Senhor. Tive apoio dos meus irmãos amados, de meu sobrinho, minha família. Tínhamos certeza da cura extraordinariamente sobrenatural que Deus preparava.

Desenganada pela medicina, perdi meus cabelos, sobrancelhas, inchei 14 quilos, ouvia e enxergava muito pouco. Estava totalmente debilitada, não andava sozinha, entre outras dificuldades. Em um dos últimos hemogramas que fiz, saía água da minha veia em vez de sangue. Não aceitei aquela sentença de morte. Por pior que seja o cenário, Deus tem o melhor para seus filhos. Profetizei pela fé que veria meus netos e bisnetos e juntos esperaríamos pelo grande dia, o Arrebatamento, a vinda do Senhor, em nome de Jesus!

Eu e meu marido ungíamos e consagrávamos os medicamentos em todas as sessões de quimioterapia. Ninguém entendia nada, mas tínhamos o envio do apóstolo Estevam e da bispa Sonia na cobertura de Deus. Fé é ousadia, é a convicção daquilo que não se vê, mas se espera. A fé produz um peso de vitória e toca o coração de Deus.

No início desse processo, enquanto tinha forças, colei orações por toda a casa, nas portas, na janela da cozinha, nas paredes, até no boxe do banheiro. Pensem em um lugar — ali tinha uma oração com os seguintes dizeres: "Em nome de

Jesus, não vou perecer, não vou naufragar, eu consagro cada medicamento, cada quimioterapia a Ti, Jesus. Não sofrerei efeitos colaterais nem nada que eu não possa suportar. Eu sou curada, sarada em nome de Jesus!"

Quando saía para realizar as quimioterapias, minhas filhas, minha irmã e meu sobrinho ficavam lendo a minha oração e profetizando aquelas palavras. Eram oito horas de aplicação. Chegava em casa às 21h e me deitava. Era só Jesus naquela hora, pois só o que conseguia era pensar em Jesus, Jesus, Jesus. Um momento muito especial, só eu e Deus!

Lembro-me de que, na primeira quimioterapia, senti-me muito mal, faltou ar, estava sendo asfixiada, meu corpo queimava, sentia calafrios, tremia muito e lutava para continuar lúcida. Pedi ao Senhor Jesus que não permitisse que me faltasse o pensamento; precisava estar sóbria para orar, falar com Ele. Passei tão mal que uma equipe médica se reuniu à minha volta. Quase entrei em óbito. Sem conseguir falar, orava em pensamento. Dizia: "JESUS, JESUS, JESUS" — era toda a minha oração. Senti a mão de Deus me amparando e voltei a respirar. Continuei orando: "Jesus, não permita que os médicos desistam de mim!" Depois de uma semana, aconteceu a inauguração da Renascer Parque São Domingos. Enquanto me arrumava, comecei a sentir calafrios e mal-estar. Estava febril, e conforme a orientação médica, isso não poderia acontecer, pois era um péssimo sinal de complicações e imediatamente deveria me internar. Meu marido ligou para a médica, que me passou um antibiótico e repouso absoluto. Continuei me arrumando, uma forma de colocar o diabo debaixo dos meus pés. Mais uma vez repreendi aquele sintoma, em nome de Jesus, e ao chegar à Renascer, os pastores e a igreja oraram por mim e a febre cessou.

Durante o tratamento fiz várias tomografias. Cada uma delas acusava mais um câncer, num total de oito: seio, axilas, pescoço, uns trinta respingos no tórax, estômago, pulmão, sangue e medula óssea. Isso tudo me incentivou a glorificar ainda mais ao Senhor, pois sabia que Deus estava permitindo tudo aquilo para enriquecer o meu testemunho, para que seu nome fosse glorificado, edificando vidas, habilitando-me para um patamar espiritual maior, como canal de bênção.

Enquanto muitos tentavam me desanimar, dizendo para eu desistir e morrer, sentia o mover de Deus, convicta de que eu era a coisa louca de Deus que iria confundir os sábios. Como diz a bispa Sonia, se lhe faltar chão, não lhe faltará a Palavra de Deus. Tem coisa que só sara quando dói.

Lembro-me do dia em que fui fazer o exame da medula óssea. Quando o médico e a enfermeira começaram a amarrar meus braços e minhas pernas, eu disse:

— Doutor, sou uma pessoa sóbria. Posso todas as coisas em Jesus. Meu Deus transforma, restaura, restitui, fortalece, cura e já me livrou da morte. Por favor, não me amarre!

O médico fez um carinho na minha cabeça e disse:

— Está bem, querida, mas se prepare, porque vai doer muito, seja forte!

E doeu muito. Ele introduziu um cano de aço cirúrgico na minha coxa direita e arrancou uma lasca do fêmur de mais ou menos 2cm para fazer a biópsia. À medida que a lasca ia sendo retirada, rasgava toda a carne que encontrava pelo caminho. Era uma dor inexplicavelmente terrível, fiquei uma semana sem andar. O médico disse ao meu marido que eu era forte. Respondi com lágrimas nos olhos:

— A minha força, doutor, vem de Jesus!

Na sexta quimioterapia, eu seria internada para fazer as duas últimas. Estava muito fraca quando, no culto de Santa Ceia, durante a celebração, a bispa Sonia desceu do altar e foi ao meu encontro. Com imposição de mãos disse:

— Tudo aquilo que a quimioterapia não está conseguindo fazer, Deus está curando agora, em nome de Jesus!

Estava com a cabeça no ombro do meu marido. Instantaneamente me levantei e andei, fui curada naquele momento.

Após esse dia, fui e voltei andando para as duas últimas sessões de quimioterapia, para honra e glória do Senhor. O agir de Deus não parou por aí. Ele me livrou de um transplante de medula óssea e de um cateter com alto risco de infecção. Minhas veias suportaram vários exames e oito quimioterapias. Deus é Fiel!

Tinha mais vitórias para viver. Saí de casa feliz, pois fui para minha última consulta para receber alta. Porém, ao abrir o exame de tomografia, havia um diagnóstico de outro câncer no meu estômago de 1,8cm. A médica me deu a notícia, mas estava convicta da minha cura. Então eu disse, sorrindo:

— Doutora, estou curada, em nome de Jesus! Não tenho nada.

Ela me examinou e resolveu fazer uma reunião com a equipe médica na sala ao lado. Depois de quase meia hora, concluíram que aquilo que aparecia no estômago era uma cirurgia muito bem-feita, totalmente cicatrizada, uma cirurgia que eu nunca fiz. Só podia ser a mão de Deus. Mais uma confirmação de que a obra era completa.

Meu marido e eu somos pastores há 22 anos, privilegiados, herdeiros e coerdeiros do Senhor. Vivemos o maior milagre de nossa vida, mas antes da cura final, diante de tanto sofrimento, as pessoas me perguntavam: "Onde está o seu Deus? Onde você pecou?" Em João 9:3, Jesus disse: "Nem ele pecou, nem seus pais; mas foi para que se manifestem nele as obras de Deus."

Sou abençoada, separada, marcada, escolhida, sarada, lavada e remida com o sangue de Cristo. Ele tomou sobre si as minhas enfermidades e as minhas dores (Isaías 53:4), e por onde passo, testemunho sobre o poder e a glória de Deus. Passamos pelo vale da sombra da morte, mas passamos para vencer. Hoje temos a marca da promessa: a cura.

A música "Toca em mim", do CD *Renascer Praise XVI*, fez parte da minha cura. Eu cantava: "A vitória chegará, não importa o tempo, a distância ou dor/Basta somente em ti, Jesus, confiar. Toca em mim, Jesus!" Com Jesus no barco, minha opção era uma só: vencer e ser curada. Também não poderia ser diferente. Era 2010, ano de Pedro, ano de andar sobre as águas, ano de viver o sobrenatural do Senhor.

Hoje, vivo 1Coríntios 2:9: nem olhos viram, nem ouvidos ouviram, nem jamais penetrou em coração humano o que Deus preparou para mim. Deus nos dá infinitamente mais do que tudo quanto pedimos ou pensamos (Efésios 3:20).

O apóstolo Estevam Hernandes profetizou sobre a minha vida a palavra de Habacuque 1:5:

— Deus vai realizar uma obra tal na sua vida que ninguém vai acreditar.

E se cumpriu.

Que meu testemunho, minha experiência com Deus impacte e edifique cada vida em honra, transformação, restauração, restituição e cura, proporcionando mudança de vida, novo tempo. Deus quer e pode remover a pedra do túmulo da sua vida, mudar a sua história, ressuscitar seus sonhos. Ressurreição é a confiança plena em Jesus. Tudo o que eu fiz foi confiar.

Ao escrever este testemunho, parei várias vezes. De joelhos, chorei e glorifiquei, senti a presença de Deus em cada palavra. O Senhor me trouxe à memória o extraordinário da sua excelência, o seu amor incondicional por minha vida. Palavras não são suficientes para descrever a glória de Deus e quanto sou infinitamente grata ao Senhor. Meu espírito se alegra em ti, meu Salvador.

"A graça seja com todos os que amam sinceramente ao nosso Senhor Jesus Cristo" (Efésios 6:24).

Gislaine Pires
São Paulo – SP

Capítulo 11

O que mata o milagre

Nos mais de quarenta anos de ministério, a pergunta que mais ouço durante os aconselhamentos é "Por quê?". "Por que Deus não acaba com meu sofrimento se eu já orei, jejuei, clamei e nada aconteceu?" "Por que Deus permitiu que meu marido fosse embora? Logo eu que pedi e chorei tanto." "Por que Deus não livra meu filho das drogas? Será que ele não vê a minha dor?" "Por que Deus demora tanto para responder às minhas orações?" "Por que Deus não me cura?"

É uma infinidade de interrogações. Perguntas legítimas que chegam, normalmente, de pessoas decepcionadas com a falta de resposta divina no tempo e no formato esperados. Isso tem despertado um enorme interesse das pessoas em saber como conseguir 100% de retorno em suas orações e a aprovação de seus pedidos.

Não faltam estudos, seminários, palestras, livros e até filmes que prometem revelar que tipo de oração Deus responde, que garantem apontar que tipo de clamor é ouvido pelos céus ou quais rituais devem ser cumpridos para que ele seja propício. No fundo, muitos tentam desvendar a maneira mais eficaz de fazê-lo usar um pouco dos seus incríveis poderes para lhes ajudar. É mais ou menos como tentar agradar alguém que pode beneficiar-lhe por sua excelente condição financeira, política ou artística. "Tenho que comportar-me de forma politicamente correta, obedecer às regras e cumprir o cerimonial. Quem sabe assim serei aceito em um círculo restrito e poderei me dar bem e ser favorecido e agraciado?"

O que ou quem está errado nesses pensamentos? Deus, que não responde, sendo que a descrição do seu cargo — imaginam os desavisados — diz que ele existe para atender aos pedidos dos homens? Ou o homem, que não compreende o objetivo para o qual Deus o criou?

Imaginar que Deus exista para realizar seus pedidos é o mesmo que dizer que ele foi criado por sua causa e não o contrário. Fomos criados, antes de tudo, para nos relacionar com Deus como filhos. Para sermos a expressão da sua glória e alvos do seu amor. Como Pai, ele deseja ocupar em nossas vidas um espaço amplo e completo que inclui também atender às nossas necessidades, mas não pode ser reduzido a apenas isso. Como filhos, vamos sempre apresentar ao Pai os nossos desejos e anseios sem temor.

É certo que podemos orar e pedir à vontade. A própria Palavra de Deus nos libera para isso quando ensina: "Pedi, e dar-se-vos-á; buscai e achareis; batei, e abrir-se-vos-á" (Mateus 7:7). A questão não é se podemos pedir, e sim sobre a nossa reação quando as respostas do nosso Pai não chegam embaladas do jeito que desejamos e nem na hora em que planejamos. É preciso livrar-se dos folclores, da falsa ideia de que se trata de um castigo divino, ou ainda que Deus cruzou seus braços e apenas assiste aos sofrimentos. Ele não se alegra com a sua tristeza, tampouco lhe deseja o mal. Ao contrário, ele deu seu próprio Filho para morrer em seu lugar. Isso revela muito sobre esse Deus Pai.

O absurdo da religiosidade é que ela é capaz de macular a imagem de Deus e transformá-lo em sádico ou déspota. Mas Deus é amor. É impossível que um Deus de amor faça as coisas que os religiosos espalham por aí. Jesus questionou: "Qual dentre vós é o pai que, se o filho lhe pedir pão, lhe dará uma pedra? Ou se pedir um peixe, lhe dará em lugar de peixe uma cobra? [...] Ora, se vós, que sois maus, sabeis dar boas dádivas aos vossos filhos, quanto mais o Pai celestial dará o Espírito

Santo àqueles que lho pedirem?" (Lucas 11:11-13). Quando você passa a ter experiências com o Deus verdadeiro e vê a sua misericórdia na vida das pessoas, percebe que todos os dogmas impostos pela religião são uma sujeira para distanciar as pessoas do Senhor.

Tímidos, fracos e rebeldes

É necessário que as pessoas desenvolvam uma relação mais livre e pura, sem tantos folclores sobre Deus. As ideias equivocadas têm de ser denunciadas. Por exemplo, há pessoas que imaginam que a autocomiseração pode comover Deus. Se posarem de infelizes, se fizerem cara de coitado, Deus virá do céu e, por pura pena, finalmente concederá o que elas desejam. A Sonia sempre diz que Deus não dá para quem precisa, mas para quem crê. Deus não vai conceder o seu milagre porque você é o coitadinho da família, da igreja ou do trabalho.

O tímido, o fraco e o medroso não conquistam nada. Nem o favor de Deus. Veja o que está escrito Juízes 7:3: "Apregoa, pois, aos ouvidos do povo, dizendo: Quem for tímido e medroso, volte e retire-se da região montanhosa de Gileade. Então, voltaram do povo vinte e dois mil, e dez mil ficaram."

Essa foi uma lei de guerra dada por Deus. Os fracos, os tímidos e os medrosos têm que dar lugar aos guerreiros. Aquele que se esforça, que luta incansavelmente, é quem traz para casa a vitória e o prêmio. Deus lhe prometeu algo? Então, levante-se e lute por sua promessa; ela não vai cair do céu. Toda descaracterização da sua condição de guerreiro, toda fraqueza, toda timidez, todo medo do seu coração devem morrer para que possa nascer um guerreiro do Senhor.

Outra figura que nunca vai conquistar seu milagre é o rebelde. O rei Saul era um rebelde e um religioso. Acabou morrendo e dando lugar a Davi, um homem obediente. Não ganhamos nada de Deus na base do grito ou da revolta. O livro de 1Samuel 15:23 diz: "A rebelião é como o pecado de feitiçaria, e a obstinação é como a iniquidade da idolatria e culto a ídolos do lar. Visto que rejeitaste a palavra do Senhor, ele também te rejeitou a ti, para que não sejas rei."

O rebelde não obedece aos pais nem à Palavra de Deus. Não obedece às suas autoridades espirituais e nem aos chefes no trabalho. Tem grande dificuldade de trabalhar em equipe e viver em corpo. Isso é muito sério, pois a Bíblia diz que é na união que Deus ordena sua bênção. A pessoa rebelde quer sempre tudo do seu jeito e dificilmente atrairá sobre si a bênção de Deus.

O rebelde considera que não precisa frequentar uma igreja; ele ora sozinho em sua casa, não precisa de ninguém, não tem alianças, não se submete. Enfim, passa por cima de vários princípios espirituais importantes, como a necessidade de concordância — o que dois ligarem na terra será ligado no céu —, a importância da reunião dos filhos de Deus — as portas do inferno não prevalecem contra a Igreja —, entre muitos outros.

Crianças mimadas e murmuradores

Há ainda outra ideia equivocada: a de conseguir uma dádiva fazendo birra ou ameaçando a Deus — "se ele não me atender, não brinco mais de ser 'crente'". A criança espiritual também não é capaz de herdar as promessas de Deus, pois peca deliberadamente. Faz manha.

Existem pessoas, principalmente nas igrejas, extremamente infantis no tratamento dos valores espirituais. Elas trocam seu ministério, seu chamado, sua santidade por qualquer coisa. O diabo só derruba quem é criança na fé, pois é fácil enganá-las com "doces", ou lentilhas, se preferir. Não há demônio que possa suportar um exército de homens fortes e maduros no Senhor. Se o imaturo não morrer, o conquistador não pode nascer. O conquistador é quem vai dominar a terra; ele tem autoridade para destruir altares demoníacos e qualquer oposição, pois recebe de Deus uma sede de conquista, e nada o paralisa.

Em outra categoria estão os usurpadores e murmuradores. Eles são incapazes de viver o sobrenatural. A ingratidão deles os afasta de Deus e as suas palavras matam as possibilidades.

O murmurador reclama de tudo — é o crítico da fé. Para ele, nada nunca está bom. Está sempre destacando os problemas e encontrando defeitos em tudo. Seja na família, em casa, na igreja ou na profissão. Muitas vezes, assume até o lugar de acusador, que é a mesma posição do diabo. O povo que saiu do Egito junto com Moisés e murmurou no deserto morreu sem herdar a promessa, sem entrar na Terra Prometida. "Nem murmureis, como alguns deles murmuraram e foram destruídos pelo exterminador." (1Coríntios 10:10)

Já o usurpador, que é também invejoso, em vez de buscar em Deus a sua porção, deseja a parte de seu irmão. Não avança porque está preocupado com o que o outro conquistou. Deseja o que não lhe pertence. Os usurpadores, muitas vezes, são pessoas chamadas por Deus para um ministério, mas, em vez de ocuparem o seu espaço ministerial, permanecem paralisados por não se conformarem com o crescimento do irmão. O Senhor mata o murmurador e o usurpador dentro de nós para ressuscitar o sucessor apostólico. Quando essas características típicas do deserto (o povo de Israel passou quarenta anos no deserto, murmurando) desaparecem da nossa vida, ressuscita, então, o homem apostólico, que é o único que pode exercer toda autoridade de conquista.

É também um grande equívoco imaginar que a culpa por não se viver milagres é da oração do líder. Alguns buscam orações "mais fortes", pulam de galho em galho. São nômades na fé e seu deserto só aumenta. Não se fixam na terra, não dão frutos, não obedecem ao "Ide e fazei discípulos" de Jesus. Preferem acreditar que o problema está no presbítero, no pastor ou no bispo. Eu acredito que exista "terra estéril" por aí, mas a saída é buscar a vontade de Deus e fixar-se, criar raízes e vincular-se em uma igreja, onde você poderá crescer e desenvolver-se espiritualmente.

Por fim, há a categoria "fogo de palha". Muitas pessoas começam a servir a Deus com fervor — fogo puro, diriam os pentecostais — mas em muitos casos é só "fogo de palha", que acaba logo e só faz muita fumaça. Após algum tempo, quando as coisas não acontecem como planejaram, ou quando são dirigidas pelos sentimentos, endurecem-se em seu interior. Esquecem-se de Deus e tornam-se estéreis, mesmo dentro da igreja. Uma pessoa estéril não tem alegria nem esperança. É desanimada e nada penetra no seu interior.

Quantas pessoas se dizem cristãs, mas ouvem um testemunho maravilhoso de um milagre vivenciado pelo irmão e não se comovem? Na verdade, elas estão mortas por dentro. Estão dando lugar ao diabo (Efésios 4:27). Jesus chamou essas pessoas de "sepulcros caiados"; por fora, têm uma aparência boa, mas no interior estão mortas! Não conseguem viver nada de bom.

Aquele que é fértil espiritualmente crê contra a esperança. Reconhece Deus nos seus caminhos, alegra-se com o pão de cada dia, não esmorece na oração, tem aliança com a igreja e com seus profetas. Tem sempre um louvor em seus lábios, é agradecido, sabe o que é guerra espiritual, não ignora os desígnios de Satanás e luta diariamente por sua vida, por sua família e pelos irmãos.

Tempo da espera

Nada é mais mortal para um milagre do que não saber esperar o tempo de Deus. Não é fácil, mas é preciso. O tempo à espera de uma resposta de Deus sempre será frutífero, pois a caminhada trará um grande aprendizado.

> "Não abandoneis, portanto, a vossa confiança; ela tem grande galardão. Com efeito, tendes necessidade de perseverança, para que, havendo feito a vontade de Deus, alcanceis a promessa." — Hebreus 10:35-36

Galardão é uma recompensa que só Deus pode dar. Ao final, o Senhor limpará dos seus olhos toda lágrima, fará desaparecer os sofrimentos, as vergonhas de todas as andanças feitas e nas quais você não sabia para onde ir. Ele quebra o seu opróbrio e diz: Abra os olhos e veja a sua herança! Está entregue.

Há mais de vinte anos, enquanto orava, recebi de Deus uma música que falava sobre uma viagem para outra dimensão. Um lugar onde não existe tempo ou problemas, nem desespero, medo, raiva, rancor ou falta de perdão. Nessa dimensão, sinto-me fortalecido. Sinto o fogo do Espírito Santo e ouço a sua voz falando comigo. Sou alimentado, transformado e recebo uma carga de sabedoria e consciência divinas que me ajudam a transitar, esperar e vencer na dimensão natural e terrena onde alguns desafios parecem monstros assustadores. É só começar a falar com Deus e embarco nessa viagem. A viagem da oração.

Não se pode esperar respostas de Deus se não houver oração. Entretanto, parece que os homens querem orar menos. Em tempos de *fast food* e *drive thru*, a ideia é: faça seu pedido aqui e retire na próxima cabine. Tudo tem que ser rápido e prático. Em dois minutos, as pessoas desfiam a lista de pedidos para Deus e depois passam algum tempo "enrolando". Não encontram palavras, perdem-se, divagam, limpam a garganta, pensam nas atividades à sua espera. Se fôssemos traduzir em palavras objetivas, o resto da oração seria assim: "Deus, eu já disse o que preciso, não tenho interesse em ouvir o que você tem para me dizer, então, deixe-me voltar para minha vida."

Buscar a Deus em oração tornou-se para mim um momento desejado. Aprendi a desfrutar esse momento, essa frequência espiritual. É o lugar mencionado pelo rei Davi, que diz preferir estar um dia "nos átrios do Senhor" do que mil em outro lugar qualquer (Salmo 84:10). É a presença do Deus vivo. É o lugar santíssimo. Quanto mais você frequenta essa dimensão, mais próspero espiritualmente você se torna e fica preparado para acessar o que o Senhor Jesus já conquistou para você nas regiões celestiais. Mais preparado para esperar ou mesmo ouvir um suave "não" do Pai.

Você quer saber qual o segredo da minha vida de oração? É honestidade, fé, transparência com Deus, nenhuma pressa em sair da sua presença e convicção de que ele é a minha porção nessa terra, o melhor momento do meu dia, o meu tudo. É quando falo com ele que tudo se resolve. A Bíblia diz que da boca de pequeninos e das crianças de peito brota o perfeito louvor. Este traz a força capaz de "emudecer o inimigo e o vingador" (Salmo 8:2). Acredito que esse é o caminho da oração. Quando nos apresentamos diante de Deus, como filhos, como a criança que confia cegamente em seu pai, a oração flui sem qualquer problema.

Se formos assaltados por dúvidas e preocupações após orarmos, desvalorizaremos aquele momento de comunhão com Deus. A oração torna-se uma tortura e uma obrigação. Se é assim para você, imagine para Deus. Ele espera de nós um relacionamento real, e não rituais vazios e sem sentido.

Jesus, o nosso Senhor, nos ensinou como orar.

"Tu, porém, quando orares, entra no teu quarto e, fechada a porta, orarás a teu Pai, que está em secreto; e teu Pai, que vê em secreto, te recompensará. E, orando, não useis de vãs repetições, como os gentios; porque presumem que pelo seu muito falar serão ouvidos. Não vos assemelheis, pois, a eles; porque Deus, o vosso Pai, sabe o de que tendes necessidade, antes que lho peçais. Portanto, vós orareis assim: Pai nosso, que estás nos céus, santificado seja o teu nome; venha o teu reino; faça-se a tua vontade, assim na terra como no céu; o pão nosso de cada dia dá-nos hoje; e perdoa-nos as nossas dívidas, assim como nós temos perdoado aos nossos devedores; e não nos deixes cair em tentação; mas livra-nos do mal [pois teu é o reino, o poder e a glória para sempre. Amém]!" — Mateus 6:7-13

Então, não pretendo dar outra fórmula qualquer, pois sei que se você tiver sinceridade em seu coração e amor a Deus, o Espírito Santo conduzirá você nessa viagem. O que quero nestas próximas páginas é chamar sua atenção para condições espirituais pouco produtivas.

SUPERFICIALIDADE

Leon Tolstoi, escritor russo, contou a seguinte história em sua obra *Confissão*, de 1882:

"Certa vez, S., um homem inteligente e honesto, contou-me como deixou de acreditar. Aos 26 anos, certa feita, à noite, ao se preparar para dormir no alojamento após uma caçada, seguindo um velho hábito adquirido desde a infância, ajoelhou-se para uma oração. Seu irmão mais velho que o acompanhara na caçada, estava deitado no feno e olhava para ele. Quando S. terminou e começou a se deitar, o irmão lhe disse:

— Você ainda faz isso? E nada mais disseram um ao outro.

Desde aquele dia, S. deixou de orar e ir à igreja. Durante trinta anos ele não orou, não tomou a Santa Ceia e nem foi à igreja. Isso aconteceu não porque ele tomou alguma decisão em sua alma ao saber das convicções do irmão, mas simplesmente porque a palavra dita pelo irmão o atingiu como um empurrão com o dedo em uma parede pronta para cair; essa palavra foi um indício de que onde ele achava que existia fé havia muito tempo era um lugar vazio, e por isso as palavras que pronunciava durante a oração eram em sua essência completamente sem sentido. Ao se dar conta de sua falta de sentido, ele não podia mais continuar."

Não é possível tocar o coração de Deus sendo superficial, com orações mecânicas, reproduzidas automaticamente, sem fé ou ainda com propósitos errados. Estamos falando do Senhor Deus, aquele que pode resolver nossas vidas. Não há tempo para conversa fiada ou pomposa. Deus já sabe tudo sobre você, mas ele quer ouvir a verdade da sua boca. A verdade, não uma ficção religiosa politicamente correta. Jesus alertou: "E, quando orardes, não sereis como os hipócritas; porque gostam de orar em pé nas sinagogas e nos cantos das praças, para serem vistos dos homens. Em verdade vos digo que eles já receberam a recompensa" (Mateus 6:5).

Deus não espera de você um show, um discurso intelectual, termos jurídicos ou quaisquer palavras difíceis. Acho que já ficou claro o quanto lutamos contra a religiosidade, pois é ela que leva o homem a imaginar que pode impressionar a Deus com um palavreado cheio de arrogância e vaidade. Quando um fariseu entrou no templo e foi orar (Lucas 18:10-15), ele ficou de pé na frente de todos e orava de si para si mesmo. Não estava falando com Deus, mas com seu ego. Sua oração foi uma sucessão de elogios à sua própria integridade. Ele não precisava de Deus; ele era seu próprio deus. Não precisava de um salvador e redentor; sua justiça própria lhe bastava. Esse homem não tinha um relacionamento com Deus.

Como contraponto, Jesus descreve a mesma cena no templo. Só que quem ocupa o lugar central agora é um cobrador de impostos, que se sente indigno ao falar com Deus. Seus olhos fixam o chão, tamanha era sua vergonha e arrependimento:

— Deus, eu sou um pecador. Mas ouso lhe pedir que tenha misericórdia de mim e me ajude!

Jesus encerrou a história dizendo que o pecador arrependido receberá o que deseja, mas aquele que fizer da sua relação com Deus um espetáculo para outros homens ou para seu ego não receberá nada. Nem a justificação dos seus pecados. Por isso Jesus aconselhou: "Tu, porém, quando orares, entra no teu quarto e, fechada a porta, orarás a teu Pai, que está em secreto; e teu Pai, que vê em secreto, te recompensará" (Mateus 6:6).

Como é possível alguém imaginar que pode enganar a Deus? Isso é uma hipocrisia, um contrassenso. O Senhor vê tudo, sabe tudo a respeito de todos. Não existem meios de enganá-lo ou impressioná-lo. Como é possível alguém imaginar que terá qualquer recompensa contando mentiras sobre si mesmo? Fuja de orações vazias, sem sentido, mecânicas e religiosas. Orações que são frutos de uma vida cheia de mentiras. Isso gera lepra espiritual. Seja honesto.

Em minha vida como pastor, ouvi alguns absurdos. Pessoas que oram para Deus matar, fazer o mal, destruir casamentos e causar infelicidade. Essas pessoas não conhecem a Deus de modo algum. Não aprenderam nada com Jesus e nada entendem sobre o evangelho de Cristo.

DESÂNIMO

Outra oposição a uma vida de oração abençoada é o desânimo. Você ora há muito tempo à espera de uma resposta que não vem. Isso causa desânimo e falta de esperança. Jesus sabia que isso poderia acontecer e contou outra parábola (Lucas 18:1-7) para ilustrar que a espera não deve matar a esperança. Ele contou que, em certa cidade, existia um juiz que não temia a Deus e nem respeitava a homem algum. Havia também, naquela mesma cidade, uma viúva que precisava de justiça contra seu adversário. Apesar de ser uma mulher sozinha, que havia sido terrivelmente prejudicada, o juiz não fez questão alguma de estudar e julgar sua causa. A mulher não desistiu e importunou-o tanto que, enfim, o tal juiz a atendeu. Jesus conclui a história dizendo: "Considerai no que diz este juiz iníquo. Não fará Deus justiça aos seus escolhidos, que a ele clamam dia e noite, embora pareça demorado em defendê-los?"

É verdade. Às vezes parece que Deus está demorando para responder, mas ele está trabalhando e não podemos duvidar de que ele saiba o que é melhor. De fato, não teremos informação sobre quando chegará o milagre ou se ele virá, mas a Bíblia nos orienta a não desistir e persistir em oração. O que garanto é que durante essa espera, em comunhão com Deus, você viverá outros grandes milagres que fortalecerão sua fé e o ajudarão a entender o propósito de tudo. Esse é um período de grandes revelações apostólicas que transformarão, consolarão e prepararão você para viver a plena vontade de Deus, que sempre é o melhor para nossas vidas. Esse é um grande milagre que a espera confiante no Senhor nos faz viver.

A resposta pode não ser a que você desejava, mas uma resposta do céu virá sobre a sua vida e, tenha certeza, é a melhor. É necessário também que você tenha consciência do mundo espiritual que, embora invisível aos olhos carnais, tem poderes para materializar e manipular situações com o intuito de convencer você de que foi enganado por Deus, exatamente o argumento que a serpente usou com Eva. Enfim, o inferno está apostando que você desistirá e ele fará tudo para que acredite que não adianta esperar, porque o tempo está passando e nada muda; ou que todas as suas orações e seu empenho de nada têm adiantado. A situação, além de não mudar, piorou.

Contra tais argumentos infernais, quero fornecer alguns textos da Palavra de Deus, que também é chamada de espada. Uma espada que corta e mata qualquer malignidade, impedindo que progrida e o faça abortar seu milagre por causa do desânimo, do conformismo e da desistência:

"E não nos cansemos de fazer o bem, porque a seu tempo ceifaremos, se não desfalecermos." (Gálatas 6:9)

"Porque, na esperança, fomos salvos. Ora, esperança que se vê não é esperança; pois o que alguém vê, como o espera? Mas, se esperamos o que não vemos, com paciência o aguardamos." (Romanos 8:24-25)

"Bom é o Senhor para os que esperam por ele, para a alma que o busca. Bom é aguardar a salvação do Senhor, e isso, em silêncio." (Lamentações 3:25-26)

"Por isso, o Senhor espera, para ter misericórdia de vós, e se detém, para se compadecer de vós, porque o Senhor é Deus de justiça; bem-aventurados todos os que nele esperam." (Isaías 30:18)

Quando o rei Davi, amigo de Deus, viu-se atacado pelo espírito do desânimo, defendeu-se com a Palavra de Deus e deixou esse ensinamento no Salmo 119:92-93: "Não fosse a tua lei ter sido o meu prazer, há muito já teria eu perecido na minha angústia. Nunca me esquecerei dos teus preceitos, visto que por eles me tens dado vida."

O apóstolo Paulo, em Romanos 12:2, escreveu: "E não vos conformeis com o presente século, mas transformai-vos pela renovação da vossa mente para que experimenteis qual seja a boa, agradável e perfeita vontade de Deus." Quando assumimos a Palavra de Deus como verdade, isso transforma a maneira como entendemos as situações. Graças a essa transformação de entendimento, em vez de nos conformarmos, iremos nos abrir para viver sempre os melhores dias de Deus. Isso, sem dúvida alguma, faz da espera um tempo de transformação, de preparação, de milagres diários. E o grande milagre, por fim, Deus fará a seu modo e no seu tempo.

Incredulidade

Em Marcos 9:17-29, temos uma história que ensina-nos que acreditar em Deus e ter fé, deixando nossa incredulidade de lado, pode sim trazer milagres. Após Jesus orar com Pedro, Tiago e João no monte da transfiguração, um pai desesperado procurou-o. Buscava ajuda para seu filho, que estava possuído por demônios. Uns diziam que ele era louco, outros que se tratava apenas de epilepsia. Só aquele homem sabia o que tinha vivido nesses anos todos, desde a infância de seu filho, ano após ano. O pai descreveu que, quando esse demônio tomava o corpo do seu filho, lançava-o por terra. Ele espumava pela boca, rangia os dentes e ficava inerte, como sem vida. Não poucas vezes esse espírito o lançou no fogo e na água para matá-lo. Os discípulos de Jesus já haviam tentado expulsar aquele demônio, mas não tiveram sucesso. Desesperado, restava ao pai a esperança de que Jesus livraria seu filho daquela maldição:

— Jesus, se você tem algum poder, tenha compaixão de nós e ajude-nos!

— A questão não é se eu posso; a questão é a sua fé. Tudo é possível ao que crê.

— Eu creio, mas a minha fé está pequena. Já bati em tantas portas. São tantos anos tentando que estou sem esperança. Ajuda-me na minha falta de fé! — exclamou o pai do menino, com lágrimas.

Jesus viu a sinceridade e a fragilidade daquele pai amargurado e ajudou-o na sua falta de fé. Esse é o caminho. Quando a fé estiver fragilizada, clame, ore: "Senhor, aumenta minha fé, ajuda-me a continuar crendo. Não posso perder a boa consciência e naufragar na fé após ter lutado tanto por esse milagre."

Idolatria

Ídolo é tudo o que ocupa o lugar de Deus, traz dependência e assume o controle de sua vida. Para muitos, uma enfermidade, a falta de dinheiro, a crise no casamento ou o próprio milagre desejado. Só falam disso, só pensam nisso e a situação dirige suas vidas. Por exemplo: acompanhamos uma mulher que foi traída pelo marido. Sua vida, então, passou a girar em torno do esposo, de suas amantes e da traição. Deus era apenas coadjuvante; era aquele em quem ela podia colocar a culpa pelo fracasso do seu casamento, ou pela ineficiência e pela demora em receber o que desejava.

Quando você coloca qualquer outra coisa ou pessoa no lugar mais alto da sua vida, isso é idolatria; e idolatria traz esterilidade. A sua relação com Deus deve estar acima dos seus problemas, acima da sua dor. Há dores horríveis, mas não podemos deixá-las nos paralisarem. Existem problemas gigantescos, mas não maiores que o nosso Deus. Existem dores inevitáveis, como a perda do trabalho, de um filho, ou uma separação. Nem por isso precisamos deixar que nos dominem ou nos dirijam. O lugar de Deus precisa ser preservado: o primeiro no comando de sua vida. Só assim as demais coisas lhe serão acrescentadas. O entendimento espiritual advindo da verdade da Palavra traz paz ao coração e renova nossas forças. Quem precisa ficar no controle de sua vida, ser o seu Senhor, é Jesus. Não deixe nada mais guiar seus pensamentos, seus sentimentos ou suas atitudes, por mais forte ou dolorido que seja.

Precisamos praticar a oração apostólica, oração que nos dá autoridade e envia-nos para, em tudo, ser mais que vitoriosos, aquela em que nos esvaziamos para ser cheios do Espírito de Deus. Em João 3:30, João Batista disse: "É necessário que ele cresça e que eu diminua." Entretanto, só conseguirei diminuir e dar lugar a Cristo em oração se for completamente sincero. Devo falar sobre tudo o que me assusta ou me alegra. Entregar a ele todas as minhas ansiedades, frustrações, mágoas, sentimentos de derrota e até mesmo reclamações. Se eu cheio desses sentimentos, abatido pelos problemas branças, pelas acusações, pela dor, pelos ídolo espaço para o Espírito Santo agir, tampouco conseguirei me abrir e me entregar plenamente para ser dirigido por Deus.

Jesus disse: "Eu sou o caminho, a verdade, e a vida; ninguém vem ao Pai senão por mim" (João 14:6). Ele rasgou de cima para baixo o véu que separava o homem de Deus e destituiu todo e qualquer intermediário na relação do Pai com seus filhos. O relacionamento pessoal com Deus foi restaurado por Jesus. Já reparou que Cristo o chama de Pai o tempo todo nos Evangelhos? Não foi sem propósito. Isso serve para ensinar-lhe a fazer o mesmo. Os fariseus e os religiosos da época achavam que Jesus blasfemava cada vez que se dirigia a Deus como Pai; para eles, o homem não podia falar com Deus com esse tipo de intimidade. Eles não tinham uma experiência espiritual verdadeira. A religiosidade faz você depender de um deus inexistente e de líderes manipuladores. O verdadeiro líder, um apóstolo de Jesus Cristo, não estimula essa dependência nas pessoas. Ao contrário, elas são formadas para depender de Deus única e exclusivamente. Elas servem ao Deus verdadeiro e caminham de acordo com seus princípios e preceitos com base no amor.

Jesus inaugurou um tempo novo na relação do homem com Deus, o qual chamamos de tempo, época ou dispensação da graça. Quando o homem é lavado com o sangue de Jesus, sua indignidade, suas impossibilidades e sua falta de conexão com Deus acabam. Paulo fala em 2Coríntios 5:18 que nós fomos reconciliados com Deus, e essa reconciliação leva o homem de volta ao plano original do Criador. Porém, quando se está desconectado ~~de~~sse plano, sua vida está à mercê do acaso. Você pode dar certo ~~ou po~~de dar errado; ser abençoado ou desgraçado.

~~Quand~~o você está conectado com Deus, viverá o que ele ~~tem p~~ara sua vida: sua vontade boa, perfeita e agradá~~vel. Será~~ sua vida dentro de um plano perfeito, que ~~abrange todas as áreas espiri~~tuais. Você passa a ser suprido com vida ~~em abundância~~ para viver.

O INIMIGO QUER FECHAR A SUA BOCA

O desejo do inimigo é silenciar-nos. Ele não deseja que a Igreja de Cristo ore e fale com Deus. Ele quer calar a sua boca na hora da adversidade e, muitas vezes, até mesmo na hora de você testemunhar. As pessoas podem falar de tudo, podem abrir a boca para falar o que quiserem, mas quando você vai falar de Jesus ou com Jesus, o diabo levanta-se para tentar impedi-lo. Mas o inimigo não pode fechar a sua boca. Do mesmo jeito, problemas, pessoas e suas opiniões, cobranças não podem nem devem ter o poder de lhe calar.

É justamente quando você está precisando de Deus, quando passa por uma luta, por uma necessidade, que não pode fechar seus lábios. Não se cale para pedir e clamar ao Senhor porque, enquanto você silencia, adoece, seus ossos secam (Salmo 32:3). Mas quando você abrir a boca verá a realidade transformando-se.

> "Clama a mim e te responderei; anunciar-te-ei coisas grandes e ocultas, que não sabes." — Jeremias 33:3

Sua oração trará à terra milagres nunca vividos. Foi assim com Josué, que orou para que o sol e a lua interrompessem seu curso e isso aconteceu (Josué 10:12). A Bíblia diz que não houve dia semelhante àquele em que Deus ouviu o clamor de um homem. E você, em nome de Jesus, também terá dias extraordinários, porque essa palavra está sobre você.

O grande problema do povo de Israel que saiu do Egito foi a ingratidão, a falta de reconhecimento e, principalmente, a falta de oração, clamor, intimidade com Deus em contraponto com o excessivo e desmedido medo e a murmuração. Em função disso, quase toda uma geração morreu no deserto e não viveu as promessas de Deus, embora vivessem milagres diários, pois Deus os alimentava com pão do céu, entre outras intervenções sobrenaturais.

Abra sua boca e clame ao Senhor sem reservas, sem máscaras, mas na intimidade de um filho que conhece o Pai que tem: um Deus de amor, tendo como base Romanos 8:32: "Aquele que não poupou o seu próprio Filho, antes, por todos nós o entregou, porventura, não nos dará graciosamente com ele todas as coisas?"Clame e não pare de clamar!

Ore agora mesmo!

"Senhor, lava-me com teu sangue. Limpa-me e serei limpo. Liberta-me e eu serei livre. Meu Deus, guarda-me! Guarda o meu coração para que ele não se entregue às situações do hoje, mas para que ele seja só teu. Só teu, Senhor. Só para te amar, para te servir, para te adorar, louvar e glorificar o teu nome. Senhor, lava-me da amargura, limpa-me das mentiras do inimigo. Ele vem com provas. Ele manipula. Ele é ilusionista e faz as coisas tão rápido que a gente pensa que aquilo é verdade, mas não é. Toda a magia do inferno está quebrada, denunciada, em nome de Jesus. Eu não serei confundido. Peso de paz. Peso de paz no coração, é isso que eu quero, Senhor, porque teu fardo é leve. Existe um fardo de Deus, é o fardo da paz, da alegria. Eu quero teu fardo, ele me deixa leve. Faz-me voar e habilita-me. Tira o peso do meu coração.

Vem, Messias, vem, Cristo do Deus vivo. Ocupa teu lugar de rei. Quero falar que o Senhor é Rei de todos os reis que já governaram na minha vida. Quero falar que o Senhor é o Senhor de todos os senhores que já comandaram-me. Quero dizer, com consciência, que não teve um que reinasse na minha vida como o Senhor reina. Para o Senhor eu quero entregar-me mais. Quero servir e adorar mais. Não teve um que dominasse, que fosse o senhor, que mandasse na minha vontade, nos meus pensamentos, na minha saúde, no meu oração, na minha mente como o Senhor manda. Vem, Messias, Filho de Deus. Jesus que faz-nos filhos e filhas. Que faz-nos assentar acima de toda potestade e todo dominador. Vem e recebe a glória, o amor e louvor da tua noiva, da tua Igreja. Eu quero ser mais apaixonado por ti. Como parte da Igreja que é tua noiva, quero ter mais planos com o Senhor. Quero ter mais sonhos com o Senhor. O que nós vamos fazer juntos, Senhor? O que vamos construir juntos, Senhor? Enfeita-nos com teus dons, com o dom de sabedoria. Adorna-nos com conhecimento, com o dom de cura, com o dom de maravilhas, com dom de profecias, com o dom do discernimento, com o dom de governo e com o dom de adquirir riquezas.

Senhor, é bom orar. É bom falar com o Senhor. Muitas vezes eu chego com o coração pesado e o Senhor enche-me com tanto amor que não tenho nem o que pedir. Tudo o que pensava pedir não é nada comparado ao que o Senhor me dá com a sua presença que me completa e me alivia; as outras coisas não são nada.

Eu preciso dizer que eu amo te amar, Senhor. Eu amo te amar, Senhor!

Em nome de Jesus! Amém!"

Depoimento

A HORA DE TER FÉ

Não fazia muito tempo que lidávamos com o câncer de minha mãe. Foi tudo repentino. Ela passou mal e evacuava sangue. Quando fomos ver do que se tratava, descobrimos que ela tinha um tumor no intestino. Rapidamente, ela foi encaminhada para a cirurgia e, após isso, fez quimioterapia. Foi um período muito difícil para minha família.

Eu ainda estava sob o impacto dessa notícia difícil, de toda a insegurança e todo o medo que vinha junto, quando comecei a sentir um desconforto abdominal. Todas as vezes que pegava minha filha no colo era como se estivesse com o estômago cheio. Porém, como vivíamos com o estresse causado pela doença de minha mãe, não dei muita importância. Assim, por estarmos passando por um momento muito difícil, não me preocupei muito e não fui ao médico. Os dias passavam e a dor não melhorava. Só alguns meses depois, resolvi procurar um médico. Ele pediu que eu fizesse uma endoscopia. Pensei em fazer o exame na semana seguinte à consulta, mas o tempo passou e não fiz. Guardei o pedido de exame e, quando me lembrei de marcar, já nem sabia onde estava.

Em março de 2010, quando minha mãe terminou o tratamento, senti uma dor aguda no estômago e meu abdômen ficou endurecido e alto. Retornei ao médico, mas eles diziam que não era nada. Lembrei-me, então, da tal guia para fazer a endoscopia e fiz o exame. Estava com gastrite, mas tomava os medicamentos e a dor não passava. Insisti para que uma ultrassonografia fosse feita e fui encaminhada para outro hospital.

Após realizarem o exame, os médicos constataram que a região do abdômen apresentava uma anormalidade. Como ainda não era possível identificar o que era, pediram outro exame, mais detalhado: uma colonoscopia — que permite ver todo o intestino. Antes de realizar mais esse procedimento, fui conversar com meu pastor. Ele orou por mim e enviou-me para esse exame. O Senhor já me preparava e mostrava que estava no controle.

A preparação para a colonoscopia é horrível. Passei mal e desmaiei, mas consegui fazer o exame. A dor era tanta que eu acordei da sedação e percebi, pelas imagens do monitor, que tinha algo errado comigo. Obviamente, ninguém me falou nada naquele momento. Eu deveria esperar o resultado e levá-lo para meu médico.

Peguei o resultado pela internet. Estava escrito: adenocarcinoma moderadamente diferenciado e ulcerado. Ao ler aquele diagnóstico, fiz uma pesquisa e entendi do que se tratava. Eu estava com um tumor maligno no intestino, na região do cólon. Naquele momento senti um calor subindo e descendo por todo o meu corpo. Uma sensação estranha que durou cerca de um minuto, mas falei para mim mesma: "Agora é a hora de confiar e ter fé na prática; não só falar — é essa a lição que sempre aprendemos com o apóstolo Estevam."

Chamei minha família e contei para eles sobre o resultado dos exames. Disse que eles estavam proibidos de chorar. Já passava das dez horas da noite, mas fui pegar as imagens no laboratório naquele horário mesmo. Enquanto me dirigia ao local, Deus foi trabalhando no meu coração e deixando-me mais confiante desde o primeiro minuto que senti aquele calor. Aprendi sobre guerra espiritual na igreja e não me deixaria abater por causa desse diagnóstico. Iria lutar. Como o apóstolo Estevam sempre diz: "O último diagnóstico quem dá na nossa vida é Jesus Cristo." Peguei os exames e levei-os ao médico, que confirmou tudo e disse que eu precisava operar.

Eu pesquisei e vi que a cirurgia poderia ser feita por videolaparoscopia para não receber o corte de uma cirurgia normal, que pegaria o abdômen de cima a baixo. Conversei com o médico e ele não sabia nada sobre essa técnica de videolaparoscopia. Entretanto, eu havia colocado diante de Deus que queria o melhor e também não queria ficar com uma cicatriz enorme no corpo. Deus sempre me falava que eu havia sido escolhida para manifestar a glória dele e eu acreditava mesmo nisso.

Durante esse período, eu pensava muito sobre a vida de Jó. Se Deus permitiu que tudo aquilo acontecesse com ele, é porque conhecia seu coração. Se permitiu que aquela doença se manifestasse em mim, no meu corpo, ele também conhecia o meu. Sabia bem sobre as minhas limitações e motivações. Tudo tem um propósito. Eu acreditava firmemente que vidas seriam alcançadas pelo meu testemunho e posicionamento de fé.

Como acontece com certa frequência, o plano de saúde não autorizou a operação. Orei ao Senhor, peguei o livrinho do plano de saúde e falei:

— Senhor, preciso que me indique agora o médico que vai fazer a cirurgia do jeito que tem que ser.

Liguei para o primeiro médico que vi na lista e, na hora, consegui marcar um encaixe para ser atendida e levar os exames. Ao chegar lá, descobri que se tratava de um professor de videolaparoscopia da Universidade de São Paulo (USP). Uma benção! Como Deus é bom! Um médico especializado naquela cirurgia. Deus mandou o melhor.

Ainda assim, as oposições eram muitas. Uma burocracia absurda por parte do plano de saúde, que não queria autorizar a cirurgia. Eu me posicionei, orei e clamei ao Senhor. Antes da cirurgia, porém, peguei os exames e fui à igreja em uma Noite de Poder. O apóstolo estava pregando e, quando ele chamou as pessoas que estavam doentes para receber oração, fui até o altar. Enquanto o apóstolo orava, a bispa Sonia colocou a mão no meu abdômen e repreendeu aquele mal. Na hora, ela disse ter sentido meu abdômen murchando. Apesar de ter certeza de que o Senhor começou a operar o milagre, fui para a mesa de cirurgia entendendo que Deus age com cada pessoa de forma diferente. Ele pode curar instantaneamente e pode curar por meio dos médicos. O importante é o resultado e, mais ainda, reconhecer que a bênção da cura vem de Deus.

A cirurgia foi muito complexa e durou cerca de dez horas, mas foi tudo perfeito. Tirei todo o intestino grosso e só fiquei com o intestino delgado. O material colhido foi para análise e indicou que eu já estava no nível três, isto é, câncer avançado. O nível quatro é estado terminal. Apesar da gravidade do quadro, não tive metástase. Precisei fazer a quimioterapia durante seis meses. Para isso, você assina um termo e fica sabendo sobre os vários efeitos colaterais que podem ocorrer durante o tratamento. Um deles é dormência nos dedos dos pés e das mãos. Minha mãe sentiu esses efeitos, mas eu coloquei também isso diante de Deus: "Senhor, eu sou esteticista. Dependo das minhas mãos para trabalhar. Eu não posso ter esse sintoma."

Para a glória de Deus, não tive esse e nenhum outro efeito colateral. Eu não tive nada, trabalhei todos os dias durante esses seis meses de quimioterapia. O que eu fazia era me dar um dia de folga por semana, quando descansava e dormia bastante. No dia seguinte, voltava a todo o vapor para o trabalho.

A quimioterapia que fiz me permitia voltar com ela para casa. A medicação era injetada no meu corpo por meio de um acesso que levava o remédio direto para o coração. Eu voltava para casa com a bolsinha de medicação presa ao corpo e trabalhava com ela normalmente e não sentia nada. Assim completei todo o tratamento de quimioterapia. Foram 12 aplicações realizadas com intervalo de uma semana entre elas.

Esse tipo de tratamento destrói tanto as células doentes como as boas e, por isso, antes de ser realizada cada aplicação, o médico pedia um exame de sangue para checar o índice tumoral e saber como o meu corpo estava reagindo. Meu médico ficava sempre espantado porque os números que apareciam no meu exame de sangue não eram normais para uma pessoa que estava fazendo um tratamento intensivo. A quantidade de glóbulos brancos e vermelhos estava muito boa. Esse foi um dos sinais de Deus na minha vida.

Deus sustentou-me com alegria e conforto. Eu procurava não faltar às minhas escalas ministeriais na igreja; trabalhei quase que normalmente. As pessoas reparavam nesse meu posicionamento e a fé delas era edificada.

De acordo com os médicos, tenho que ficar em observação por cinco anos. Esse é o processo normal da medicina nesses casos. A cada quatro meses, realizo uma bateria de exames. O médico checa e o resultado está sempre normal. Já faz dois anos que estou curada.

Ao posicionar-me no Senhor, por meio da fé, toda a minha família fez o mesmo. Em nenhum momento me trataram como uma doente ou choramingavam pelos cantos.

Eu ia e voltava sozinha da quimioterapia, de metrô. Foi tudo muito tranquilo. Às vezes, minha mãe me encontrava na saída do hospital.

Graças ao ministério que Deus me deu, nunca ficava sozinha. Estava sempre na congregação dos santos, que é a Igreja, e no dia em que eu estava mais fragilizada, sempre tinha um amado do Corpo de Cristo para me ajudar a ficar de pé, intercedendo por mim. Nesses momentos é que minha fé se fortalecia.

Quando me perguntam sobre o segredo para passar por tudo isso em paz, respondo que meu posicionamento foi confiar em Deus. Eu já confiava nele com as minhas palavras, mas aprendi a confiar com as minhas atitudes. Em nenhum momento tive medo. Parece loucura ou mesmo exagero. Eu estava completamente segura e amparada pelo Senhor. Ele é a minha rocha e o meu escudo. Não tinha o que temer.

Não foi só a oração, só o clamor, só a palavra profética, só a comunhão com o Corpo ou só o ministério. Foi a soma desses posicionamentos que mudaram a minha história, que fizeram-me viver a maior vitória da minha vida. Eu posso dizer: venci a morte.

Sumara Santos Longo Costa Souza
São Paulo – SP

Capítulo 12

O caminho de todas as curas

Minha avó materna era uma mulher muito simples, porém, cheia de fé. Ela era membro da Igreja Assembleia de Deus. Certa vez, ao me encontrar, disse:

— Você vai ser um pastor, um homem de Deus. Ele vai te usar. Vai te levantar! — Eu ainda era um garoto e não entendi nada. Mesmo sem dar importância na hora, aquelas palavras ficaram gravadas em minha mente.

Ela percebeu a minha incredulidade e continuou:

— Vou te mostrar porque eu sei que tudo isso vai acontecer... — Então, ela me mostrou seus joelhos; eles tinham dois calos enormes. Explicou que orava, ajoelhada, por mim dia e noite. Claro que não entendi o valor e a força daquelas marcas, mas o tempo passou e não restam dúvidas de que suas orações foram ouvidas. Aqueles joelhos calejados mudaram a minha história, a da minha família e a de milhares de pessoas que o Senhor nos deu como filhos espirituais.

Assim como a minha avó me mostrou seus joelhos para que eu entendesse o preço pago por ela para que eu me tornasse um homem de Deus, guardada as devidas proporções, quero mostrar-lhe, ou lembrar-lhe, do preço pago por Jesus Cristo para que você se tornasse um verdadeiro filho de Deus, para que herdasse a vida eterna e fosse uma pessoa bem-resolvida e feliz. Aqui e agora.

Foi o profeta Isaías quem descreveu:

"Era desprezado e o mais rejeitado entre os homens; homem de dores e que sabe o que é padecer; e, como um de quem os homens escondem o rosto, era desprezado, e dele não fizemos caso. Certamente, ele tomou sobre si as nossas enfermidades e as nossas dores levou sobre si; e nós o reputávamos por aflito, ferido de Deus e oprimido. Mas ele foi traspassado pelas nossas transgressões e moído pelas nossas iniquidades; o castigo que nos traz a paz estava sobre ele, e pelas suas pisaduras fomos sarados. Todos nós andávamos desgarrados como ovelhas; cada um se desviava pelo caminho, mas o Senhor fez cair sobre ele a iniquidade de nós todos." (Isaías 53:3-6)

Certamente, o profeta nos dizia que a morte expiatória de Cristo na cruz, seu sofrimento, suas chagas, seus pés e mãos feridos trouxeram cura para a humanidade apartada de Deus. Tais marcas deixadas no corpo de Jesus Cristo precisam significar para você algo mais do que dor física. Como tudo na vida do Filho de Deus, elas trazem uma revelação profética profunda.

As marcas de Cristo

Os pés de Jesus Cristo foram pregados na cruz para que ele não se levantasse mais. Da mesma maneira, Satanás age para paralisar as pessoas, impedi-las de caminhar. Aquele que é marcado pela enfermidade cai em uma cama e, muitas vezes, não pode andar; aquele que é marcado pelo álcool, pelas drogas, cai e não pode andar. Aquele que é marcado por uma calamidade, seja financeira, familiar, pessoal ou espiritual, acaba caindo nas malhas da depressão, do vício, da síndrome do pânico, da revolta, da amargura, das enfermidades psicossomáticas e também não consegue mais andar. A primeira coisa que acontece na vida de quem é marcado por uma ação demoníaca é a paralisação.

No entanto, quando Jesus ressuscitou, Satanás teve que reconhecer que os pés da Igreja não estavam amarrados, não estavam presos nem limitados. Eles estavam — assim como estão hoje — liberados para ir a todos os lugares, caminhar segundo aquilo que verdadeiramente é a revelação da Palavra do Senhor.

Todas as vezes em que você pensar nos pés feridos de Cristo, lembre que ele se deixou machucar para dar-lhe liberdade de seguir em frente. Não permita que nada pare a sua caminhada, nem mesmo o pecado ou os sentimentos enganosos, o cansaço e muito menos o medo. A primeira consequência para aquele que tem os pés marcados por Cristo é levantar e andar.

Já as mãos de Cristo foram machucadas e marcadas para nos trazer fé. Quando ele apareceu para os discípulos, no cenáculo, Tomé, que não estava presente, disse depois:

— Se eu não colocar a mão nas feridas e não vir os sinais dos cravos, não vou acreditar que ele ressuscitou.

Oito dias depois, Jesus apareceu novamente para os 11 discípulos e falou:

— Tomé, toque aqui nas feridas das minhas mãos. — Ele tocou naquela evidência inequívoca da ressurreição, da vitória de Cristo sobre a morte. A partir daquele dia, a Igreja Apostólica ficou marcada pelo poder da fé, que é um dom de Deus (João 20:25-29).

Quando pensar nas mãos de Cristo, lembre que por meio do Espírito Santo você já venceu toda a incredulidade e todas as impossibilidades da sua carne. Essa marca do Senhor representa também o poder realizador da sua Igreja através da fé. Ainda que tentem amarrar as nossas mãos ou nos impedir de andar, a Igreja não vai parar. Vai muito além porque tem mãos realizadoras, marcadas por Jesus Cristo na cruz. Quando o diabo vier com suas mentiras, quando disser que você não pode, que é um falido e que não vai conseguir, levante suas mãos e repreenda-o em nome de Jesus. Lembre que o Senhor conquistou na cruz o poder da realização para que você continue e dê frutos, e para que seu fruto permaneça.

A terceira marca do Senhor foi em seus joelhos. Ao carregar a cruz, tropeçar e cair nas ruas e nas pedras de Jerusalém, eles ficaram moídos. Quando foi crucificado, os joelhos de Jesus sangravam. Sempre que pensar em seus joelhos feridos, lembre que Cristo é o nosso intercessor diante do Pai. Ele clama por você dia e noite. Então, quem intentará acusação contra os eleitos de Deus? Nós temos um advogado diante do Pai (Romanos 8:33).

Essa marca também está na Igreja. Quando oramos, somos marcados pelo poder de Deus, as janelas dos céus se abrem e os milagres acontecem. O intercessor manifesta-se e os joelhos no chão trazem os milagres para a terra. Minha avó orou durante anos pela minha vida e eu nem sabia. O que poderá parar uma vida que foi gerada por joelhos no chão? Não há demônio que possa impedir o mover de Deus quando um joelho se dobra para orar, trazendo a manifestação da glória de Deus para a terra. Sua vida precisa ser marcada pela oração. Os seus filhos precisam ser marcados por esse poder. Assim como toda a sua família, a igreja e esse país. A oração do justo muito pode quanto aos seus efeitos.

A lança que perfurou Jesus não serve para que você fique chorando, sentindo-se fraco ou com medo dos demônios e dos homens. O Senhor foi transpassado para trazer a autoridade do sangue sobre a sua vida. Contra essa autoridade, não há arma forjada, demônios ou espírito de morte. Não há nada. O poder do sangue de Jesus habilita-o a mover-se no mundo espiritual com autoridade para repreender e cancelar as obras das trevas. Você não vai mais ficar acuado, com medo do que fizeram contra sua vida. Não temerá as ameaças nem o inimigo. Maior é o que está em nós do que aquele que está no mundo.

A coroa de espinhos que perfurou a cabeça de Jesus Cristo foi para humilhá-lo e descaracterizá-lo, mas ele venceu tudo isso por mim e por você. Quando nós temos a marca daquele que é o Cabeça da Igreja, Satanás não pode dominar a nossa mente. Você não pode permitir que sua mente seja dominada por nada; não pode se permitir ser dominado por emoções fortes, pois elas são enganosas. O profeta Jeremias, em 17:9, nos alertou: "Enganoso é o coração, mais do que todas as coisas, e desesperadamente corrupto; quem o conhecerá?" Nós não somos falidos, manipulados, depressivos; nós somos livres e temos a mente de Cristo, que é o entendimento espiritual de cada uma das situações que nos sobreveem. É compreender calamidades e assolações, segundo os propósitos maiores de Deus para as nossas vidas e não segundo padrões racionais, humanos ou mais confortáveis para nós. E mais: ainda se alegrar e ter paz por trazer parte dos planos de Deus para essa geração.

As marcas do sofrimento não fragilizaram Jesus e não servem apenas para emocionar você. Cristo ressuscitou e venceu a morte, porém, as marcas no seu corpo permaneceram para mostrar quem de fato você é: aquele que não se deixa paralisar, alguém que realiza por meio da fé, um intercessor que abençoa e traz o sobrenatural por meio da oração. Que tem a autoridade por meio do sangue de Cristo e pode enfrentar o diabo e suas hostes. Aquele que jamais terá sua mente subjugada pelo inimigo ou pelas deformações da alma.

Trilha batida

Há algo muito sério, profundo e poderoso: Deus trabalha de todas as maneiras para colocar a identidade de Cristo em nós. O apóstolo Paulo entendeu isso e disse em Gálatas 2:20: "[...] logo, já não sou eu quem vive, mas Cristo vive em mim; e esse viver que, agora, tenho na carne, vivo pela fé no Filho de Deus, que me amou e a si mesmo se entregou por mim."

Paulo dizia algo como: "Não me identifiquem como judeu. Não me identifiquem como sábio. Não me identifiquem como homem cheio de títulos e nem com nada daquilo que o mundo valoriza. Eu quero ser identificado como servo de Jesus Cristo, porque trago no meu corpo as marcas de Jesus" (Gálatas 6:17). Quero ser identificado como alguém que se parece com Jesus.

O apóstolo Paulo, à medida que seguiu as pegadas de Cristo, foi passando por uma das mais incríveis histórias de transformação. De perseguidor de cristãos converteu-se no mais fervoroso e apaixonado deles. De religioso intolerante, frio, crítico, severo, egocêntrico, preconceituoso e assassino, tornou-se o homem que escreveu: "[...] se não tiver amor, nada serei" (1Coríntios 13:2). Ele não se tornou apenas um grande e famoso apóstolo, mas um homem muito melhor.

Sua luta ministerial foi exaustiva: foi açoitado cinco vezes, apedrejado, naufragou três vezes, enfrentou fome, sede, frio e nudez (2Coríntios 11:24-28). Entretanto, sua grande batalha era contra a própria carne. Ele cunhou a expressão "esmurro o meu corpo e o reduzo à escravidão" (1Coríntios 9:27). Lutou para dominar a natureza terrena e humana que conhecia bem. Escreveu:

"Porque nem mesmo compreendo o meu próprio modo de agir, pois não faço o que prefiro, e sim o que detesto. [...] Porque eu sei que em mim, isto é, na minha carne, não habita bem nenhum, pois o querer o bem está em mim; não, porém, o efetuá-lo. Porque não faço o bem que prefiro, mas o mal que não quero, esse faço. [...] mas vejo, nos meus membros, outra lei que, guerreando contra a lei da minha mente, me faz prisioneiro da lei do pecado que está nos meus membros" (Romanos 7:15, 18-19,23).

Ao final de sua jornada, em sua última carta escrita a Timóteo, ele disse que completou a caminhada proposta por Jesus:

"Quanto a mim, estou sendo já oferecido por libação, e o tempo da minha partida é chegado. Combati o bom combate, completei a carreira, guardei a fé. Já agora a coroa da justiça me está guardada, a qual o Senhor, reto juiz, me dará naquele dia; e não somente a mim, mas também a todos quantos amam a sua vinda." (2Timóteo 4:6-8)

O que cura verdadeiramente o ser humano e faz com que ele seja participante da natureza divina, que torna-o soberano em relação aos desafios da vida na carne, não são uma ou duas experiências com Deus, mas uma caminhada ininterrupta com Cristo. Um milagre é algo maravilhoso, mas o que transforma-nos e cura-nos é andar com Jesus e conhecê-lo na intimidade em nosso dia a dia.

É especificamente sobre isso que quero tratar neste último capítulo. Vamos retomar o texto de Isaías 53:5. A palavra "pisaduras" não significa apenas machucados, ela pode ser usada no sentido de "vestígio de pisada", rastros ou marcas dos pés. Sabe onde isso nos leva? A João 14:6: "Eu sou o caminho..."

Existe uma trilha batida deixada por Cristo onde se encontram todas as curas, as soluções, os suprimentos e os milagres. Com suas pegadas, ele construiu o que Isaías chamou de "Caminho Santo", pois "quem quer que por ele caminhe não errará, nem mesmo o louco" (Isaías 35:8).

Temos encontrado muitas pessoas malresolvidas, que vivem tristes, infelizes. Não são poucas as que vivem assim dentro das igrejas. Estão frustradas porque não se sentem realizadas no amor, na profissão, no casamento ou no ministério. Mas que caminho elas têm trilhado? Algumas até iniciam a caminhada da fé, mas depois de um tempo parecem perder o interesse. O caminho tornou-se monótono ou árduo demais para essas pessoas. Elas querem atalhos e saídas mais fáceis.

Já percebeu como as pessoas estão cada vez mais magoadas e doentes? Isso ocorre porque elas não perdoam e alimentam-se de um senso de justiça próprio. São muitas disputas, competições e política humanas separando irmãos. Da mesma maneira, multiplicam-se as pessoas que se dizem cristãs e cobram duramente a Deus porque creem que ele não realizou seu trabalho como deveria. O que dizer de tantas outras que o Senhor libertou das drogas, livrou de um charco de perdição e que mesmo assim retornaram a esse tipo de vida podre?

Ainda posso citar aquelas que abandonaram a fé por não viverem os milagres que desejavam. Desviaram-se completamente do caminho, perderam-se na jornada. Quem abandona Cristo por não receber uma dádiva é o mais infeliz dos seres humanos, porque se relaciona com Deus apenas por interesse. É malresolvido na sua fé; seu conhecimento de Deus é superficial.

Isso tudo é andar no seu próprio caminho, e não nas pegadas de Cristo. Muitos cristãos perderam-se e distanciaram-se das bases da Palavra de Deus, tentando criar um evangelho particular que não é o de Jesus Cristo. Funciona mais ou menos assim: você pega os seus conceitos velhos, carnais e humanos, mistura com um pouco de cristianismo e está pronta a falácia. Por exemplo: você leva cesta básica para a igreja, entrega o dízimo e dá glória a Deus, mas não consegue perdoar seus pais, seu cônjuge ou alguém que causou-lhe algum tipo de dano intencional ou não. Mais do que isso: além de não perdoar, enche-se de razões. Esse é o seu evangelho e não o de Cristo. Lá na frente, quando tudo der errado, o culpado será Deus, porque tais pessoas não têm coragem de assumir que foram desonestas na sua relação com Jesus. Enquanto houver algo contaminando-nos, algo condenado por Deus, não poderemos vencer nossas guerras nem viver milagres. Essa é uma lei de guerra.

Quando Jesus falou sobre colocar vinho novo em odres velhos, ele referia-se a isso. É sobre as pessoas que "pegam" Cristo, o vinho novo, colocam-no naquele cômodo cheio de velhos conceitos dos quais não têm a menor intenção de se livrar e dizem: "Eu sou cristão. Agora sou uma nova criatura." Mas não são. Isso se vê pelos frutos. Jesus afirmou: "Nem se põe vinho novo em odres velhos; do contrário, rompem-se os odres, derrama-se o vinho, e os odres se perdem. Mas põe-se vinho novo em odres novos, e ambos se conservam" (Mateus 9:17).

A cura, a resolução de problemas e a felicidade desejada só podem ser alcançadas à medida que andamos nas pegadas de Cristo, apenas a partir do momento em que tiramos as velhas ideias para dar lugar ao novo de Deus. Você até pode ser curado de uma enfermidade, mas também pode adotar um tipo de vida que ajudará você a ter vitória sobre todas as enfermidades. Da mesma maneira, você pode receber uma graça e conseguir a casa própria, por exemplo, mas pode ir além. Pode andar no caminho que o leva a receber o dom de adquirir riquezas e ter uma força de trabalho contínua. Pode até ser liberto das drogas, mas se andar nas pisaduras de Cristo, não será prisioneiro de mais nada ou de ninguém. Isso era o que Jesus estava tentando dizer à samaritana em João 4:13-14, em outras palavras: Se você quiser mais um marido — já teve cinco —, pode até conseguir. Mas, se quiser ter sua vida resolvida para sempre, beba dos meus ensinamentos, caminhe nos meus passos e nunca mais se sentirá perdida, sozinha e sedenta.

Existe diferença entre viver o milagre e alcançar e viver as promessas de Deus para nós. Para que você entenda melhor: a terra prometida por Deus a seu povo foi conquistada com vitórias sobrenaturais. Portanto, os milagres não eram o fim de toda uma relação espiritual, mas um meio para alcançar a promessa. No nosso caso, os milagres que vivemos são um meio para conquistarmos a maior de todas as bênçãos, para sermos transformados para entrar na indescritível e poderosa relação de pai e filho com Deus, à semelhança de Jesus Cristo. Esse realmente é o milagre maior que nos faz em toda e qualquer situação mais que vencedores.

De uma forma ou de outra, Deus nunca deixa de suprir-nos. Às vezes, ele dá além do que pedimos; outras, aquém; e, algumas vezes, não da maneira como queríamos. Esse entendimento é o que torna nossa relação com Deus integralmente limpa e honesta. Ele não me dá tudo o que quero, mas me ensina a conviver com aquilo que não me deu. Compreender isso é uma grande vitória espiritual. Em nossa casa, por exemplo, estamos aprendendo a viver sem a companhia e a ajuda do nosso filho, o bispo Tid. É um processo que Deus está tornando suportável, porque a ausência do Tid era insuportável. Isso me dá forças para esperar, para lutar por aquilo que cremos. Se nosso filho está no hospital agora é porque, nesse momento, o melhor para ele e para nós é ele estar lá. Esse entendimento só é possível porque permanecemos no caminho trilhado por Cristo.

Como já disse, o maior milagre da minha vida foi ter meu nome escrito no Livro da Vida. Acredito que nós somos viajantes no planeta Terra. A viagem começa com o berro e termina com o silêncio. Por isso, eu sempre digo: o nosso evangelho é o da vida eterna. As pessoas estão misturando muito isso hoje em dia. Você às vezes vai a um velório de "crente" e é igual ao do que não é. Está todo mundo chorando, em pleno desespero. A dor da partida pode ser forte, mas a esperança da vida futura tem que ser maior ainda. Foi o que Paulo pregou em Filipenses 1:23: "Estar com Cristo, o que é incomparavelmente melhor."As pessoas atropelam as verdades bíblicas e ficam procurando explicações e um jeito de culpar a Deus.

Missão na terra

É comum ouvirmos que temos uma missão aqui na terra. Isso não está errado. Essa missão é o propósito de Deus cumprindo-se dentro de um contexto eterno. Por exemplo: no caso do apóstolo Paulo, Deus poderia tê-lo livrado das prisões, dos açoites, dos naufrágios e até da morte. Mas não o fez. Por quê? Porque quando o chamou, disse: "[...] este é para mim um instrumento escolhido para levar o meu nome perante os gentios e reis, bem como perante os filhos de Israel; pois eu lhe mostrarei quanto lhe importa sofrer pelo meu nome" (Atos 9:15-16). Paulo tinha uma missão. Foi chamado para um propósito. Ele iria orar para quê? Para Deus mudar seu propósito? Claro que não! Ele precisava orar para estar bem sem ser tomado ou dominado por conflitos, dor ou questionamentos em toda e qualquer situação, para entender que aquelas dores eram também necessárias, que faziam parte de alegrias maiores. E, por fim, pedir que Deus fortalecesse-o em seu homem interior. É exatamente isso que vemos expresso no texto de Filipenses 4:12-13: "Tanto sei estar humilhado como também ser honrado; de tudo e em todas as circunstâncias, já tenho experiência, tanto de fartura como de fome; assim de abundância como de escassez; tudo posso naquele que me fortalece."

Mais que Paulo, Jesus tinha uma missão: no lugar de toda a humanidade, entregar a sua vida na cruz. Por um momento, ele até pediu: "Pai, afasta de mim esse cálice!" (Marcos 14:36) Mas o Pai não pôde responder favoravelmente. Veja o entendimento de Cristo, sua lucidez tremenda: "Agora, está angustiada a minha alma, e que direi eu? Pai, salva-me desta hora? Mas precisamente com este propósito vim para esta hora" (João 12:27). Com que propósito você veio a esse mundo? Dentro desse propósito, nós caminhamos e encontramos sentido para a vida servindo a Deus. O serviço cristão, ao qual chamamos de ministério, faz cada um de nós passar pela terra da melhor maneira.

Satanás precisa que você retroceda nessa caminhada. Ele deseja que você pare de agradar a Deus porque não quer que ande pelo caminho santo, pois isso acaba com seu reinado. Como na fábula do Lobo Mau, ele vai lhe indicar um atalho.

Se você aceitar, acabará sendo devorado. Portanto, escolha a trilha batida de Cristo e não se desvie. Nem acredite nos caminhos alternativos. Tudo o que você precisa saber já está escrito na Bíblia.

Emanuel, o Deus conosco, jamais vai desistir de você. Ele diz no Evangelho de Mateus 28:20: "E eis que estou convosco todos os dias até a consumação do século." Ele começou uma obra em sua vida e vai terminá-la. A obra não acaba aqui na terra, mas continua até a eternidade. Essa obra está acontecendo no mundo espiritual agora mesmo. Os seus olhos podem não enxergar, a sua carne pode duvidar, mas ele é Deus e não muda. A sua misericórdia dura para sempre (Salmo 136).

Persevere em acreditar e andar nas pisadas de Cristo e você verá que essa situação tão terrível, amanhã, não passará de leve e momentânea tribulação perto do peso da glória de Deus que se manifestará em sua vida com milagres a cada dia.

Depoimento

ESTAVA MORTO E REVIVEU

Casei com meu primeiro e único namorado. Logo no início do casamento, meu marido foi trabalhar na Polícia Civil, no Departamento de Investigações Criminais, o DEIC, em São Paulo. Nosso relacionamento era muito bom, mas, a partir do momento em que ele entrou para a polícia, tornou-se frio e distante. Passou a beber muito, estava sempre alterado. Não demorou até que eu descobrisse que ele tinha um relacionamento extraconjugal.

Nessa época, apesar de ser de uma família com muitos pastores evangélicos, eu frequentava uma religião espiritualista. Durante as reuniões místicas fui orientada a colocar um pano branco na sala da minha casa. A orientação era de que um espírito me ajudaria a resolver a situação. A partir de então, nossa vida virou uma bagunça de vez.

Já tínhamos dois filhos e eles não aguentavam mais as brigas. Queriam que eu me separasse do meu marido, pois ele estava totalmente louco. Seu envolvimento extraconjugal e a bebida pioravam tudo. Além disso, ele tornou-se violento. Comprava álcool e dizia que atearia fogo na casa enquanto dormíamos. Ameaçava nos matar. Era agressivo, pegava sua arma e dava tiros para o alto. Nossa casa era o caos.

Em função disso, das traições e das agressões, passei a odiar meu marido. Desejava que ele morresse. Todo o amor que eu tinha se transformou em ódio. Eu pedia a Deus para que ele morresse. Pensava na separação, mas não queria abrir mão da casa que construí com muito esforço e com o meu salário de gerente financeira em uma grande empresa. Entendia que aquela casa era minha e não iria dividi-la com ninguém. Ele até saiu por um tempo, apenas 15 dias. Depois, permiti que ele voltasse. Vivíamos debaixo do mesmo teto, mas separados de corpo.

Assim como ele, passei a beber muito. Era uma forma de me anestesiar diante de tanto sofrimento. Comprava caixas e caixas de uísque, fumava e envolvi-me também com outras pessoas. Foi durante essa situação terrível que tive um câncer no ovário. Fiquei muito fraca e cheguei a pesar apenas 37kg.

Acho importante explicar que minha avó materna, evangélica, orava pela família todos os dias, especialmente pelos netos: eu e meus 11 irmãos. Com 12 anos comecei a frequentar uma igreja cristã com minha mãe, mas aos 14, quando conheci meu marido, afastei-me de Jesus Cristo.

Foram vinte anos dentro de um centro espírita. Minha conversão ao Evangelho, a Jesus, só ocorreu após meus filhos crescerem e se casarem. Foi em dezembro de 1993, quando conheci a Igreja Renascer em Cristo. Uma colega de trabalho convidou-me. Eu, na época, não queria saber nada de "crente". Um dia, ela me contou sobre as obras assistenciais da Igreja, e isso me atraiu. Acabei ficando e passei a entender que tinha um chamado ministerial. Deus falava ao meu coração e eu queria conhecer mais a Bíblia, fazer os cursos da igreja e envolver-me mais com a obra de Deus. Eu saía do trabalho e ia direto para a igreja. Jesus estava restaurando minha vida e meus valores, mas meu marido desconfiava de mim. Achava que, assim como ele, eu também estivesse fazendo algo errado, mas eu estava seguindo a Cristo.

Nessa época ele ficou muito doente. Andava abatido e quase não saía. Eu não sabia o que ele tinha. Sua pele estava amarelada. Levei-o ao médico e veio o diagnóstico: cirrose. Os exames mostravam que seu fígado estava todo comprometido. Segundo o médico, não havia mais o que ser feito. Era o início de uma luta que terminaria em três anos. Como não tinha quem cuidasse dele, eu assumi essa tarefa.

Eu já conhecia o amor e o poder de Deus. Sabia bem o que a Bíblia diz sobre o perdão. Baixei minha guarda e passei a enxergá-lo com outros olhos. Foi o primeiro milagre. Deus começou a restaurar o amor que eu tinha pelo meu marido no início do nosso namoro. Eu queria abraçá-lo, era cuidadosa e carinhosa. Ele ficava grato e ao mesmo tempo constrangido. Agora a minha oração era para que ele vivesse.

Ao ver minha transformação e as demonstrações de amor e zelo, ele me pedia:

— Por favor, me ajude! Eu preciso mudar de vida.

Meu marido ficava mais no hospital do que em casa. Até vendi a casa, na Mooca, e comprei um apartamento na Vila Mariana que era mais próximo do Hospital do Servidor Público, onde ele se tratava. Seus períodos de internação eram muito longos e quanto mais perto de casa melhor. A cirrose se agravava cada vez mais e eu levava os pedidos de um milagre para a Igreja, e todos me ajudavam em oração.

Durante um culto, o apóstolo Estevam chamou à frente as pessoas que enfrentavam enfermidades em seu corpo ou na família; ele profetizou que nossos familiares no hospital seriam ressuscitados pelo Espírito de Deus. Nessa hora, em pé diante do altar, tive uma visão que me deixou assustada. Eu via um túmulo aberto, como se estivesse acontecendo um enterro. Havia dois homens tentando colocar o caixão dentro da sepultura, mas daquele buraco saía uma luz tão forte que não permitia que aquele enterro se realizasse. Eu comecei a chorar porque achei que o meu marido estivesse morrendo no hospital. Eu não tinha ideia do que Deus estava preparando.

Enquanto tinha essa visão, meu marido completava seis dias em coma. Nas dezenas de internações anteriores eu comprava, de forma profética, roupas à espera de sua saída do hospital. Acreditava que Deus faria um milagre.

Poucos dias depois eu estava na escola da igreja, fazendo curso de oficiais, quando o médico me ligou no celular e pediu para que eu fosse ao hospital. Meu marido não passaria daquela noite. Para a medicina, ele estava morto. Não respondia a nenhum estímulo e seu coração estava muito fraco. O médico disse que aguardavam apenas o coração parar de vez e aconselhou chamar filhos e parentes. Eu tentei ligar, mas não encontrei ninguém naquele horário. Tenho 11 irmãos e nenhum atendia ao telefone. O Senhor queria me dar outra experiência.

Cheguei ao hospital e fui para o quarto dele. Orei:

— Deus, eu tenho cuidado dele. Tenho orado, jejuado, feito de tudo. O Senhor fez voltar esse primeiro amor tão forte, e agora vai levá-lo? Eu o amo agora muito mais do que antes.

Sempre amei muito o meu marido. Era amor mesmo, paixão. Eu cuidava muito bem dele, organizava toda a sua vida. Os ternos e sapatos que ele gostava de usar estavam sempre impecáveis. Quase todo dia eu o ajudava a se trocar; colocava o cinto nele, arrumava a gravata, sempre com muito zelo e carinho. Ele foi o meu primeiro e único amor. Então, quando ele começou a mudar, beber e me trair, você pode imaginar como me senti. Aquele amor se transformou em ódio. Mas eu me converti; ele ficou doente; e percebi que ainda o amava muito.

Nesse dia em que os médicos me disseram que ele morreria, fui ao hospital com minha Bíblia. Lá Deus tocou o meu coração para abri-la em 2Reis 4 e observar o que o profeta Eliseu havia feito com o menino morto. Eu retruquei:

— Senhor, mas eu nem conheço bem a Palavra de Deus. Como é que vou fazer isso? Eliseu é Eliseu, e eu sou apenas eu. Estou sozinha aqui e não sei nada sobre atos proféticos ou sobre profetizar.

Tinha meus argumentos, mas aquela orientação de Deus foi muito forte. Só Deus mesmo para inspirar-me e ensinar-me. A Bíblia diz que o Espírito Santo de Deus nos ensina todas as coisas, e eu tive essa experiência. Ele ensinou-me o que eu não sabia; e eu nem sabia orar direito.

O médico dizia que meu marido não sobreviveria. Ele estava todo amarelado e seus olhos pareciam gema de ovo. Resolvi obedecer à voz de Deus a despeito das circunstâncias. Peguei a mão dele, deitei sobre ele e comecei a repetir:

— Recebe o sopro de vida, em nome de Jesus!

O médico até saiu da sala. Ele deve ter achado aquilo tudo muito louco. Apareceram as enfermeiras e todas achavam que eu estava fora de mim, deitada sobre um homem praticamente morto. Não me importei. Comecei a orar e pedir para que meu marido recebesse o Espírito da ressurreição e da vida. Eu soprava nas narinas dele e aquilo foi tão forte em mim que fiquei toda suada. Era como se eu estivesse banhada em óleo.

Acabei de orar, desci da cama e sentei ao seu lado. Acabei cochilando um pouco e, de repente, escutei:

— Ju, arranca esse negócio daqui. Eu estou morrendo de fome.

Virei e vi meu marido, ainda entubado, tentando falar comigo. Sua cor tinha mudado completamente. Ele parecia um tomate de tão vermelho. Eu mal acreditava. "Deus, o que é isso? Ele estava amarelo e agora ficou vermelho. Isso não é normal. Só pode ser coisa de Deus."

Fui chamar o médico, que disse que eu não estava bem. Que após todo aquele tempo no hospital deveria estar cansada. Dizia que, para a medicina, o "senhor Ortega", meu marido, estava morto.

— Como você vem me falar que ele está com febre?

Eu disse:

— Doutor, vá lá olhar.

No quarto, ele ficou surpreso. Disse que aquilo seria a tal "melhora da morte". Ignorei e respondi:

— Ele está com muita fome. Tira essa sonda, por favor!

O médico respondeu que não poderia tirá-la. Já estava com aquele tubo há muito tempo e, provavelmente, estaria tudo colado por dentro. E meu marido continuava pedindo:

— Ju, tira isso. Eu estou com fome.

Ele começou a contar que estava em um túnel escuro e horroroso, mas ouviu alguém o chamando pelo nome. E foi assim que voltou.

O médico escutou o que ele falava e decidiu tirar a sonda. Para seu espanto, estava tudo seco. Não havia nada, nem sangue. Ele teve que admitir:

— Nossa! Seu santo é forte, hein?

— Não. É o meu Deus que é todo-poderoso.

Essa incrível experiência terminou no final da noite. Depois disso, eu voltei para casa. Era bem tarde, e na manhã seguinte eu deveria voltar ao hospital para ajudá-lo no banho.

Acabei me atrasando muito e, quando cheguei ao hospital, fui surpreendida. Ele já estava acordado e tinha tomado banho sozinho. Vestiu-se com a roupa nova que eu havia comprado. Estava todo arrumadinho, perfumado e de chinelos. Ligou a televisão e almoçava, sentado na cama.

Horas antes ele estava sob uma sentença de morte iminente. Quando vi aquela cena, fiquei sem ação. Meus olhos assistiam a um milagre.

Do hospital fui direto à igreja. Desejava contar aquele testemunho sobrenatural. Meu marido morto, conforme o médico havia dito, reviveu.

Uma enfermeira, que cuidou dele enquanto estava quase morto, ao entrar no quarto exclamou:

— Esse é o meu Deus todo-poderoso! É o Deus que cura. É o Deus da ressurreição.

Pouco depois ele teve alta. É agora que começa a parte mais importante da história. Quando chegamos em casa, ele me pediu:

— Eu quero conhecer Jesus. Fale-me sobre esse Jesus que

transformou a sua vida e que me curou. Eu estava morto e voltei. Então, me fala dele.

Era tudo o que eu desejava ouvir. Contei sobre Jesus, li a Bíblia com ele e testemunhava as minhas experiências com o amor de Deus. Ele ainda estava fraco, mas consciente e sedento do amor e da Palavra de Deus. Telefonei para a igreja e uma pastora amiga foi até nossa casa. Ministrou sobre o batismo e acertamos de levá-lo para ser batizado no dia seguinte.

Naquela época, os batismos aconteciam em um clube perto da igreja. Era um lugar bem grande, mas, para chegar até as piscinas, tinha que passar por escadas. Meu marido teve que ser transportado de cadeira de rodas e desceu às águas do batismo na cadeira mesmo. Não foi uma operação fácil. Porém, não desistimos, e ele foi batizado. Ainda nas águas, meu marido ficou em pé. Levantou suas mãos e agradeceu a Deus por estar vivendo aquele momento maravilhoso. Acredito que ele teve alguma visão naquela hora.

Depois do batismo, ele me falou:

— Ju, você cuidava do meu salário e eu sempre briguei com você por causa do dízimo e das ofertas que você entrega na Igreja. A partir de hoje a primeira coisa que eu quero que você faça é separar do meu dinheiro a parte que não é minha, mas que é do Senhor e leve o meu dízimo para a casa de Deus.

Ele pediu perdão por tudo o que fez a mim. Dizia que, se Deus o deixou viver, ele iria me fazer a pessoa mais feliz da Terra. Eu também pedi perdão pelas coisas erradas que fiz. Nossos filhos também tiveram essa oportunidade. Consegui enxergar novamente o homem pelo qual eu me apaixonei. Mesmo ainda muito abatido, até viajamos. Percorremos setecentos quilômetros. Passeávamos no shopping, coisa que nunca havíamos feito juntos.

Vivíamos uma vida de casal novamente. O amor que a gente sentia era muito grande. Como se fôssemos namorados mesmo. De abraçar, fazer um carinho, pôr a cabeça no colo um do outro.

De falar de algumas coisas que fizemos juntos, relembrar os dias felizes da nossa história. Nós tivemos essa oportunidade e todos os dias eu lembrava, e tenho certeza de que ele também, que o que estava acontecendo era um grande milagre, pois ele estava morto, reviveu e nasceu de novo em Jesus Cristo.

Ele se tornou uma nova criatura.

Com muito esforço, se ajoelhava todos os dias para orar. Erguia as mãos para glorificar a Deus, ouvindo o apóstolo Estevam pelo rádio. Ele passava muito tempo no quarto, na cama, e dizia que não queria ver TV. Queria só um rádio para poder ouvir e orar com o apóstolo todos os dias. Às vezes, quando eu chegava em casa do trabalho, encontrava-o com o rádio ligado, orando, com as mãos para o alto, pedindo a Deus uma nova oportunidade.

Sua relação com Deus se tornava cada vez mais próxima e, seis meses depois, o Senhor o recolheu. Ele estava no hospital, cuidado e amparado. Partiu para a casa do Pai em paz. Fiquei muito consolada por ter vivido a restauração da minha casa, do meu lar e do meu casamento. O perdão foi um milagre incrível porque apagou de mim todo o ódio que havia sentido um dia. Vejo em tudo isso que se cumpriu o que diz a Palavra de Deus: "Crê no Senhor Jesus e serás salvo tu e a tua casa" (Atos dos Apóstolos 16:31). Tenho certeza de que vamos nos reencontrar na casa eterna. Isso não aconteceria se o Senhor não tivesse nos concedido o milagre da ressurreição.

Júlia Nóbrega Ortega
São Paulo – SP

Este livro foi composto em IowanOldSt BT,10,5/14,5,
e impresso pela Edigráfica em 2013.